POÉTICOS PARA TODOS

POÉTICOS PARA TODOS

SALMOS 73—150 • PARTE 2

JOHN GOLDINGAY

Título original: *Psalms for everyone — Part 2*
Copyright © 2014 por John Goldingay
Edição original por Westminster John Knox Press, Louisville, Kentucky.
Todos os direitos reservados.
Copyright da tradução © Vida Melhor Editora S.A., 2022.

As citações bíblicas são traduções da versão do próprio autor, a menos que seja especificada outra versão da Bíblia Sagrada.

Os pontos de vista desta obra são de responsabilidade de seus autores e colaboradores diretos, não refletindo necessariamente a posição da Thomas Nelson Brasil, da HarperCollins Christian Publishing ou de sua equipe editorial.

Publisher	*Samuel Coto*
Editor	*André Lodos Tangerino*
Tradutor	*José Fernando Cristófalo*
Copidesque	*Josemar de Souza Pinto*
Revisão	*Carlos Augusto Pires Dias*
Diagramação	*Sonia Peticov*
Capa	*Rafael Brum*

DADOS INTERNACIONAIS DE CATALOGAÇÃO NA PUBLICAÇÃO (CIP)
(Benitez Catalogação Ass. Editorial, MS, Brasil)

G571p Goldingay, John
1.ed.   Poéticos para todos: Salmos 73-150: parte 2/ John Goldingay; tradução José Fernando Cristófalo. - 1.ed. – Rio de Janeiro: Thomas Nelson Brasil, 2022.

Título original: Psalms for everyone, part 2: Psalms 73-150.
ISBN 978-65-56893-68-6

1. Bíblia. A.T. Salmos – Comentários. I. Cristófalo, José Fernando. II. Título.

05-2022/139   CDD: 223.7

Índice para catálogo sistemático:
1. Bíblia: Antigo Testamento: Comentários 223.7

Aline Graziele Benitez — Bibliotecária — CRB-1/3129

Thomas Nelson Brasil é uma marca licenciada à Vida Melhor Editora LTDA.
Todos os direitos reservados à Vida Melhor Editora LTDA.
Rua da Quitanda, 86, sala 218 — Centro
Rio de Janeiro — RJ — CEP 20091-005
Tel.: (21) 3175-1030
www.thomasnelson.com.br

SUMÁRIO

Agradecimentos	9
Introdução	11
Salmo 73 • Deus redime agora	18
Salmo 74 • Chega de punição!	23
Salmo 75 • A promessa de um cálice envenenado	27
Salmo 76 • Medo ou reverência	30
Salmo 77 • Deus mudou?	33
Salmo 78:1-37 • A ligação sutil entre a graça de Deus e a resposta do povo	36
Salmo 78:38-72 • Os que estão de pé cuidem para que não caiam	41
Salmo 79 • Uma forma de escapar da fadiga por compaixão	46
Salmo 80 • Traze de volta! Volta!	50
Salmo 81 • Sobre a relação entre adoração e sermão	53
Salmo 82 • Sobre desafiar os deuses e Deus	57
Salmo 83 • Escolha o seu destino	60
Salmo 84 • Um dia e mil dias	64
Salmo 85 • Restaura-nos novamente	67
Salmo 86 • Um servo apoia-se em seu Senhor	71
Salmo 87 • Coisas gloriosas são faladas sobre ti, Sião	75
Salmo 88 • Um clamor da sepultura	78
Salmo 89:1-37 • Há algo estável?	82
Salmo 89:38-51 • Enfrentando o outro conjunto de fatos	87
Salmo 89:52 • Amém, seja como for	90
Salmo 90 • O tempo de Deus e o nosso tempo	91
Salmo 91 • À sombra do Todo-poderoso	95

Salmo 92 • Como é a adoração do sábado? 98
Salmo 93 • A terra é vulnerável? 101
Salmo 94 • O Deus da reparação 102
Salmo 95 • Poderá apenas se calar e ouvir? 106
Salmo 96 • Sim, Yahweh começou a reinar 109
Salmo 97–98 • O verdadeiro Rei dos reis 113
Salmo 99–100 • Sobre espaço, atos e som sagrados 117
Salmo 101 • O desafio da liderança 121
Salmo 102 • Tenho esperança para Sião,
mas há esperança para mim? 125
Salmo 103 • Como persuadir o seu coração 129
Salmo 104 • Deus da luz e Deus das trevas 133
Salmo 105 • Aprendendo com a sua história 138
Salmo 106:1-47 • Como a nossa infidelidade
engrandece a fidelidade de Deus 144
Salmo 106:48 • Outro amém 150
Salmo 107 • Que os redimidos do Senhor o digam 150
Salmo 108 • O que fazer quando as promessas de
Deus falham 155
Salmo 109 • Como lidar ao ser enganado 158
Salmo 110 • Uma questão de poder 163
Salmo 111 • A aliança de *Yahweh* e a nossa aliança ... 166
Salmo 112 • O evangelho da prosperidade redefinido .. 168
Salmo 113–114 • Sobre estar aberto ao inesperado 171
Salmo 115 • Confiança ou controle 176
Salmo 116 • Razão para crer 179
Salmo 117 • Como dizer muito em poucas palavras 183
Salmo 118 • Este é o dia que o Senhor fez 184
Salmo 119:1-24 • As leis de Deus como o caminho
para a bênção 188
Salmo 119:25-48 • Firme nas promessas 192
Salmo 119:49-72 • Ensina-me 196

Salmo 119:73-96 • Sobre elevar o teto da nossa esperança	200
Salmo 119:97-120 • Posso ser mais sábio que o meu professor	204
Salmo 119:121-144 • O mestre fiel	207
Salmo 119:145-176 • O apelo da ovelha perdida	211
Salmo 120—121 • Pacificidade e paz	216
Salmo 122—123 • Orando por Jerusalém, orando por graça	219
Salmo 124—125 • Montanhas ao redor de Jerusalém, e Yahweh ao redor do seu povo	223
Salmo 126—127 • Lamento e insônia	226
Salmo 128—129 • Bênçãos e atrocidades	230
Salmo 130—131 • Desejando e esperando	233
Salmo 132 • Se você construir, ele virá	237
Salmo 133—134 • Como terminar o dia	241
Salmo 135 • Vento santo	244
Salmo 136 • O seu compromisso é para sempre	248
Salmo 137 • Recordação, de Deus e nossa	252
Salmo 138 • Como ser desafiador no Espírito	255
Salmo 139 • Sobre transparência	257
Salmo 140 • A alternativa a um colete à prova de balas	263
Salmo 141 • Sobre manter a boca fechada	265
Salmo 142 • Como fazer a oração funcionar	268
Salmo 143 • A fidelidade de Deus, não a minha	271
Salmo 144 • Um mero sopro	274
Salmo 145 • Teu é o reino, o poder e a glória	277
Salmo 146 • Não confie em líderes	280
Salmo 147 • A criação como motivo de esperança	283
Salmo 148—149 • Dança e matança	286
Salmo 150 • O louvor de Deus, o Eterno Criador, está terminado e completo	290
Glossário	293

⌐ AGRADECIMENTOS ⌐

A tradução no início de cada capítulo (e em outras citações bíblicas) é de minha autoria. Tentei traduzir os Salmos em um comentário anterior (*Psalms* [Salmos], em três volumes, publicado pela *Baker Academic*, em 2006-2008); embora tenha iniciado do zero para este livro, algumas vezes adaptei sentenças extraídas desse trabalho anterior. Estabeleci como alvo me manter o mais próximo do texto hebraico original do que, em geral, as traduções modernas, destinadas à leitura na igreja, para que você possa ver, com mais precisão, o que o texto diz. Da mesma forma, embora prefira utilizar a linguagem inclusiva de gênero, deixei a tradução com o uso universal do gênero masculino caso esse uso inclusivo implicasse dúvidas quanto ao texto estar no singular ou no plural — em outras palavras, a tradução, com frequência, usa "ele" onde em meu próprio texto eu diria "eles" ou "ele ou ela". Às vezes, acrescentei palavras para tornar o significado mais claro, colocando-as entre colchetes. Ao final do livro, há um glossário contendo alguns termos recorrentes no texto, tais como expressões geográficas, históricas e teológicas. Em cada capítulo (exceto na introdução ou nas seleções da Escritura), a ocorrência inicial desses termos é destacada em **negrito**.

As histórias presentes na tradução, em geral, envolvem meus amigos, assim como minha família. Todas elas ocorreram, de fato, mas foram fortemente dissimuladas para preservar as pessoas envolvidas. Em algumas, o disfarce utilizado foi tão eficiente que, ao relê-las, levo um tempo para identificar as pessoas descritas. Nas histórias, Ann, minha primeira esposa, aparece com frequência. Dois anos antes de eu começar a escrever este volume, ela faleceu, após negociar com a esclerose múltipla durante 43 anos. Compartilhar os cuidados, o desenvolvimento de sua enfermidade e a crescente limitação, ao longo desses anos, influencia tudo o que escrevo, de maneiras facilmente perceptíveis ao leitor, mas também de formas menos óbvias.

Pouco antes de começar a escrever este volume, apaixonei-me e casei-me com Kathleen Scott e sou muito grato por minha nova vida ao lado dela e por seus lúcidos comentários sobre o manuscrito, tão criteriosos e elucidativos que, na realidade, ela deve ser creditada como coautora. Minha gratidão, igualmente, a Matt Sousa por ter lido o manuscrito e me indicado o que precisava ser corrigido ou esclarecido no texto, e a Tom Bennett por ter conferido a prova de impressão.

INTRODUÇÃO

No tocante a Jesus e aos autores do Novo Testamento, as Escrituras hebraicas, que os cristãos denominam de Antigo Testamento, *eram* as Escrituras. Ao incluir essa observação, lanço mão de alguns atalhos, já que o Novo Testamento jamais apresenta uma lista dessas Escrituras, mas o conjunto de textos aceito pelo povo judeu é o mais próximo que podemos avançar na identificação da coletânea de livros que Jesus e os escritores neotestamentários tiveram à disposição. A igreja também veio a aceitar alguns livros adicionais, como Macabeus e Eclesiástico, tradicionalmente denominados "apócrifos", os livros que estavam "ocultos" — o que veio a implicar "espúrios". Agora, com frequência, são conhecidos como "livros deuterocanônicos", um termo mais complexo, porém menos pejorativo; isso simplesmente indica que esses livros detêm menos autoridade que a Torá, os Profetas e os Escritos. A lista exata deles varia entre as diferentes igrejas. Para os propósitos desta série que busca expor o "Antigo Testamento para todos", consideramos como "Escrituras" os livros aceitos pela comunidade judaica, embora na Bíblia judaica eles sejam apresentados em uma ordem distinta, classificados como a Torá, os Profetas e os Escritos.

Elas não são "antigas" no sentido de antiquadas ou ultrapassadas; às vezes, gosto de me referir a elas como o "Primeiro Testamento" em vez de "Antigo Testamento", para não deixar dúvidas. Quanto a Jesus e aos autores do Novo Testamento, as antigas Escrituras foram um recurso vívido na compreensão de Deus e dos caminhos divinos no mundo e conosco. Elas foram úteis "para o ensino, para a repreensão, para a correção e para a instrução na justiça, para que o homem de Deus seja apto e plenamente preparado para toda boa obra" (2Timóteo 3:16-17). De fato, foram para todos, de modo que é estranho que os cristãos pouco se dediquem à sua leitura. Assim, o objetivo, com esses volumes, é auxiliar você a fazer isso.

Meu receio é que você leia a minha obra, não as Escrituras. Não faça isso. Aprecio o fato de esta série incluir grande parte do texto bíblico, mas não ignore a leitura da Palavra de Deus. No fim, essa é a parte que realmente importa.

UM ESBOÇO DO ANTIGO TESTAMENTO

Embora o Antigo Testamento cristão contenha os mesmos livros da Bíblia judaica, eles são apresentados em uma ordem diferente:

- Gênesis a Reis: Uma história que abrange desde a criação do mundo até o exílio dos judaítas na Babilônia.
- Crônicas a Ester: Uma segunda versão dessa história, prosseguindo até os anos posteriores ao exílio.
- Jó, Salmos, Provérbios, Eclesiastes, Cântico dos Cânticos: Alguns livros poéticos.
- Isaías a Malaquias: O ensino de alguns profetas.

A seguir, há um esboço da história subjacente a esses livros (não forneço datas para os eventos em Gênesis, o que envolve muito esforço de adivinhação).

1200 a.C. Moisés, o êxodo, Josué
1100 a.C. Os "juízes"
1000 a.C. Saul, Davi

900 a.C. Salomão; a divisão da nação em dois reinos: Efraim e Judá
800 a.C. Elias, Eliseu
700 a.C. Amós, Oseias, Isaías, Miqueias; Assíria, a superpotência; a queda de Efraim
600 a.C. Jeremias, rei Josias; Babilônia, a superpotência
500 a.C. Ezequiel; a queda de Judá; Pérsia, a superpotência; judaítas livres para retornar para casa
400 a.C. Esdras, Neemias
300 a.C. Grécia, a superpotência
200 a.C. Síria e Egito, os poderes regionais puxando Judá de uma forma ou de outra
100 a.C. Judá rebela-se contra o poder da Síria e obtém a independência
0 a.C. Roma, a superpotência

SALMOS 73—150

Você pode estar se perguntando o motivo deste segundo volume relativo ao livro de Salmos, da série *O Antigo Testamento para todos*, iniciar com o salmo 73 — por que não incluir 75 salmos em cada volume? A resposta é que a Bíblia hebraica divide o Saltério, o livro de Salmos, em cinco "livros" menores, iniciando-se com os salmos 1, 42, 73, 90 e 107. Pode-se ver os marcos dessas divisões dentro dos próprios salmos no ato especial de louvor e no amém duplo que surge ao final dos salmos 41, 72, 89 e 106. Se as pessoas que compilaram o Saltério o estruturaram dessa forma, poder-se-ia imaginar que reuniriam as categorias distintas de salmos nos diferentes livros — digamos, colocar em um livro todos os salmos de louvor, em outro, todos os salmos para uso do rei, ou todos os salmos davídicos. No entanto, embora haja tendências de acordo com essas linhas, elas não foram realizadas de modo consistente, e as divisões entre os livros são aleatórias. Mas a formação em cinco livros, certamente, não é randômica, pois segue o mesmo número nos quais a Torá é dividida — Gênesis, Êxodo, Levítico, Números e Deuteronômio. Portanto, há cinco livros de ensino sobre como Deus se relacionou com o mundo e com Israel, no princípio, e sobre as expectativas de Deus em relação a Israel, e há o mesmo número de livros de ensino sobre oração e louvor. Dessa forma, a divisão do Saltério em cinco livros chama a nossa atenção para o motivo de o livro de Salmos existir; para nos ensinar como louvar a Deus e como orar a ele.

Bem, fiz uma leve simplificação. Existem cerca de quinze salmos que são dominados pela palavra de Deus. O salmo 110 constitui um exemplo; trata-se de um relato das promessas de Deus ao rei. Todavia, na grande maioria, são os seres humanos que falam a Deus. Há quatro maneiras principais pelas quais isso ocorre:

1. Alguns salmos são expressões de adoração pelo que Deus é e pela forma consistente com que se relaciona conosco. O salmo 100 é um exemplo. O salmo em questão ilustra bem as duas características de um salmo de louvor dessa categoria. Ele inicia com uma exortação ao louvor e, então, prossegue com os motivos para o louvor, que constitui o seu conteúdo. Igualmente, exemplifica uma característica presente em outros salmos. Quando o salmista expressa o louvor e os motivos para louvar, ele repete a sequência, como se fazê-lo uma vez não fosse suficiente. Há mais salmos de louvor na segunda metade do Saltério do que na primeira.
2. Alguns salmos constituem protestos quanto ao fato de Deus não estar, agora, se relacionando conosco como seria esperado por nós. O salmo 89 é um exemplo. Nesse caso, há menos salmos de protesto na segunda metade do que na primeira.

O salmo 89 é um exemplo extremo de uma característica recorrente nesses salmos, ou seja, a de se estender longamente na descrição de quem é Deus, de como ele agiu no passado, e as promessas feitas por ele. No entanto, tudo isso apenas leva a uma queixa quanto a esses fatos apenas tornarem mais misterioso o modo pelo qual Deus tem agido no presente.

3. Certos salmos são declarações de confiança em Deus que persiste a despeito das pressões. Nesse quesito, o salmo 84 é um modelo. A exemplo de um salmo de protesto, este pressupõe o fato de que nem tudo é maravilhoso na vida de uma pessoa. Fala sobre ter de viver em tendas dos infiéis — isto é, viver na companhia de pessoas infiéis. Seria muito melhor poder viver em Jerusalém, nas vizinhanças do templo. Contudo, o salmo também expressa uma espécie de contentamento pela obrigação de viver longe de Jerusalém, pois Deus não está confinado ao templo e pode ser objeto de confiança em qualquer lugar do planeta.

4. Alguns salmos são testemunhos ou ações de graças pelos atos de Deus em resposta aos protestos e às declarações de confiança. O salmo 116 é um exemplo. Um salmo de ação de graças ou de testemunho, tipicamente, fornece um relato do perigo ou da aflição no(a) qual uma pessoa estava, uma descrição de como a pessoa orou e um relato da ação divina para trazer libertação. O salmista busca atrair outras pessoas a um compromisso mais profundo com Deus, à medida que percebe que aquele testemunho descreve algo que não é somente verdadeiro para aquela pessoa, mas que também pode ser real para elas.

Uma característica que perpassa todos as categorias de salmos é a maneira com que eles são constituídos por linhas breves, divididas em duas partes. Desse modo, a primeira linha do salmo 73 é:

> "Com efeito, Deus é bom para Israel,
> para os puros de coração."

De modo típico, a segunda metade da linha reafirma a primeira, embora não seja uma simples repetição. Pode-se obter uma falsa impressão apenas com a primeira metade. É importante que Deus seja comprometido com Israel, mas a adição da segunda metade esclarece que não basta pertencer a Israel, mas é também necessário ser puro de coração. Uma linha posterior do salmo (v. 13) diz:

> "Com efeito, foi para nada que eu mantive o meu coração limpo
> e lavei as minhas mãos na inocência."

Em outras palavras, uma relação apropriada e pura com Deus e com outras pessoas envolve o que há em nosso interior com respeito às nossas intenções e pensamentos (o coração ou a mente). Igualmente, envolve o que está acontecendo com as nossas ações, fora de nós; as nossas mãos não podem estar manchadas de sangue. É importante que a nossa atitude de mente e de coração seja correta, mas também é crucial que as nossas ações assim sejam. Outra dupla de linhas, adiante no salmo (v. 15), diz:

> "Se eu tivesse dito que falaria assim —
> eis que teria traído a companhia de teus filhos."

Aqui, a segunda metade do versículo completa a primeira.

Quem são as pessoas que expressam o seu louvor e a sua oração nos Salmos? Isso pode variar. Algumas vezes, é a comunidade que se expressa como "nós". Tais salmos podem ser especialmente instrutivos se desejamos conhecer como modelar a oração e o louvor da igreja. Em outras, é um "eu" individual que fala. Esses salmos também podem ser de grande auxílio quando almejarmos desenvolver o nosso louvor e a nossa oração individual. Entretanto, há alguns salmos individuais ("eu") que soam como se lidassem com as necessidades de um rei ou um de um líder, como Neemias. Esses salmos são especialmente úteis se desejarmos saber como orar por nossos líderes.

Não sabemos quem escreveu o livro de Salmos, porém não necessitamos, de fato, conhecer os autores dos salmos para usá-los, do mesmo modo que não precisamos conhecer quem compôs um hino moderno para entoá-lo, ou uma oração para poder expressá-la. Pode-se imaginar que a autoria dos Salmos seja óbvia — mas é certo que foi Davi? Contudo, menos de vinte dos salmos que estudamos nesse volume apresentam "De Davi", em sua introdução, de maneira que a ligação com Davi não nos ajuda muito. Na verdade, inúmeros desses salmos parecem pressupor um tempo bem posterior ao de Davi — particularmente, a queda de Jerusalém diante dos exércitos babilônicos e o subsequente translado dos habitantes de Judá para a Babilônia.

De qualquer forma, não está muito claro se a nota "de Davi" realmente significa que Davi tenha escrito o salmo. Poderia significar que a autoria do salmo é mesmo de Davi ou de algum rei davídico posterior ou, ainda, que o salmo faça parte de uma das coletâneas de salmos patrocinadas por Davi ou outro rei davídico. Uns poucos salmos mencionam outras pessoas como Asafe ou os coraítas, que eram pessoas envolvidas ou associadas com a liderança da adoração no templo. Algumas introduções referem-se à ocasião da adoração na qual o salmo era usado. Notadamente, os salmos 120—134 são todos "cânticos de peregrinação", o que pode significar que eram entoados durante a subida de peregrinação a Jerusalém. Os salmos 113—118 tornaram-se os salmos de louvor ou "Hallel", que eram usados nos grandes festivais, especialmente na Páscoa, embora o próprio Saltério não faça referência a essa prática.

SALMOS

SALMO 73
DEUS REDIME AGORA

Composição de Asafe.

1. Com efeito, Deus é bom para Israel,
    para os puros de coração.
2. Mas eu — meus pés quase viraram de lado,
    os meus passos quase escorregaram.
3. Pois estava obcecado pelos exultantes,
    pelo bem-estar dos infiéis que posso ver.

4. Porque não há pressões ameaçando-os de morte;
    o peito deles é imponente.
5. Nos fardos humanos eles não têm parte;
    não são afligidos como as outras pessoas.
6. Portanto, a majestade repousa sobre o pescoço deles,
    embora um casaco consistindo em violência os envolva.
7. Os seus olhos saltam por causa da dureza;
    os esquemas transbordam na mente deles.
8. Eles zombam e falam de malfeitos,
    de sua posição exaltada falam de extorsão.
9. Colocaram sua boca nos céus,
    e a língua deles caminha sobre a terra.
10. Por isso, os golpes vêm de novo e de novo para o seu povo,
    e água abundante é drenada por eles.
11. Mas eles dizem: "Como Deus reconhece isso?
    Há reconhecimento com o Altíssimo?"
12. Assim são as pessoas infiéis,
    despreocupadas para sempre, enquanto acumulam riquezas.
13. Com efeito, foi para nada que eu mantive o meu coração limpo
    e lavei as minhas mãos na inocência,

¹⁴ quando passei a ser afligido o dia todo,
   e minha reprovação acontece manhã após manhã?

¹⁵ Se eu tivesse dito que falaria assim —
   eis que teria traído a companhia de teus filhos.
¹⁶ Mas, quando pensei sobre como compreender isso,
   foi um fardo em meus olhos,
¹⁷ até vir ao grande santuário de Deus,
   para que pudesse considerar o fim deles.
¹⁸ Com efeito, tu os estabeleces entre enganos;
   e os fazes cair em mentiras.
¹⁹ Como eles chegam à destruição repentinamente,
   chegam a um fim, são aniquilados, por meio de terrores.
²⁰ Como um sonho, quando se acorda, Senhor,
   quando se mexe, tu desprezarás a sombra deles.

²¹ Quando a minha mente está amargurada,
   e o meu coração — eu sou cortado,
²² então sou estúpido e não compreendo;
   tornei-me um monstro contigo.
²³ Mas estou continuamente contigo;
   tu seguras a minha mão direita.
²⁴ Por teu propósito, tu me conduzes
   e, depois, me receberás com honras.
²⁵ Quem tenho eu nos céus? —
   e contigo, não há ninguém que eu deseje na terra.
²⁶ Quando a minha carne e a minha mente estiverem
      desgastadas,
   Deus é o rochedo da minha mente e meu para sempre.
²⁷ Pois perecem as pessoas que se afastam de ti;
   tu aniquilas todos os que lhe são infiéis.
²⁸ Quanto a mim, bom é estar perto de Deus;
   fiz do Senhor *Yahweh* o meu refúgio,
para falar sobre todos os teus atos.

Ontem à noite, fomos a uma apresentação de Steve Earle, um artista de *rock-country-bluegrass-folk*. A primeira vez que eu o ouvi, no *Nottingham Rock City*, ele havia recentemente saído da prisão, após cumprir pena por delitos ligados a drogas. Vinte anos mais tarde, em um clube na Disneylândia (!), uma de suas canções declarava que, agora, ele acredita em profecias e em milagres, e: "Sim, eu acredito em Deus, e Deus não sou eu [...] eu acredito em Deus, e Deus não somos nós." Steve Earle foi tragado, aniquilado, mas ele contou ao público, quando apresentou outra de suas canções: "Eu tive uma segunda chance", embora ele se regozije no fato de que cada novo dia é uma outra segunda chance. Ele se casou sete vezes (duas com a mesma mulher), "mas essa é a primeira vez sóbrio". Ao ouvir um viciado que, agora, está tão cheio de vida, compromisso e criatividade, referindo-se a como as coisas eram no passado, isso pode significar que estou ouvindo alguém que personifica o milagre de Deus alcançando a vida de um ser humano, e isso encoraja a minha fé e a minha esperança.

O salmo 73 fala de perseguição em vez de vício, porém discorre sobre aquele mesmo milagre de fé e de esperança: "Por teu propósito, tu me conduzes e, depois, me receberás com honras." Se o salmista fosse um viciado, ele seria alguém que acabou de cair em si e sabe que é impossível sair do poço do vício sozinho, e está começando a ver que há um poder superior que pode ajudá-lo a sair do buraco. No caso do salmista, cair em si significa ver que esse poder superior é também maior que os seus perseguidores.

Em termos da tipologia que mencionei na introdução, o salmo 73 é uma espécie de salmo de confiança, mas também de ação de graças. Em *Salmos para todos – Parte 1*, observei que os salmos contemplam dois estágios da resposta de Deus a uma oração. O estágio um significa que Deus ouviu a oração e assumiu o compromisso de fazer algo a respeito do que foi orado. O estágio dois expressa que Deus já agiu, na prática. O salmo 73 está situado entre os estágios um e dois, e o salmista olha para trás, para o processo que o levou à convicção de que Deus irá agir. Assim, com base em sua atitude de confiança, ele conta uma história como uma ação de graças.

O início resume o ponto. O salmista chegou a um ponto no qual é possível fazer uma declaração positiva da bondade de Deus em relação a Israel — embora as pessoas **infiéis**, citadas nos versículos seguintes, provavelmente sejam israelitas, de modo que o salmo detalha esse ponto ao enfatizar que essa afirmação sobre a bondade divina diz respeito aos israelitas que são puros de coração, pessoas que possuem a atitude certa em relação a Deus e ao próximo. Afirmar esse ponto também serve de lembrete aos que ouvem esse salmo de que eles precisam pertencer à companhia dos puros de coração. Após a declaração indicando a posição que o salmista pode assumir agora, o salmo relata a história que está por trás dessa afirmação. Ele observa que muitos estão prosperando na vida e se orgulham disso, agindo com arrogância em relação a Deus e, portanto, em relação aos demais seres humanos. "Os seus olhos saltam por causa da dureza" — talvez a sentença seja equivalente a estar com o coração endurecido; isso sugere olhar para as outras pessoas de maneira cruel. Além disso, o motivo de estarem prosperando é a insensibilidade com que tratam as demais pessoas, causando sofrimento e ameaçando tragá-las como uma inundação.

A cultura ocidental, com frequência, nos encoraja a, simplesmente, nos aproximarmos das pessoas que estão "subindo na vida", e o "evangelho da prosperidade" vem a reboque. Qual é o ponto em ser uma pessoa pura de coração e cujas mãos não estão manchadas de sangue inocente? A resposta a essa questão chegou ao salmista por meio de sua ida ao santuário. Ele veio a perceber, uma vez mais, a verdade pressuposta por muitos salmos. O fato de os infiéis estarem prosperando agora não significa que eles se darão bem para sempre. Ainda, o fato de pessoas inocentes estarem sofrendo não quer dizer que o sofrimento delas perdurará para sempre. Deus, realmente, está envolvido na vida terrena e restaurará a honra do inocente e cuidará para que a justiça seja feita em relação ao infiel. Embora o Antigo Testamento reconheça que as coisas nem sempre funcionam dessa forma, ele também reconhece que as ocasiões de exceção podem facilmente dominar, de modo excessivo, o nosso pensamento. Pelo menos, essa foi a experiência do salmista. No entanto, ir ao santuário reforçou a consciência quanto ao envolvimento de Deus. Afinal, os infiéis o pressionam e causam dificuldades, mas o salmista segue vivo para afirmar: "Mas estou continuamente contigo; tu seguras a minha mão direita." E Deus prosseguirá fazendo isso, de maneira que não preciso olhar para outro deus ou buscar alguma outra forma de sair do poço em que estou. Não, sou impotente demais para fazer algo e mudar a minha situação; eu não sou Deus, porém Deus é Deus.

É frustrante que o salmista não nos revele o que, na sua ida ao santuário, remodelou o seu pensamento e a sua atitude. Talvez tenha sido o relato da história do envolvimento de Deus com o povo de Israel, especialmente no tocante à **libertação** do **Egito** e a derrota imposta àquele povo. Ou pelo fato de ouvir os testemunhos das outras pessoas sobre os atos de Deus na vida delas, ou ouvir o coro do templo cantando sobre a grandeza de Deus. Pode ser apenas por estar no local em que Deus está presente, invisivelmente entronizado. A omissão do salmista em esclarecer esse ponto nos convida a concluir que a questão não está ali. O ponto é que, de alguma forma, o pensamento do salmista foi remodelado (a exemplo do que ocorreu com Steve Earle, por meio de um programa de doze passos), e Deus retornou ao centro. Vivemos em necessidade perpétua de tal remodelagem, de um jeito ou de outro, para abandonarmos o pensamento que nos deixa à parte do envolvimento divino e permitirmos que esse envolvimento de Deus conosco ocupe a posição central de nossa vida.

Algumas traduções passam a impressão de que o salmista está aguardando ser levado por Deus para a glória após a sua morte, mas esse entendimento é equivocado, pois conclui algo que os próprios israelitas não imaginariam, para os quais a morte era o fim; não havia nada depois dela. (Alguns judeus, mais tarde, passaram a crer que haveria ressurreição, mas há um fundamento para crer na ressurreição apenas à luz da morte e da própria ressurreição de Jesus.) As boas-novas do salmo são de que não precisamos esperar o pós-morte para sermos redimidos por Deus; ele redime agora, e o salmista encoraja essa expectativa.

SALMO 74
CHEGA DE PUNIÇÃO!
Uma instrução de Asafe.

1. Deus, por que nos rejeitas para sempre,
    [por que] a tua ira se acende no rebanho que pastoreias?
2. Lembra-te da tua assembleia, que adquiriste longo tempo atrás,
    que restauraste como o teu próprio clã,
    do monte Sião, no qual habitaste.
3. Volta os teus passos para aquelas desolações perpétuas,
    para todos os malfeitos do inimigo no santuário.

4. Os teus inimigos vigiam e rugem no teu lugar de assembleia,
    tornaram os próprios símbolos em sinais de vitória.

5 Poderiam ser reconhecidos como homens brandindo machados
 contra um bosque de árvores.
6 Ora, estavam esmagando totalmente os entalhes,
 com machadinhas e cutelos.
7 Entregaram o teu santuário para o fogo, até o chão;
 corromperam a habitação do teu nome.
8 Disseram a si mesmos: "Vamos derrubá-los completamente";
 queimaram todos os lugares de assembleia de Deus na terra.
9 Não conseguíamos ver os nossos símbolos,
 não havia mais profeta,
 não havia ninguém conosco que sabia por quanto tempo isso continuaria.
10 Até quando, Deus, o inimigo blasfemará,
 insultará o teu nome para sempre?
11 Por que reténs a tua mão,
 manténs a tua mão direita dentro do teu casaco?

12 Mas Deus, meu rei de antigamente,
 aquele que efetua atos de libertação no meio da terra:
13 tu és aquele que dividiu o mar por teu poder,
 despedaçaste as cabeças dos dragões sobre as águas.
14 Tu és aquele que esmagou as cabeças do Leviatã
 para dar de alimento à companhia dos gatos selvagens.
15 Tu és aquele que dividiu a fonte e a torrente,
 que secou rios perenes.
16 O dia é teu, e a noite também;
 estabeleceste a luz, o sol.
17 Tu és aquele que fixou todos os limites da terra;
 verão e inverno — tu és aquele que os formou.

18 Lembra-te disto: o inimigo tem blasfemado,
 Yahweh, um povo desonesto tem insultado o teu nome.

SALMO 74 • CHEGA DE PUNIÇÃO!

¹⁹ Não entregues a vida da tua pomba a um animal,
   não ignores para sempre a vida dos teus humildes.
²⁰ Considera a tua aliança,
   pois os lugares escuros do campo estão cheios de pastagens de violência,
²¹ O quebrantado não deve retornar envergonhado;
   o humilde e o necessitado devem louvar o teu nome.
²² Levanta-te, Deus, contende pela tua causa,
   lembra-te dos insultos feitos pelos desonestos o dia todo.
²³ Não ignores o som dos teus inimigos vigilantes,
   do tumulto das pessoas que se levantam contra ti, que cresce continuamente.

Enquanto escrevo, nesta noite, ocorrerá o início do ano judaico de 5772; em outras palavras, nesse cálculo do ano novo, serão celebrados 5.772 anos após a Criação. O evento será seguido pelo Dia da Expiação e pelo Festival do **Sucote**. Portanto, a reflexão sobre a criação e a **libertação** divina de Israel do **Egito** ocorre conjuntamente, nesse ponto do ano judaico. No calendário cristão, o Natal é, imediatamente, seguido pelo ano-novo do Ocidente, e o método ocidental de contagem dos anos também estabelece uma ligação entre a criação da vida comum e os atos de salvação de Deus, pois se inicia com a data do nascimento de Cristo. É possível que esse fato seja uma coincidência, porém poderíamos obter mais disso.

A seção intermediária do salmo 74 estabelece a mesma conexão, ainda que com certa sutileza. Ela descreve a ação de Deus como rei, com uma linguagem que pode ser aplicada tanto à criação quanto ao ato libertador do povo de Deus no **mar de Juncos** A princípio, o discurso sobre libertação poderia sugerir este último evento, mas, perto do fim, a seção discorre sobre dia e noite, verão e inverno, levando a pensar no ato da criação. Outros povos do Oriente Médio falavam da criação como um ato de libertação, uma ocasião na qual Deus obteve uma grande vitória sobre os poderes resistentes, tais como o mar com sua energia dinâmica. O Antigo Testamento, igualmente, fala nesses termos. Assim, os israelitas, ao verbalizarem o salmo, poderiam, naturalmente, pensar tanto na criação quanto no êxodo, ao usarem a seção intermediária do salmo. Uma das implicações seria, então, que o ato de criação de Deus assegurou o controle divino sobre os tumultuosos poderes do universo; não precisamos nos preocupar com eles. Ao contrário, a libertação de Israel por Deus, junto ao mar de Juncos, foi um ato do Deus Criador, utilizando o mesmo poder que havia manifestado na criação. Deus, em geral, declina de usar sobre a humanidade a mesma força que utilizou sobre os poderes cósmicos resistentes, talvez por estar comprometido a ganhar a nossa submissão em lugar de obtê-la à força.

O salmo apresenta um lembrete aos que o usam de que Deus possui poder como criador e também libertador, e que, portanto, não há necessidade de a presente experiência de desolação do povo persistir. O contexto óbvio no qual podemos localizar o salmo é a destruição de Jerusalém, descrita no fim dos livros de Reis, mas esses livros sugerem que Deus teria uma incômoda resposta à recorrente pergunta do salmista "Por quê?": a infidelidade da cidade a levou a merecer toda a desolação pela qual ela estava passando. Nos dias do salmista, entretanto, décadas já haviam se passado, e o povo poderia, com razão, estar pensando: "Chega de punição!"

Além disso, os profetas reconheceram que, embora fosse justo, naquelas circunstâncias, Deus agir contra Israel por meio de poderes estrangeiros, igualmente espera-se que ele, no devido tempo, passe a agir contra as forças estrangeiras a fim de

restaurar a cidade de Jerusalém. Esse ato é ainda mais justificável quando a ação desses povos estrangeiros envolve blasfêmia e desprezo por Deus, cujo **nome** estava vinculado ao templo. O salmo sugere que o problema com essa punição a Israel é que ela parece não ter fim; já é hora de o povo que destruiu o templo receber a sua devida retribuição. E, apesar de haver profetas que costumavam falar sobre essas questões, o abandono de Deus também se expressa parcialmente por seu silêncio. Ainda, embora outros salmos pressuponham que podemos receber uma resposta de Deus quando nos derramamos em nossa angústia, o salmo 74 apresenta uma experiência na qual isso não ocorre.

Próximo do fim, o salmo apela para a **aliança**. Esse apelo envolve certa ousadia, pois o motivo para Deus ter abandonado Israel foi o fato de os israelitas ignorarem as suas obrigações em relação à aliança. O salmista, uma vez mais, arrisca-se a receber uma resposta dura: "Como se atreve a apelar para a aliança que você mesmo quebrou?" O salmo ilustra que não existem limites para a ousadia que podemos expressar na oração. Deus estabeleceu um compromisso na aliança e não pode escapar das suas obrigações, ainda que o parceiro de aliança lhe seja infiel.

SALMO 75
A PROMESSA DE UM CÁLICE ENVENENADO

Ao líder. Não destruas. Uma composição de Asafe. Um cântico.

1. Confessamos a ti, Deus, confessamos,
    e, quando o teu nome se aproximou, as pessoas
    declararam as tuas maravilhas.
2. Aproveitarei o tempo determinado
    quando exercerei autoridade com retidão.
3. Ainda que a terra e todos os seus habitantes estejam
    tremendo,
    eu sou aquele que ordenou os seus pilares.

SALMO 75 • A PROMESSA DE UM CÁLICE ENVENENADO

⁴ Eu disse ao exultantes: 'Não exultem',
 e aos infiéis: 'Não levantem o seu chifre.'
⁵ Não levantem o seu chifre
 [ou] falem com o pescoço para a frente."

⁶ Pois não é do Oriente ou do Ocidente,
 nem da pastagem das montanhas.
⁷ Porque Deus exerce autoridade,
 a esta pessoa ele derruba; àquela ele eleva.
⁸ Pois há um cálice na mão de *Yahweh*,
 vinho fermentado, cheio de especiarias.
 Ele está derramando dele, e eles, realmente, drenarão os
 seus resíduos; todos os infiéis na terra o beberão.
⁹ Mas eu declararei para sempre,
 farei música para o Deus de Jacó.
¹⁰ "Cortarei todos os chifres dos infiéis,
 mas os chifres das pessoas fiéis eu levantarei."

O noticiário de hoje apresentou a história de dois homens chamados Abu Elias e Robert, que foram entrevistados enquanto estavam sentados na parte inferior das escadarias do Convento de Nossa Senhora de Saydnaya, uma cidade elevada, situada nas montanhas ao norte de Damasco. Trata-se de uma das poucas comunidades que ainda falam aramaico, a língua de Jesus, e constitui um antigo centro cristão, cujo bispo parece ter participado do concílio que produziu o Credo Niceno, no século IV d.C., e que tem sido foco de peregrinações tanto de cristãos quanto de muçulmanos. A sua localização nas montanhas a manteve protegida dos inúmeros tumultos que afetaram a vida no Oriente Médio ao longo dos séculos. Abu Elias e Robert estão lá porque são dois refugiados cristãos que fugiram dos conflitos no Iraque. Contudo, agora, eles temem ser obrigados a fugir novamente, caso a

SALMO 75 • A PROMESSA DE UM CÁLICE ENVENENADO

agitação atual na Síria resulte na transmissão de poder a um governo que não tenha interesse em lhes assegurar a mesma proteção que receberam do presidente Assad.

Ainda que precisem fugir novamente, Abu Elias e Robert, a exemplo de outros cristãos (além de judeus e muçulmanos) em situações de perigo, possuem poucas alternativas, além de confiar em uma dinâmica como a expressa no salmo 75. Primeiro, o salmista olha para trás. A comunidade relembra as oportunidades que tiveram de testemunhar sobre a ação e a proteção de Deus no passado. Os seus membros passaram pela experiência da aproximação do **nome** de Deus — isto é, da proximidade daquele que é indicado pelo nome *Yahweh*, que resultou em maravilhas por meio das quais o povo foi libertado.

Deus em pessoa, então, intervém no salmo para confirmar que essa experiência não pertence apenas ao passado. No momento crucial, Deus entrará em ação, como ocorre aqui, com as palavras, e exercerá a sua liberdade de agir decisivamente em benefício do seu povo ao restabelecer a justiça. Caso as nações estejam tremendo de medo, esse sentimento não deve se espalhar pelo povo, pois as pessoas sabem que Deus é aquele que estabeleceu a terra sobre fundações seguras. De modo típico, essa linguagem refere-se não apenas ao mundo físico criado, mas, igualmente, às estruturas da vida contínua do povo. Confrontado pelo povo que "exulta", pessoas que imaginam com um sorriso que possuem poder no mundo, Deus as adverte.

A segunda metade do salmo é dominada por uma resposta que afirma e confirma o que Deus declarou, embora forneça detalhes mais assustadores quanto ao que Deus faz contra os exultantes ou soberbos. O papel de Neemias como copeiro do rei **persa** incluía a responsabilidade de provar o vinho dado ao rei antes de o monarca assumir o risco de consumi-lo. É plenamente possível "batizar" a bebida de outra pessoa, e

Deus pretende fazer isso (e não é com ingredientes agradáveis) para os presunçosos e confiantes **infiéis** que ameaçam a comunidade que está orando o salmo. Isso significa que a comunidade terá a oportunidade de fazer a mesma espécie de confissão que foi recordada no início do salmo, com respeito ao que Deus, agora, pode fazer por ela. Sim, Deus libertará o seu povo.

O movimento antifonal do salmo (as pessoas e Deus recitam de maneira alternada e responsiva) é concluído com o compromisso final de Deus na linha de encerramento.

SALMO 76
MEDO OU REVERÊNCIA

Ao líder. Com instrumentos de cordas.
Uma composição de Asafe. Um cântico.

1. Deus se fez conhecido em Judá,
    em Israel o seu nome é grande.
2. O seu refúgio veio a ser em Salém,
    a sua habitação, em Sião.
3. Ali, ele despedaçou as chamas do arco,
    o escudo, a espada e a batalha. (*Pausa*)
4. Tu eras resplandecente,
    glorioso nas montanhas de despojos.
5. Os corajosos se deixaram ser saqueados,
    caíram em um sono profundo.
   Nenhum dos homens fortes pôde levantar as mãos
6.   diante do teu sopro, Deus de Jacó.
   Ambos, carruagens e cavalos, ficaram atordoados;
7.   tu deverias ser temido.
   Quem pode permanecer diante de ti
    no tempo da tua ira?
8. Desde os céus, deixaste a tua decisão ser ouvida;
    a terra ficou em temor e imóvel,

SALMO 76 • MEDO OU REVERÊNCIA

⁹ quando Deus se levantou para exercer autoridade,
  para libertar todos os humildes na terra.
  (*Pausa*)
¹⁰ Pois até a fúria humana te confessa;
  tu te cinges com a última gota da tua grande fúria.

¹¹ Façam promessas e as cumpram a *Yahweh*, o seu Deus;
  todos ao redor dele tragam tributo ao único que deve
  ser temido.
¹² Ele restringe o espírito dos líderes;
  deve ser temido pelos reis da terra.

Na semana passada, eu estava dando uma palestra sobre o livro de Salmos em uma faculdade de Michigan e mencionei a extraordinária liberdade que o Saltério assume em nossa relação com Deus. Pode-se dizer tudo a Deus, pois nessa relação somos como crianças diante dos pais ou do professor. Claro que essa imagem pressupõe que você tenha um bom relacionamento com os seus pais ou o professor; mas, se esse for o caso, então pode-se dizer qualquer coisa. É possível expressar o seu sentimento de revolta como faz em relação aos pais. No período de perguntas após a palestra, um estudante nas últimas fileiras do auditório expressou certa perplexidade. Não deveríamos temer a Deus?

A palavra "temor" é complexa. O hebraico possui inúmeros termos equivalentes para "medo", "pavor" e "temor" e utiliza todos eles para expressar tanto um sentido positivo de reverência e submissão quanto um sentido mais negativo de estar temeroso ou assustado. Com certa frequência, ao ler sobre o temor de Deus nas traduções da Bíblia, deve-se substituir mentalmente a expressão por outras como "assombro diante de Deus", "reverência", "submissão" ou "obediência" a Deus. Assim, quando estamos em um relacionamento correto com Deus, as palavras para temor assumem conotações positivas. Quando a nossa relação com Deus não é correta, as conotações são negativas. Com efeito, as nossas ações definem essas conotações.

A palavra hebraica mais comum para medo ou reverência aparece quatro vezes no salmo 76, a qual traduzi por "temor" em cada ocorrência. Em todas elas, pode-se compreender o termo possuindo tanto uma conotação positiva quanto negativa, para ilustrar como (nesse caso) os homens fortes da terra, os que trazem tributo ou os reis decidem se as implicações são positivas ou negativas.

O salmista olha para o passado, quando Deus se estabeleceu em Jerusalém, por meio da ação de Davi que tomou a cidade das mãos dos jebuseus e a tornou no santuário principal do povo israelita. Ele, então, imagina um daqueles tempos em que Jerusalém estava sob ataque de povos como os **assírios**, mas a sua natureza como um hino de louvor que poderia ser usado regularmente significa que a tentativa de associar o salmo a um evento particular, provavelmente, é um equívoco. A referência ao sopro de Deus, a carruagens e a cavalos pode, igualmente, sugerir a **libertação** no **mar de Juncos**. Todos foram eventos com a mesma dinâmica, que estabeleceram que *Yahweh* deveria ser reverenciado (caso a pessoa estivesse disposta a se submeter a Deus) ou temido (caso estivesse propensa a contrariar o propósito divino).

Nos dois versículos derradeiros e nas duas últimas referência a "temor", o salmista volta a sua atenção a Israel. Trata-se de um encorajamento para nós que Deus opere com o fim de apresentar aquela escolha diante dos outros povos. Igualmente, os dois versículos finais explicitam que esses eventos também colocam essa escolha diante de nós.

SALMO 77
DEUS MUDOU?

Ao líder. Sobre Jedutum. Uma composição de Asafe.

1 Com a minha voz a Deus, sim, eu clamarei;
   com a minha voz a Deus, sim, para que me dê ouvidos.
2 No dia das minhas tribulações,
   busquei o socorro do meu Senhor.
3 Lembro-me de Deus e reclamo,
   devo falar enquanto o meu espírito desfalece.
4 Tenho retido os guardas sobre os meus olhos;
   estou constrangido e não consigo falar.
5 Tenho pensado nos dias de antigamente,
   anos de eras passadas.
6 Estarei atento ao meu cântico à noite
   enquanto murmuro em meu coração e o meu espírito
      busca arduamente:
7 Para sempre o meu Senhor me rejeitará,
   nunca mais mostrará favor?
8 O seu compromisso cessou de existir permanentemente,
   sua palavra falhou para todas as gerações?
9 Deus ignorou a demonstração de graça,
   ou refreou a sua compaixão em ira? (*Pausa*)
10 Eu disse: "Isso me tem angustiado:
    a mudança na mão direita do Altíssimo."

11 Farei menção dos feitos de *Yah*;
    sim, recordarei os teus maravilhosos feitos do passado.
12 Falarei sobre todas os teus atos,
    murmurarei os teus feitos.
13 Deus, o teu caminho foi com santidade;
    quem foi um deus tão grande quanto Deus?
14 Tu és o Deus que realiza um feito maravilhoso;
    tornaste o teu poder conhecido entre os povos.
15 Restauraste o teu povo com o teu braço,
    os filhos de Jacó e de José. (*Pausa*)

SALMO 77 • DEUS MUDOU?

¹⁶ As águas te viram, Deus;
    quando as águas te viram, elas se agitaram.
Sim, as profundezas estremeceram;
¹⁷   as nuvens derramaram água.
Os céus deram voz;
    sim, tuas flechas iam de um lado ao outro.
¹⁸ O som do teu trovão estava no redemoinho,
    os relâmpagos iluminaram o mundo.
A terra tremeu e sacudiu-se;
¹⁹   o teu caminho estava no mar.
As tuas veredas estavam em águas poderosas,
    embora os teus passos não fossem reconhecidos.
²⁰ Lideraste o teu povo como um rebanho
    pelas mãos de Moisés e de Arão.

Uma de nossas alunas procurou-me para pedir que eu me encontrasse com outra aluna, cuja vida parecia estar desmoronando e que, por isso, estava falando em suicídio. A mulher permanecera casada por vinte anos; o seu primeiro marido havia sido "o amor da sua vida". Então, ele adoeceu gravemente e morreu. Ela odiava a solidão e, mais rápida do que sabiamente (pode-se ver isso em retrospectiva), envolveu-se com outro homem e casou-se com ele. O segundo marido trabalhava como *freelancer* em tecnologia da informação e, na época em que se casaram, os seus negócios iam bem, porém veio a recessão, e ele atingiu o fundo do poço. Na tentativa de alavancar os negócios, eles obtiveram uma segunda hipoteca sobre a casa que pertencia a ela e ao seu primeiro marido, mas a tentativa se mostrou um grande fracasso. Por conseguinte, agora o casal corre o risco de perder a casa por inadimplência, e ela, de abandonar o seminário.

O salmo 77 me faz pensar nessa mulher. O aspecto principal de sua presente situação é a maneira com que as circunstâncias em sua vida mudaram. Cinco anos atrás, ela gozava de felicidade em seu casamento, de segurança financeira, além de estar muito envolvida na vida da igreja. Todavia, o seu problema não reside apenas nas mudanças em sua vida. A exemplo do que expressa o salmista, Deus mudou.

Assim, aquela mulher reflete a respeito do contraste entre o presente e o passado. Pensar sobre o passado pode ser algo doloroso, mas também construtivo. Existem inúmeras passagens bíblicas que falam sobre Deus mudar o seu pensamento, e essa possibilidade, às vezes, preocupa as pessoas. Deus é volúvel? Ele não é confiável? Deus pode afirmar uma coisa hoje e, amanhã, outra? Resposta: sim, Deus pode, mas ele não o faz de forma arbitrária. A maioria das referências sobre Deus mudar o seu pensamento relaciona-se a não impor uma punição com a qual ameaçou as pessoas, pelo fato de elas abandonarem as suas transgressões. Portanto, no próprio ato de mudar, Deus está sendo consistente ao mostrar sua misericórdia.

O dilema no salmo 77, do mesmo modo que para a mulher com quem falei, é duplo. A mudança de Deus foi da bênção à aflição, e não parece haver um motivo para isso. Não obstante, o salmo prossegue para expressar uma determinação quanto a recordar como as coisas eram no passado. Além disso, há, então, uma característica surpreendente da recordação. Poderíamos supor que a lembrança fosse relacionada a ações realizadas por Deus em benefício da pessoa que está orando. No entanto, a recordação está relacionada a atos feitos em prol de todo o povo. O salmo poderia, então, ser usado por um rei ou outro líder, que estivesse orando sobre uma situação na qual todo o povo sofre. Mas a seção de abertura o faz parecer mais como um salmo para uso individual. Quando uma pessoa comum lança mão dele, a lembrança, então, relaciona-se a algo maior do que as ações passadas de Deus na vida dessa pessoa. Ela associa o indivíduo com os atos grandiosos que

Deus operou para o povo no êxodo e no **mar de Juncos**. O equivalente para um cristão seria relembrar o que Deus fez para o seu povo ao enviar Jesus Cristo com o objetivo de viver, morrer e ressuscitar dentre os mortos por nós.

Portanto, qual é o sentido em recordar esses eventos? Quando o faço, por um lado, estou relembrando a mim mesmo os grandiosos atos que Deus operou por todos nós, além de reafirmar intimamente que o presente não pode ser a palavra final. Do outro, também estou lembrando Deus dos seus maravilhosos atos e, com efeito, estou lhe dizendo: "Não podes parar agora! O que permites agora não está de acordo com o que fizeste no passado."

Estar ciente de que posso relembrar a Deus o passado, então, energiza a oração com a qual o salmo inicia. O salmista não possui atos de libertação para os quais olhar (os guardas dos olhos são as pálpebras) e pelos quais louvar a Deus (e, desse modo, há restrições no louvor). Tudo o que a pessoa pode fazer, nessas circunstâncias, é clamar a Deus para retomar o padrão de atos divinos já manifestados no passado.

SALMO 78:1-37
A LIGAÇÃO SUTIL ENTRE A GRAÇA DE DEUS E A RESPOSTA DO POVO

Uma instrução de Asafe.

1. Dê ouvidos ao meu ensino, meu povo;
    inclina os seus ouvidos às palavras da minha boca.
2. Abrirei a minha boca com uma parábola,
    derramarei mistérios de antigamente.
3. As coisas que ouvimos e reconhecemos,
    que os nossos ancestrais nos contaram,
4. não esconderemos dos seus descendentes.
    Contaremos à próxima geração

os louvores de *Yahweh* e seu poder,
    as maravilhas que ele fez.

5 Ele estabeleceu uma declaração em Jacó,
    decretou ensinamentos em Israel,
os quais ordenou aos nossos ancestrais
    que tornassem conhecidos aos seus descendentes,
6 para que a próxima geração os reconhecesse,
    descendentes que nascerão,
de modo que se levantem e contem aos seus descendentes,
7   e estes possam colocar a sua confiança em Deus
e não ignorar os atos de Deus,
    mas guardarem os seus mandamentos,
8 e não se tornarem como os seus ancestrais,
    uma geração rebelde e desafiadora,
uma geração que não firmou a sua mente,
    cujo espírito não era verdadeiro para com Deus.

9 Os efraimitas, equipados como arqueiros,
    viraram as costas no dia do compromisso.
10 Eles não guardaram a aliança de Deus
    e se recusaram a caminhar por seu ensino.
11 Ignoraram os seus feitos,
    as maravilhas que ele os havia deixado ver.
12 À vista dos seus ancestrais, ele fez uma maravilha
    na terra do Egito, na região de Zoã.
13 Dividiu o mar e lhes permitiu atravessá-lo,
    fez a água se erguer como um monte.
14 Ele os liderou por meio de uma nuvem de dia
    e, durante toda a noite, por meio de uma luz flamejante.
15 Dividiu rochedos no deserto
    e lhes permitiu beber como das profundezas,
        abundantemente.
16 Ele fez brotar torrentes de uma rocha
    e fez a água fluir como rios.

SALMO 78:1-37 • A LIGAÇÃO SUTIL ENTRE A GRAÇA DE DEUS E A RESPOSTA DO POVO

¹⁷ Mas eles seguiram repetidamente ofendendo
   e desafiando o Altíssimo no deserto.
¹⁸ Eles provaram Deus com deliberação,
   ao pedirem comida para si mesmos.
¹⁹ Falaram contra Deus:
   "Deus é capaz de colocar uma mesa no deserto?
²⁰ Sim, ele atingiu o penhasco, e a água fluiu,
   torrentes jorraram.
   Pode ele também nos dar pão,
   ou providenciar carne para o seu povo?"

²¹ Portanto, *Yahweh* ouviu e se enfureceu;
   irrompeu contra Jacó,
   e também a ira se levantou contra Israel,
²² pois eles não guardaram a fé em Deus,
   não confiaram em sua libertação.
²³ Assim, ele ordenou que os céus acima
   abrissem as suas portas.
²⁴ Fez chover maná sobre eles como alimento,
   deu-lhes grão dos céus.
²⁵ Cada pessoa comeu a comida dos heróis;
   enviou-lhes provisões para enchê-los.
²⁶ Ele fez o vento oriental mover-se nos céus
   e dirigiu o vento sul com o seu poder.
²⁷ Fez chover carne sobre eles como pó,
   aves aladas como a areia dos mares.
²⁸ Ele as fez cair dentro do seu acampamento,
   ao redor da sua habitação.
²⁹ Eles comeram e ficaram cheios;
   ele lhes satisfez o desejo.
³⁰ Mas, antes de saciarem o apetite,
   quando tinham ainda a comida na boca,
³¹ a ira de Deus se levantou contra eles;
   ele matou alguns dos mais resistentes
   e derrubou a juventude de Israel.

SALMO 78:1-37 • A LIGAÇÃO SUTIL ENTRE A GRAÇA DE DEUS E A RESPOSTA DO POVO

³² Por tudo isso, eles ofenderam novamente
   e não guardaram a fé por todas as suas maravilhas.
³³ Ele fez os dias deles terminarem em vazio,
   os seus anos em terror.
³⁴ Quando ele os matava, eles buscavam o auxílio dele,
   se voltavam e buscavam Deus.
³⁵ Lembravam-se de que Deus era o rochedo deles,
   o Deus Altíssimo o seu restaurador.
³⁶ Mas eles o enganaram com sua boca,
   com sua língua mentiram a ele.
³⁷ A mente deles não estava firme para com ele;
   eles não guardaram a fé em sua aliança.

Ontem, na igreja, a leitura do Antigo Testamento foi sobre a entrega dos Dez Mandamentos, em Êxodo 20, e seguimos essa leitura com um tempo de discussão congregacional sobre quais desses mandamentos pareciam mais importantes em nosso contexto e se havia características intrigantes quanto a eles. Um dos presentes perguntou sobre a advertência de que Deus castigaria aqueles que fizessem imagens até a terceira ou a quarta geração; outra pessoa foi capaz de citar as palavras de Deus que se seguiram não muito depois, em Êxodo 32, a respeito de cada indivíduo morrer por seu próprio pecado (fiquei impressionado com a sua facilidade em citar o versículo). Mais tarde, a primeira a se manifestar pediu desculpas por achar que fizera uma pergunta tola. Eu lhe assegurei que não existem perguntas tolas e que as que ela, corajosamente, fizera são perguntas que outras pessoas querem fazer, mas ficam com receio.

Uma característica interessante do salmo 78 é a suposição inicial de que o povo de Deus precisa falar sobre o seu ensino. Isso implica que há um papel de ensino a ser cumprido pelos professores; o salmo inicia-se assim: "Ouçam-me." O salmista presume a capacidade de dar ao povo um relato crível e distinto dos "mistérios", as profundas verdades da história de Israel. Contudo, o salmo também reconhece que qualquer professor está em meio a um processo contínuo. O ensino é possível apenas se o aluno ouve e é efetivo somente se a geração seguinte prossegue com o relato. Ouvir e transmitir envolve a fala, não apenas a escrita e a leitura. A **Torá** enfatiza o papel dos pais em assegurar que os seus filhos conheçam a história dos atos de Deus em relação a Israel. Igualmente, sublinha o papel de questionamento dos filhos: "O que isso significa?" Não existem perguntas tolas.

A abertura do salmo evidencia a ligação entre os atos divinos em benefício de Israel e a obediência e a confiança dos israelitas a Deus. Há duas armadilhas nas quais é possível cair. Uma delas é presumir que, dado o amor incondicional de Deus, o nosso modo de vida não tem muita importância; que ele não afeta a nossa relação com Deus. A outra é concluir que o amor de Deus por nós está condicionado à nossa maneira de viver e que a nossa prioridade é ganhar a aprovação divina ao vivermos corretamente. A abertura do salmo habilmente negocia o espaço entre essas duas ciladas. A relação de Deus com Israel resultou das ações divinas em benefício desse povo, mas a resposta dos israelitas, confiando e submetendo-se ao caminho de Deus, foi essencial. A transmissão e o relato do qual o salmo fala relacionam-se tanto aos atos de Deus quanto às expectativas sobre a resposta correta. O trecho principal do salmo fornece uma ilustração mais concreta da relação sutil entre os generosos atos divinos e a nossa resposta. O povo declinara de guardar a **aliança** de Deus (a referência objetiva a **Efraim** se tornará mais clara quando nos aproximarmos do fim do salmo), e os israelitas assim agiram apesar de Deus ter operado tantas maravilhas em benefício deles. Com efeito, estavam provando Deus. Sem perceberem isso, tentaram ver até onde poderiam ir com Deus. Um aspecto da resposta divina era fornecer-lhes o que explicitamente pediram: comida dos céus; pão e carne. Contudo, outro aspecto foi o de castigá-los. A provisão ilustrava como Deus seguia sendo generoso; no entanto, o castigo ilustrava que, independentemente das circunstâncias, nunca é uma atitude sábia tentar brincar com Deus. Eles voltariam, e Deus os receberia de volta, mas o retorno deles jamais seria totalmente confiável. Ainda, a desobediência do povo e a disciplina divina jamais seriam o fim da história.

SALMO 78:38-72
OS QUE ESTÃO DE PÉ CUIDEM PARA QUE NÃO CAIAM

38 Mas, por ser compassivo, ele expiou a transgressão
 e não destruiu.
 Ele, repetidamente, desviou a sua ira;
 e não despertou toda a sua fúria.
39 Lembrou-se de que eles eram carne,
 um vento passageiro que não retorna.
40 Quanto eles o desafiaram no deserto
 lhe causaram dor na terra desolada.
41 Repetidamente, eles testaram Deus,
 irritaram o Santo de Israel.
42 Não se lembraram de sua mão,
 do dia em que ele os redimiu do inimigo,
43 quando ele colocou os seus sinais no Egito,
 os seus portentos na região de Zoã.
44 Ele transformou o grande rio deles em sangue;
 as pessoas não puderam beber dos seus riachos.
45 Enviou um enxame contra eles que os devorou,
 enviou rãs, e elas os devastaram.

⁴⁶ Entregou a produção deles à lagarta,
    e a colheita deles ao gafanhoto.
⁴⁷ Aniquilou a vinha deles com granizo,
    e seus sicômoros com inundação.
⁴⁸ Entregou seus animais ao granizo,
    e o seu gado aos relâmpagos.
⁴⁹ Enviou entre eles a sua ira, o seu furor,
    a sua cólera, a sua raiva e tribulação,
uma delegação de ajudantes levando o mal
⁵⁰   que abriu um caminho para a sua ira.
Ele não poupou a vida deles da morte,
    mas os entregou à epidemia.
⁵¹ Atingiu todos os primogênitos no Egito,
    as primícias do vigor nas tendas de Cam.
⁵² Fez o seu povo mover-se como ovelhas,
    conduziu-os como um rebanho no deserto.
⁵³ Liderou-os em segurança, e eles não ficaram com medo,
    mas os seus inimigos, o mar os cobriu.
⁵⁴ Ele os levou ao seu território santo,
    a montanha que a sua mão direita adquiriu.
⁵⁵ Desapropriou nações diante deles,
    distribuiu-os como a sua própria partilha;
    estabeleceu os clãs de Israel em suas tendas.

⁵⁶ Mas eles testaram e desafiaram o Deus Altíssimo;
    não observaram as suas declarações.
⁵⁷ Eles se desviaram e foram desleais, como os seus
        ancestrais;
    desviaram-se como um arco traiçoeiro.
⁵⁸ Eles o irritaram com seus lugares altos,
    inflamaram-no com as suas imagens.
⁵⁹ Deus ouviu e se irou
    e sobremodo rejeitou Israel.
⁶⁰ Abandonou a habitação em Siló,
    a tenda na qual habitara entre a humanidade.

⁶¹ Entregou o seu poder ao cativeiro,
  e a sua glória, à mão do inimigo.
⁶² Rendeu o seu povo à espada;
  enfureceu-se contra os seus.
⁶³ O fogo consumiu os seus jovens,
  e as suas garotas não foram lamentadas.
⁶⁴ Os seus sacerdotes caíram à espada;
  suas viúvas não puderam prantear.
⁶⁵ Mas o Senhor despertou como alguém adormecido,
  como um guerreiro gritando por causa do vinho.
⁶⁶ Ele derrotou os seus inimigos,
  deu-lhes injúrias permanentes.
⁶⁷ Rejeitou a tenda de José,
  não escolheu o clã de Efraim.
⁶⁸ Escolheu o clã de Judá, o monte Sião,
  ao qual dedicou-se.
⁶⁹ Edificou o seu santuário como as alturas,
  como a terra que estabeleceu para sempre.
⁷⁰ Escolheu Davi como o seu servo
  e o tirou dos currais de ovelhas.
⁷¹ Tirou-o de seguir as ovelhas
  para pastorear Jacó, seu povo,
  Israel, a sua herança.
⁷² Ele os pastoreou de acordo com a integridade
  do seu coração;
  liderou-os pelos habilidosos atos de suas mãos.

Alguns meses atrás, um dos membros da nossa igreja, uma vivaz senhora, com mais de noventa anos, que sempre tinha alguma contribuição a fazer, de repente deixou de ser assídua em nossos cultos e, então, ficou ausente por duas ou três semanas sucessivas. Então, recebemos a notícia sobre o seu falecimento. O estranho nesse episódio é que ele nos chocou.

Na noite passada, fomos tomar a ceia do Senhor com outras duas senhoras da nossa igreja, ambas na casa dos noventa anos; ambas incapacitadas de ir à igreja nos últimos dois domingos. Uma delas sente instabilidade em suas pernas; a outra sofre com feridas em seus membros inferiores que não melhoram. Concordamos que ambas pareciam estar enfermas. Elas já haviam conversado sobre o funeral que desejavam. (Na verdade, enquanto escrevia este volume, uma delas faleceu e estarei conduzindo o seu funeral nesta semana.) Estar na companhia dessas pessoas e testemunhar a sua crescente fragilidade é uma experiência solene. Entre outras coisas, isso nos faz refletir sobre a nossa própria precariedade.

A boa notícia no salmo 78 é que Deus pensa em nossa fragilidade e faz concessões quanto a ela; Deus tem ciência de que somos carne, "um vento passageiro que não retorna". Quando Paulo escreve sobre sermos carne, ele tem em mente a nossa fraqueza moral. Embora o salmo deixe claro que o Antigo Testamento reconhece que somos debilitados moralmente, ao falar sobre sermos carne, o salmista reflete sobre a fragilidade física comum que é expressa em nossa mortalidade. Somos como o vento, não no sentido de um vento genuinamente poderoso, mas com o significado de que, após fazer muito barulho, ele se vai.

Assim, Deus faz concessão à nossa efemeridade e não sopra sobre nós o seu próprio vento poderoso para nos destruir. Ele o retém por compaixão. Além disso, Deus expia a nossa transgressão. Trata-se de uma declaração ainda mais notável, pois, por definição, expiação de pecados é o que os seres humanos fazem pela entrega de ofertas adequadas. Mas esse processo funciona apenas porque Deus o provê, e as ocasiões nas quais o Antigo Testamento fala sobre a ação divina de expiação expressam a maneira pela qual a purificação e o perdão sempre resultam da graça e do amor de Deus.

Deus tem à sua disposição inúmeras oportunidades de exercitar o seu autodomínio e a sua compaixão. O salmista segue revendo a história do envolvimento de Deus com o povo de Israel. Ele começa com uma longa recordação do que Deus fez no **Egito**, na tentativa de convencer os egípcios a permitir a saída dos israelitas do seu território. Ainda, relembra a provisão divina para os israelitas durante a jornada a **Canaã** e a distribuição dos lotes a cada clã ali. Seria esperado que esse envolvimento gerasse uma resposta de gratidão e de compromisso, mas tudo o que suscitou foram desafios, irritação e sofrimento. Portanto, Deus respondeu com ira, rejeição e abandono. Por três vezes, o salmista faz menção ao povo "testar" Deus para ver até onde eles poderiam esticar a corda. Será que fizeram Deus abandoná-los completamente? Resposta: não, eles não conseguiram isso. Quando parece que lograram isso e que Deus está adormecido em relação a eles, *Yahweh* desperta e age.

No início do salmo, há uma intrigante referência a **Efraim**; o significado dessa menção emerge próximo ao fim do salmo. Uma das maneiras de Deus buscar o equilíbrio entre ser fiel ao seu povo e não ignorar as transgressões dos israelitas é expulsar parte do povo, mas manter a existência da outra parte. Efraim é maior do que Judá e seria o centro religioso e político mais óbvio para Israel. No entanto, em vez disso, Deus fez de **Judá** o centro. Os livros históricos enxergam isso somente como uma ação de Davi; o salmo está preparado para ver Deus por trás da ação davídica. Davi se tornou o mais habilidoso pastor do povo.

Caso pertencesse a Judá, você poderia ser tentado a se sentir superior ao chegar ao fim do salmo. Você faz parte do povo que Deus escolheu, em lugar daqueles efraimitas do Norte! Mas, então, percebe a dinâmica da história à medida que o salmista a relata. Quando Deus exerce alguma escolha ou mostra certa graça, a questão é em relação à resposta dos beneficiários. O destino das gerações anteriores de Israel e de Efraim, em particular, deve servir de advertência para você; caso contrário, seguirá o mesmo caminho trilhado por elas — o que, na realidade, foi exatamente o que aconteceu. Existe uma dinâmica equivalente quanto a uma leitura cristã do salmo e do Antigo Testamento em geral. Em 1Coríntios 10, Paulo nos alerta para o fato de que é melhor evitarmos ter o mesmo destino deles.

SALMO 79
UMA FORMA DE ESCAPAR DA FADIGA POR COMPAIXÃO

Uma composição de Asafe.

1. Deus, nações entraram em tua própria possessão,
    corromperam o teu palácio santo,
    transformaram Jerusalém em ruínas.
2. Eles deram os corpos dos teus servos como alimento
    às aves dos céus,
   a carne das pessoas comprometidas a ti
    às criaturas da terra.
3. Derramaram o sangue delas como água
    ao redor de Jerusalém, sem haver ninguém para
     enterrá-las.
4. Tornamo-nos um objeto de insultos para os nossos vizinhos,
    de escárnio e de desprezo para os povos em derredor.
5. Por quanto tempo, *Yahweh* — ficarás irado para sempre,
   a tua paixão arderá como fogo?
6. Derrama a tua ira sobre as nações,
    que não te reconhecem,
   sobre os reinos,
    que não clamam ao teu nome.

SALMO 79 • UMA FORMA DE ESCAPAR DA FADIGA POR COMPAIXÃO

7 Pois eles consumiram Jacó
   e desolaram a sua morada.

8 Não guardes na mente a nosso respeito
   os atos rebeldes do passado.
   Que a tua compaixão venha ao nosso encontro
      rapidamente,
   pois nos tornamos muito abatidos.
9 Ajuda-nos, Deus, nosso libertador,
   pelo bem da honra do teu nome.
   Resgata-nos, faze expiação para as nossas ofensas,
   pelo bem do teu nome.
10 Por que as nações deveriam dizer:
   "Onde está o Deus deles?"
   Que a reparação do sangue derramado dos teus servos
      seja conhecida entre as nações diante dos nossos olhos.
11 Que o gemido dos cativos chegue diante de ti;
   de acordo com a grandeza da tua força,
   preserva as pessoas prestes a morrer.
12 Retribui sete vezes mais aos nossos vizinhos, no peito deles,
   as injúrias com as quais insultaram a ti, Senhor.
13 Mas seremos o teu povo,
   o rebanho que pastoreias.
   Confessar-te-emos para sempre;
   a todas as gerações contaremos do teu louvor.

A expressão "fadiga por compaixão" já existe há algum tempo. A natureza da mídia moderna significa termos consciência instantânea do sofrimento em diferentes regiões do mundo. Todavia, não podemos lidar com toda essa dor ou convivermos com essa consciência, e precisamos nos desligar delas. Ao cuidar da minha esposa durante os anos de sua enfermidade, convivi com a tentação de sentir culpa por não ser um bom marido, pois era incapaz de "solucionar" a doença dela. As pessoas que estão um passo mais distantes de alguém enfermo, com frequência, são propensas a permanecer nessa posição, pois uma maior aproximação significa envolvimento no sentido de impotência e culpa. Caso essa experiência seja uma realidade em relação a indivíduos, muito mais será realidade em relação ao sofrimento de comunidades e nações inteiras. Um recente artigo na mídia observou como isso se aplica ao problema do desemprego, do despejo e da fome. Pode ser constatado que, apesar da injeção dos milhões provenientes de dinheiro público, além da generosidade individual, o problema persiste e se agrava (na realidade, ouvimos sobre desvios de dinheiro por aproveitadores da desgraça alheia).

Uma oração, similar à do salmo 79, pelo menos, nos fornece uma forma de orar por cidades, nações e comunidades. Presume-se que, em sua origem, era uma oração que as pessoas de Jerusalém recitavam por si mesmas, mas para a maioria dos ocidentais a leitura desse salmo significa um meio de acessar a dor e a ira de uma comunidade sofredora e unir-se a ela na transmissão dessa dor e ira a Deus.

Primeiro, seguindo o padrão comum aos salmos de protesto, descrevemos a situação a Deus em detalhes concretos. Relatamos o que aconteceu: destruição, profanação, lida com a morte e desonra. Fazemos a Deus perguntas objetivas — Até quando permitirás tudo isso? —, desafiamos Deus quanto ao que é mais apropriado: trazer tribulação sobre o povo causador desse sofrimento ou permitir que o seu povo continue a sofrer? Insistimos com Deus para que reconheça o descrédito que angaria para si mesmo ao permitir a impressão de que as pessoas podem fazer o que bem entenderem e ainda escaparem ilesas. Apelamos para a compaixão divina; se a fadiga por compaixão é uma realidade para os seres humanos, então precisamos que Deus resista aos seus efeitos. Suplicamos a Deus para que efetue a reparação não por nós mesmos, mas por causa das outras pessoas; não pelos insultos dos nossos agressores a nós, mas pelas injúrias que dirigem ao próprio Deus.

Orarmos dessa forma não é uma tendência natural, o que, provavelmente, constitui parte do motivo pelo qual um salmo assim é importante. Se Deus não se incomoda em obter reparação pelo insulto das pessoas, então trata-se de sua prerrogativa. Todavia, se não sentirmos indignação pelas injúrias das pessoas a Deus e, portanto, não desejarmos que Deus faça reparação, isso levanta questões quanto a nós. Em nosso mundo, pode ser mais natural que pessoas submetidas a esse tipo de experiência protestem dessa forma. Se não nos unirmos a elas nesse protesto, então essa incapacidade também suscitará questões sobre nós.

No salmo 79, o povo de Deus que ora não faz nenhuma alegação quanto a não serem merecedores da tribulação que lhes sobreveio. Talvez o salmo pressuponha uma situação após algumas décadas da queda de Jerusalém em 587 a.C., como pode ser o caso do salmo 74. As pessoas sabem que nada podem fazer para corrigir o seu passado. Assim, fazem dois pedidos ousados com respeito a esse passado; um deles é para Deus tirá-lo de sua mente, para esquecê-lo. Os salmos consideram que Deus possui controle de sua memória e pode escolher não se lembrar dos fatos. A outra solicitação reafirma a primeira. A exemplo do salmo 78, este fala sobre Deus expiar as nossas ofensas, o ato pelo qual (por definição) somos responsáveis, mas que Deus pode ser instado a fazer essa expiação como uma expressão de compaixão. O salmista insinua o ponto ao falar de Deus agir assim "pelo bem do teu **nome**". Em outras palavras, ele diz: "Tu és assim e, portanto, age com misericórdia e perdão a fim de seres tu mesmo."

SALMO 80
TRAZE DE VOLTA! VOLTA!

Ao líder. Segundo os lírios. Uma declaração de Asafe. Uma composição.

1 Tu que pastoreias Israel, dá ouvidos,
   tu, que conduzes José como um rebanho;
  tu, que te assentas sobre os querubins, manifesta o teu resplendor
2   diante de Efraim, Benjamim e Manassés.
  Desperta o teu poder,
   vem como libertação para nós.
3 Deus, traze-nos de volta!
   Faze resplandecer o teu rosto para que possamos encontrar libertação.

4 *Yahweh*, Deus dos Exércitos,
   por quanto tempo arderás contra a súplica do teu povo?
5 Alimentaste-o com lamento como comida,
   fizeste-o beber lágrimas por medida.
6 Colocaste-nos em contenda com os nossos vizinhos;
   nossos inimigos zombam de nós à vontade.
  Deus dos Exércitos, traze-nos de volta;
   faze resplandecer o teu rosto para que possamos encontrar libertação.

8 Moveste uma videira do Egito,
   desapropriaste nações e a plantaste.
9 Abriste um caminho diante dela,
   e ela lançou suas raízes e encheu a terra.
10 Montanhas foram cobertas por sua sombra,
   e poderosos cedros por seus galhos.
11 Ela estendeu os seus ramos até o mar,
   e os seus brotos até o rio.
12 Por que abriste brechas em seus muros,
   para que todas as pessoas que passam a arranquem?

¹³ O javali da floresta a dilacera,
   e a criatura selvagem se alimenta dela.

¹⁴ Deus dos Exércitos, volta!
   Observa dos céus e vê!
   Cuida dessa videira,
¹⁵ o tronco que a tua mão direita plantou,
   cuja descendência tomaste para ti mesmo.
¹⁶ Queimada com fogo, cortada,
   pela rajada do teu rosto ela perece.
¹⁷ Que a tua mão esteja sobre aquele à tua destra,
   sobre o homem que tomaste para ti mesmo.
¹⁸ Não nos afastaremos de ti;
   dá-nos vida, e chamaremos o teu nome.

¹⁹ *Yahweh*, Deus dos Exércitos, traze-nos de volta;
   faze resplandecer o teu rosto para que possamos
      encontrar libertação.

Passaram-se quase trezentos anos desde o Primeiro Grande Despertamento, um avivamento da vida religiosa na Grã-Bretanha e, ainda mais nas colônias britânicas, na América, poucas décadas antes da Guerra da Independência. Esse despertamento inicial foi, primordialmente, um movimento dentro da igreja. O Segundo Grande Despertamento, ocorrido nos Estados Unidos no início do século XIX, assumiu a forma de esforços evangelísticos bem-sucedidos para levar as pessoas à fé em Jesus Cristo. Como resultado, a palavra "avivamento" tornou-se sinônimo de uma campanha evangelística. Todavia, o significado original do termo sugere uma renovação da vida religiosa, a exemplo do primeiro movimento, em vez de significar um primeiro encontro com a vida religiosa.

Ao pregar e orar no sentido do Primeiro Grande Despertamento, o salmo 80 tem se tornado um texto favorito.

Em muitas traduções, a segunda linha do versículo 18 suplica: "Vivifica-nos, e invocaremos o teu **nome**." Na Grã-Bretanha e nos Estados Unidos do século XXI, pode-se ver como essa oração seria apropriada.

A oração se adequaria a **Efraim** em inúmeros pontos — nos derradeiros anos de sua existência como nação (essa compreensão estaria de acordo com a aparente referência ao rei próximo ao fim do salmo), logo após a sua conquista pela **Assíria**, ou nos séculos subsequentes. É como uma vinha na qual o seu proprietário investiu grande esforço. E Efraim, de fato, floresceu no passado, a exemplo da igreja na Grã-Bretanha e nos Estados Unidos, exercendo influência e poder. Contudo, Deus, o proprietário da vinha, passou, então, a negligenciá-la — na realidade, ele, pessoalmente, a destruiu. Esse tratamento dispensado a Efraim corresponde às advertências a **Judá**, em Isaías 5, sobre como a situação será quando a videira não produzir bons frutos; no entanto, essa oração, evidentemente, não pensa na transgressão do povo como explicação para o seu destino. (Claro que, como qualquer oração, em certas circunstâncias ela pode receber uma resposta atravessada de Deus a esse respeito; mas, então, pelo menos, o orador sabe o que necessitará fazer a seguir — i.e., se arrepender.) Talvez esse salmo trace um paralelo com os salmos 74 e 79, ao pensar que qualquer castigo seria adequado em algum estágio, mas que a geração atual não merece as aflições que está vivenciando. O salmo, na verdade, inicia-se com uma outra imagem clássica relativa ao povo judeu: além da imagem da videira, Efraim é um rebanho que conta com *Yahweh* como o seu pastor e líder. Assim, por que o pastor está negligenciando o seu rebanho — isto é, nós?

Além de ser o pastor, *Yahweh* é o rei, aquele que está entronizado sobre os **querubins**. O salmista repete variantes do título real *Yahweh* **dos Exércitos**. Um dos aspectos da responsabilidade de um monarca é estar atento às súplicas de seus súditos, quando estão passando por necessidades e/ou estão sob ataque, e agir para os **libertar**. Por que Deus não está agindo como um rei? Por que está agindo como se estivesse irritado com as súplicas de seu povo em vez de ser solidário a ele? Por que os faz parecer estúpidos aos olhos do resto do mundo?

Eles necessitam que Deus os traga de volta, os restaure, os vivifique. Todavia, o motivo pelo qual eles necessitam de restauração, e a chave para ela é que o povo precisa da volta de Deus. Os dois apelos, "Traze de volta" e "Volta", estão relacionados tanto no texto hebraico como nas traduções, e o uso das variantes do mesmo verbo expressa a natureza fundamental do problema. Deus se afastou. Caso haja restauração do povo, ela deve ocorrer pela restauração da presença de Deus. Atualmente, o povo experimenta uma rajada do rosto de *Yahweh* ("rosto" ou "face" é o termo hebraico para "presença"). O que eles necessitam é a experiência do rosto radiante e sorridente de Deus, pois isso significa tanto o calor pessoal quanto a libertação e a bênção provenientes desse calor pessoal.

Talvez a característica mais notável do salmo seja o fato de a negligência e a devastação de Deus não impedirem o povo de buscá-lo para falar sobre o que ocorreu. Na verdade, isso os motiva.

SALMO 81
SOBRE A RELAÇÃO ENTRE ADORAÇÃO E SERMÃO

Ao líder. Segundo O Geteu [uma melodia?]. De Asafe.

1. Ressoem para Deus, a nossa força,
    gritem para o Deus de Jacó.

SALMO 81 • SOBRE A RELAÇÃO ENTRE ADORAÇÃO E SERMÃO

2 Elevem a música, batam o tamborim,
   a melodiosa lira com a harpa.
3 Soprem o chifre na lua nova,
   na lua cheia para o dia do nosso festival.
4 Pois é uma lei de Israel,
   uma decisão do Deus de Jacó,
5 uma declaração que ordenou para José,
   quando ele saiu contra a terra do Egito.

Ouvi um lábio que não conhecia:
6   "Removi o fardo do seu ombro;
suas mãos se afastaram do cesto.
7   Na aflição você clamou, e eu o resgatei,
respondi-lhe no lugar secreto do trovão.
   Testei você nas águas de Contenção:
8 'Ouça, meu povo, e testificarei a você;
   Israel, se me escutar...
9 Não haverá para você um deus estrangeiro,
   não se prostrará a um deus estranho.
10 Eu, *Yahweh*, sou o seu Deus,
   aquele que o tirou da terra do Egito;
   abra bem a sua boca, e eu a encherei.'
11 Mas o meu povo não ouviu a minha voz;
   Israel não estava disposto em relação a mim.
12 Assim, os mandei embora na teimosia de sua mente,
   para que pudessem andar por seus próprios planos.
13 Se o meu povo apenas me escutasse,
   se Israel apenas andasse nos meus caminhos.
14 Rapidamente, eu derrotaria os seus inimigos,
   voltaria a minha mão contra os seus adversários."
15 Os oponentes de *Yahweh* murchariam diante dele,
   e o destino deles seria para sempre.
16 Ele os capacitou a comer o melhor do trigo;
   "Do rochedo, eu o enchi com mel."

SALMO 81 • SOBRE A RELAÇÃO ENTRE ADORAÇÃO E SERMÃO

Ontem, comparecemos ao primeiro culto regular da capela do seminário, no trimestre, e houve o ressoar de muitos cânticos, gritos (harmoniosos) e melodiosos sons de guitarra e de piano (equivalente à harpa?). Não houve trombetas dessa vez, mas espero que sejam usados na próxima semana. O culto foi seguido por um sermão que, por acaso, foi baseado no relato de Êxodo 17, sobre o confronto entre os israelitas, Moisés e Deus, ao qual o salmo 81 se refere. Nos Estados Unidos, é comum os cultos de adoração incluírem uma sequência litúrgica simples, constituída de: (a) um longo período de músicas e cânticos e (b) um sermão. Por ser oriundo da Igreja da Inglaterra, ainda considero um plano muito simples e básico, embora, pelo menos, seja consistente com a natureza de um sanduíche nos Estados Unidos (uma grande porção de pão envolvendo uma grande porção de carne).

O salmo 81 me repreende por minha estreita mente britânica, pois segue uma sequência simples. Em um sentido formal, ele também segue a sequência regular de um salmo de louvor. Primeiro, as pessoas se dirigem umas às outras; pode-se imaginar um ministro dirigindo as linhas inaugurais ao coro ou à congregação como um todo. A menção à lua nova e à lua cheia sugere que o salmo pertence ao mês de tishrei, no outono, que inicia com o ano-novo e apresenta o festival do **Sucote** como seu ponto intermediário. Essa cronologia adequa-se ao fato de o Sucote lembrar o povo da entrega da **Torá** a Moisés, evento ao qual grande parte do salmo irá se referir.

O salmo, então, segue a exortação de adorar com os motivos corretos. Mas aqui o salmo começa a trilhar um caminho distinto. Normalmente, os motivos para a adoração também são o conteúdo da adoração. No salmo, assumem mais o papel de explicações para ela, o fato de Deus estabelecer essas expectativas de louvor em conexão com "sair contra o **Egito**" — isto é, agir para resgatar os israelitas das mãos dos egípcios.

SALMO 81 • SOBRE A RELAÇÃO ENTRE ADORAÇÃO E SERMÃO

O trecho principal do salmo começa com o ministro iniciando uma pregação sobre a expectativa, a qual agora ele percebe, de dar ouvidos a Deus, e insinua que todo o povo também precisa fazer isso. Deus sempre precisa relembrar o seu povo da necessidade de estabelecer uma conexão entre o que ele realizou por eles e a maneira de o povo lhe responder. Os israelitas eram obrigados a carregar tijolos para os egípcios; *Yahweh* os aliviou desse fardo. Eles enfrentaram dificuldades no **mar de Juncos**; *Yahweh* os resgatou, vindo do seu lugar secreto entre as nuvens. Trovões, regularmente, vinham de lá, e isso pode ser uma metáfora para a chegada trovejante de *Yahweh* a fim de intervir na terra. O povo "contendeu" com Moisés sobre não haver água no deserto, e *Yahweh* fez fluir água de uma rocha. Todavia, em relação às experiências vividas no deserto, durante a jornada até **Canaã**, *Yahweh* indicou que, como resposta à maneira pela qual agira como seu Deus, ele esperava que os israelitas vivessem como seu povo. Além disso, essa sequência também seria, então, o padrão para o futuro. Deus estava comprometido com a provisão futura a eles como um fundamento contínuo, e ele assim o fez, pois, quando o salmista menciona o trigo e o mel, ele está, obviamente, referindo-se à vida na terra prometida e ao cumprimento das promessas divinas, feitas em Deuteronômio 32.

No entanto, os israelitas jamais deram a *Yahweh* a resposta adequada ao fato de serem o povo de Deus. O verbo "ouvir" é recorrente no salmo, mas o ouvir propriamente dito não aparece muito. Deus parece estar impotente para mudar esse aspecto da situação; tudo o que pode fazer é exclamar: "Se apenas." Tudo o que Deus pode fazer é permitir que as pessoas exerçam a sua liberdade, tomem as suas próprias decisões e vivam com as consequências. Amamos elaborar planos (para a família, para a carreira, para a aposentadoria etc...), controlar o nosso futuro, o nosso destino. Trata-se de uma situação assustadora quando Deus nos entrega à nossa própria disposição, aos nossos próprios planos. O salmo termina com uma relembrança final da maneira com que Deus proveu o povo, e isso, portanto, coloca a congregação em cheque. Vocês persistirão no padrão do passado? A bola está com vocês.

Portanto, a relação entre a adoração e o sermão é menos confortável do que, em geral, ocorre em nossa adoração.

SALMO 82
SOBRE DESAFIAR OS DEUSES E DEUS

Uma composição de Asafe.

1. Deus está de pé na assembleia divina;
   no meio dos deuses ele exerce autoridade.
2. Até quando vocês [deuses] exercerão autoridade pela maldade,
   levantarão os infiéis. (*Pausa*)
3. Exerçam autoridade pelo pobre e pelo órfão,
   mostrem fidelidade ao humilde e desprovido.
4. Resgatem o pobre e o necessitado,
   salvem-nos das mãos dos infiéis.
5. Eles não reconhecem,
   não consideram.
   Enquanto andam na escuridão,
   todas as fundações da terra caem.

6. Eu mesmo disse: "Vocês são deuses,
   todos vocês são descendentes do Altíssimo.
7. Portanto, vocês morrerão como os seres humanos,
   cairão como um dos líderes."
8. Levanta-te, Deus, exerça autoridade para a terra,
   pois possuis todas as nações como tuas próprias.

Dois amigos, que vivem nas Filipinas, almoçaram conosco, cerca de uma semana atrás, ao retornarem por um breve período aos Estados Unidos. Um deles, um sino-americano, contou-nos que nas Filipinas ele sentiu a presença de espíritos malignos como nunca sentira nos Estados Unidos. Então, lembrei-me de um comentário, feito por uma antiga colega, quando ela retornou de um período na Índia, durante o qual ela passou pela mesma experiência. Não estou concluindo que países como a Índia ou as Filipinas sejam mais afetados por espíritos malignos que os Estados Unidos ou a Grã-Bretanha; minha esposa comentou que já há tanto mal nos países ocidentais que os espíritos malignos nem precisam se preocupar muito conosco. Expressando de outra forma e adaptando um comentário de C. S. Lewis, em sua obra *Cartas de um diabo a seu aprendiz*, o Diabo, às vezes, é esperto o bastante para não realizar a sua obra de forma tão óbvia, de modo que até nos esquecemos da sua existência.

O salmo 82 reconhece que existem, de fato, entidades sobrenaturais envolvidas no governo do mundo. Embora o Antigo Testamento confesse que há somente um Deus, ele também reconhece que há inúmeros deuses — são as figuras também referidas como **ajudantes** (anjos), ou como líderes (a palavra que aparece no fim do salmo). Em nosso idioma, seguimos a convenção de distinguir entre os termos para "Deus" e para "deus", com o uso da inicial maiúscula. Estranhamente, pode-se pensar, a palavra hebraica em referência a "Deus" e a "deuses", no primeiro versículo do salmo 82 é a mesma. Assim, ocasionalmente, há certa ambiguidade quanto a uma passagem estar se referindo a Deus ou a deuses, mas o contexto sempre deixa claro qual o sentido correto a ser usado para o termo. O retrato é de Deus como presidente da assembleia de seres divinos. Pode-se esperar que Deus esteja sentado, mas estar em pé é a atitude que o presidente de uma assembleia deve adotar ao decretar uma decisão ou iniciar uma ação.

O salmo, mais tarde, faz alusão a uma diferença entre Deus e os deuses; estes podem morrer. Eles vêm à existência e podem expirar. O ser de Deus é eterno, sempre existente para trás ou para a frente; todavia, o salmo, primeiro, preocupa-se com outra distinção: Deus é a autoridade suprema; os deuses são subalternos a Deus, que exerce **autoridade** na assembleia. Contudo, os deuses exercem autoridade no mundo, que é derivada, referendada a eles por Deus. Em outras passagens, o Antigo Testamento insinua que há um deus para cada uma das nações — por exemplo, Camos é o deus dos moabitas — e, aqui, o salmista faz essa suposição, e pode estar preocupado com o exercício de autoridade por parte dos deuses sobre suas áreas individuais de responsabilidade no mundo como um todo. A menção final do salmista a todas as nações como pertencentes a Deus reforça a ideia de que o salmo cita os deuses como autoridade sobre diferentes nações. Por outro lado, a conversa sobre exercer autoridade pelos pobres e vulneráveis estabelece um paralelo com a maneira pela qual os profetas falam a pessoas que detêm o poder humano em Israel, e o salmista pode ter o mesmo foco. Os deuses devem se preocupar com o exercício da autoridade em benefício dos necessitados.

Certamente, os deuses estão seguindo o comportamento das pessoas com poder humano em Israel. A ideia de liderança é de que o líder deve usá-la para manter os poderosos e ricos sob controle, além de proteger os fracos e vulneráveis. No entanto, normalmente, os líderes usam o poder em benefício próprio, empobrecendo as pessoas comuns. Por trás dessa atividade dos líderes humanos, o salmista vê a influência de seres divinos. Eles exaltam os perversos e **infiéis** e falham em agir com **fidelidade** no resgate dos vulneráveis. Desse modo, os infiéis são capazes de evitar o pensamento sobre como deveriam estar agindo e quanto às implicações morais de seus atos. Eles são livres para vaguearem nas trevas no tocante ao seu exercício de poder e de influência. Por consequência, eles solapam as fundações da vida humana em sociedade.

Durante quase todo o salmo, não fica claro quem está repreendendo os deuses, porém pode-se concluir que o motivo de Deus estar em pé é para fazer isso. Todavia, em um salmo, o orador, regularmente, é um ser humano, e, com certeza, esse é o caso no fim do salmo, quando o orador lança um desafio a Deus. A implicação do versículo final é de que Deus tem uma placa sobre a sua escrivaninha, que diz: "A responsabilidade é minha." Por que os problemas no mundo existem? Se um dos fatores é a maneira com que os deuses exercem a sua autoridade, então Deus não pode usar isso como desculpa, dizendo: "A culpa não é minha." Os deuses estão subordinados a ele e, portanto, Deus precisa fazer algo a respeito.

Quão corajosa uma oração pode ser!

SALMO 83
ESCOLHA O SEU DESTINO

Um cântico. Uma composição de Asafe.

¹ Deus, não mantenhas o teu silêncio,
 não te emudeças, não permaneças quieto, Deus.
² Pois eis que os teus inimigos se enfurecem,
 os teus oponentes levantaram a cabeça.
³ Elaboram um plano contra o teu povo,
 envolvem-se em consultas contra o povo que estimas.
⁴ Eles dizem: "Venham, vamos eliminá-los como uma nação,
 para que o nome de Israel não seja mais trazido à mente."
⁵ Pois eles consultam juntos com uma só mente;
 contra ti selaram uma aliança —

SALMO 83 • ESCOLHA O SEU DESTINO

⁶ as tendas de Edom e os ismaelitas,
   Moabe e os hagarenos,
⁷ Gebal, Amom e Amaleque,
   a Filístia, com os habitantes de Tiro.
⁸ A Assíria também uniu-se a eles;
   eles se tornaram a força dos descendentes de Ló. (*Pausa*)

⁹ Age contra eles como o fizeste com Midiã,
   com Sísera, com Jabim, no ribeiro de Quisom,
¹⁰ que foram destruídos em En-Dor,
    que se tornaram esterco para o solo.
¹¹ Trata os seus nobres como fizeste com Orebe e Zeebe,
    e com todos os seus líderes, como Zeba e Zalmuna,
¹² pessoas que disseram: "Vamos tomar posse
    das pastagens de Deus para nós."
¹³ Meu Deus, faze-os como um redemoinho,
    como restolho diante do vento.
¹⁴ Como fogo que queima uma floresta,
    como uma chama que incendeia montanhas,
¹⁵ para persegui-los com a tua tempestade,
    aterrorizá-los com a tua tormenta.
¹⁶ Enche-lhes o rosto com humilhação
    para que busquem socorro do teu nome, *Yahweh*.
¹⁷ Que sejam envergonhados e aterrorizados para sempre,
    que caiam em desgraça e pereçam.
¹⁸ Que reconheçam que somente tu,
    cujo nome é *Yahweh*,
    é o Altíssimo sobre toda a terra.

O erudito bíblico Michael V. Fox possui o que se pode chamar de um histórico tipicamente judeu. Nos primórdios do século XX, o seu avô escapou por pouco dos massacres na Rússia, durante os quais centenas de judeus foram assassinados e milhares estuprados, mutilados e despojados. Ele descreveu como, simplesmente, ocorreu de ele nascer fora do alcance do poder nazista e de, portanto, escapar ao Holocausto. Em um estudo intitulado *Character and Ideology in the Book of Esther* [Caráter e ideologia no livro de Ester] ([Grand Rapids: Wm. B. Eerdmans Publishing Co., 2001], p. 12), Fox escreve sobre o significado do livro de Ester para ele, à luz da história de sua família e de seu povo. Ele comenta sobre como Deus parece estar oculto na história de Ester: "do mesmo modo que tem sido, tantas vezes, tão inexplicável e imperdoavelmente, ao longo de toda a história".

O salmo 83 pressupõe essa presença oculta. Deus está silente, mudo, quieto, inativo e oculto, em um momento no qual o seu povo está sob uma apavorante pressão. O salmo deseja que as pessoas em sua época, que desempenham o papel de pretensos destruidores, destruam a si mesmas, e sugere inúmeras imagens para essa destruição. Algumas são provenientes da história bíblica, no livro de Juízes, o que mostra que não há nada bizarro ou estranho nesse pedido — ele está de acordo com o agir anterior de Deus. Portanto, essas histórias representam um encorajamento às vítimas de atrocidades do presente. O silêncio pode não ser a última palavra de Deus, pois ele já mostrou, no passado, a disposição de agir contra aqueles que buscaram a eliminação de Israel, para haver esperança quanto a uma nova ação divina. Além disso, a referência a esses eventos anteriores, em uma oração, implica que eles também são importantes para Deus. Com efeito, eles afirmam: "Tu agiste daquela maneira antes — precisamos que ajas assim novamente." No presente momento, Deus está em silêncio, como, com frequência, está.

Talvez Deus tenha um bom motivo; pode ser que esteja dando aos opressores uma chance para se arrependerem.

É possível que esse também seja o motivo pelo qual Deus parece manter silêncio na igreja do Ocidente, em nossos dias. A segunda forma pela qual o salmista fala sobre a ação de Deus é em termos de um fogo que persegue pessoas. Todavia, às vezes, as pessoas fogem do fogo e conseguem ficar distantes dele. O fogo as aterroriza, mas elas logram escapar. Então, o salmo fala sobre Deus humilhar os agressores para levá-los a buscar o socorro divino. As traduções, em geral, falam sobre eles "buscarem o **nome** de Deus", mas isso não expressa claramente o que, nesse caso, significa o verbo "buscar". Significa recorrer a alguém, procurar a orientação e o apoio de alguém. Podemos considerar a confiança uma atitude positiva, mas, quando a confiança é falsamente depositada (p. ex., em nossos próprios recursos quando estamos contrariando o propósito de Deus), a humilhação, a vergonha ou a desgraça passam a ser a experiência positiva; a pessoa volta-se para Deus; isso a faz reconhecer Deus.

Ou antes, no salmo, leva ao reconhecimento de *Yahweh*. A oração do salmista preocupa-se com os ataques perpetrados por outras pessoas, e é plausível imaginá-las menosprezando o Deus daqueles que elas atacam, do mesmo modo que os **assírios**, abertamente, fazem no relato de Isaías 36 e 37. O salmo, portanto, sugere inúmeras possibilidades para o destino dos agressores de Israel, nem todas mutuamente compatíveis. Podia ser morte, e/ou escape, e/ou humilhação, e/ou submissão, e/ou reconhecimento de *Yahweh*. A decisão das nações é que define o destino delas.

Interpretando literalmente, afirmar que *Yahweh* é o único Deus cujo nome é *Yahweh* é expressar o óbvio. No entanto, a declaração é concisa e pressupõe que *Yahweh* é o único Deus e que, portanto, ele é o Deus Altíssimo sobre toda a terra. É apropriado que o salmo 83, iniciado com uma menção dupla a "Deus", termine com uma referência igualmente dupla a *Yahweh*. Os salmos 42—83 são mais econômicos no uso que fazem do nome *Yahweh* do que os demais salmos; o salmo 84 sinaliza uma reversão a um uso mais frequente desse nome.

SALMO 84
UM DIA E MIL DIAS

Ao líder. Segundo O Geteu [uma melodia?].
Uma composição dos coraítas.

1 Quão amável é a tua bela morada,
    Yahweh dos Exércitos.
2 Todo o meu ser anseia
    e desfalece [buscando] pelos átrios de *Yahweh*
  para que o meu coração e o meu corpo possam ressoar
    pelo Deus vivo.
3 Sim, uma ave encontrou um lar, uma pomba [encontrou]
        um ninho para si,
    no qual colocou os seus filhotes —
  o teu grande altar, *Yahweh* dos Exércitos,
    meu Rei e meu Deus.
4 Abençoadas as pessoas que vivem em tua casa,
    que ainda podem te louvar!(*Pausa*)

5 Abençoada a pessoa cuja força vem por meio de ti,
    com as estradas na mente delas!
6 As pessoas que passam pelo vale de Baca
    farão dele uma fonte.
  Sim, a primeira chuva o cobrirá com bênçãos;
7   eles caminharão de muralha em muralha.
  O Deus dos deuses aparecerá em Sião,
8   *Yahweh*, Deus dos Exércitos.
  Ouve a minha súplica,
    dá ouvidos, Deus de Jacó. (*Pausa*)

SALMO 84 • UM DIA E MIL DIAS

⁹ Olha para o nosso escudo, Deus,
  olha para o rosto do teu ungido.
¹⁰ Pois um dia em teus átrios é melhor do que mil.
  Eu escolheria estar à porta da casa do meu Deus
  do que habitar nas tendas da pessoa infiel,
¹¹ pois *Yahweh* Deus é sol e escudo.
  Yahweh dá favor e honra;
  ele não retém o bem às pessoas
  que caminham com integridade.
¹² *Yahweh* dos Exércitos,
  abençoada a pessoa que confia em ti!

Cada uma das igrejas às quais pertenci como ministro na Inglaterra costumavam realizar uma espécie de retiro, todos os anos — não um retiro focado em negócios (a conotação, normalmente, associada com essa palavra, nos Estados Unidos), mas um fim de semana ou mesmo uma semana durante o(a) qual a comunidade concentrava-se em sua relação com Deus. Obviamente, a congregação focava Deus e o seu relacionamento com ele por uma hora ou pouco mais, a cada domingo; mas esses retiros possibilitavam às pessoas um período maior para esse objetivo, longe das preocupações do seu dia a dia. Com frequência, houve momentos em que toda a congregação avançou em sua compreensão e em seu compromisso, bem como momentos de progresso individual. Havia certa sobriedade, e até mesmo tristeza no ar, enquanto as pessoas faziam as malas e subiam em seus carros para voltar ao lar, pois elas sabiam (ou, pelo menos, sentiam) que aquela sensação do envolvimento de Deus conosco, vivenciada durante aquele curto período, não poderia ser mantida ao retornarem às preocupações e ocupações da vida cotidiana.

O salmo 84 reflete essa dinâmica e fala desse sentimento de sobriedade ou de tristeza. Embora fosse possível aos que viviam em Jerusalém ir ao templo, a maioria dos israelitas, provavelmente, seria capaz de realizar uma única visita anual, caso tivesse sorte, para participar de um festival como o **Sucote**. Pode-se imaginar, então, o sentimento de expectativa enquanto faziam essa peregrinação. Eles têm as estradas, os caminhos que levam até Jerusalém, em sua mente. Não conhecemos um lugar chamado "vale de Baca", porém a palavra para bálsamo (uma planta ou árvore) tem o mesmo som que a palavra para "pranto" — daí a expressão "vale de lágrimas". Portanto, a ideia é de que as pessoas entristecidas ou que passem por aflições sejam capazes de encontrar renovo, restauração. Caso estejam peregrinando no Sucote, em setembro/outubro, esse período marca o fim da estação seca, quando o povo espera que a temporada de chuvas se inicie em breve para o novo ano agrícola. Decerto, essa necessidade será um dos assuntos da sua oração, ao chegarem em Jerusalém — daí a referência à primeira chuva e à bênção que isso representa. Em Jerusalém, andarão ao redor das muralhas da cidade, celebrando a presença na cidade de **Sião**, cuja força vem da proteção de ***Yahweh*** **dos Exércitos**, e eles orarão pelo rei, como o seu líder terreno, por meio de quem Deus opera.

Por fim, eles serão capazes de se assentarem nos átrios do templo, do mesmo modo que os convidados em visita a amigos se assentam no jardim para uma refeição. Guardo comigo uma foto de uma pomba pousada em uma das fendas existentes nas pedras que constituem o muro do templo — o salmista se sente como uma ave que faz daquela fenda a sua morada. A ave pode parecer insignificante, a exemplo dos peregrinos, mas elas possuem essa liberdade de relaxarem na segurança e no privilégio dos pátios do templo, o lugar no qual Deus habita. Não admira que eles considerem um dia nesses átrios, um dia à porta da casa de **Yahweh**, melhor do que mil dias comuns, passados em suas cidades de origem, ao lado de pessoas que não honram *Yahweh* corretamente, ou não o honram de forma alguma. (Talvez a referência a mil dias sugira que sejam capazes de ir aos festivais somente a cada três anos.)

No entanto, os mil dias também apontam para um paradoxo que as igrejas às quais pertenci procuravam mostrar aos seus membros. Se o Deus que as pessoas encontram em um retiro da igreja é real, então esse Deus também é real em seu local de trabalho, ou na escola em que estudam. Se Deus não for real na vida cotidiana, ele não será verdadeiramente real em lugar algum. O salmista fala da bem-aventurança daqueles que vivem em Jerusalém e podem ir ao templo todos os dias, como Simeão e Ana, no relato de Lucas 2. O salmo também fala da boa sorte daqueles que encontram a fonte da sua força em *Yahweh*, que pode significar a energia de resistir a uma longa jornada, mas também pode implicar receberem de *Yahweh* a força para viver a sua jornada diária, com os desafios, demandas e tentações. Igualmente, discorre sobre a felicidade dos que confiam em *Yahweh*, e não há dúvidas de que essa descrição é relativa aos mil dias, não apenas a um dia. Portanto, a alegria e o encorajamento de um dia na casa de *Yahweh* atuam para edificar a confiança nele e tornar possível viver os mil dias em integridade e esperança.

SALMO 85
RESTAURA-NOS NOVAMENTE

Ao líder. Uma composição dos coraítas.

1. *Yahweh*, favoreceste a tua terra,
    renovaste a sorte de Jacó.
2. Carregaste as transgressões do teu povo,
    cobriste todas as suas ofensas.

³ Retiraste toda a tua fúria
   e te afastaste da tua ira ardente.

⁴ Renova-nos, Deus, nosso libertador,
   cancela a tua irritação conosco.
⁵ Estarás irado conosco para sempre?
   Prolongarás a tua ira de geração em geração?
⁶ Não nos trará novamente à vida,
   para que o teu povo possa celebrar em ti?
⁷ *Yahweh*, deixa-nos ver o teu compromisso,
   dá-nos a tua libertação.
⁸ Eu ouvirei o que *Yahweh*, Deus, falará,
   pois ele falará de bem-estar
  ao seu povo e àqueles comprometidos com ele,
   os que não devem se voltar à insensatez.
⁹ Sim, a sua libertação está próxima para as pessoas que
      estão no temor dele,
   para que a sua honra se estabeleça em nossa terra.
¹⁰ O compromisso e a veracidade se encontraram;
   a fidelidade e o bem-estar se abraçaram.
¹¹ A veracidade brota da terra;
   a fidelidade olhou dos céus para baixo.
¹² Sim, *Yahweh* dará boas coisas;
   à nossa terra, ela dará o seu aumento.
¹³ A fidelidade caminhará adiante dele
   enquanto ele põe os pés no caminho.

Por ser britânico, é fácil me sentir ressentido com as críticas da mídia norte-americana dirigidas à Grã-Bretanha e à Europa. "Por que acham que estão no direito de criticar quando os Estados Unidos não conseguem solucionar os seus próprios problemas?", questiono-me. "Será que a mídia britânica é tão crítica em relação aos Estados Unidos?" Mas, então, lembro-me de que a mídia norte-americana é tão ou mais crítica quanto o seu próprio país. Atualmente, existe uma percepção de que os Estados Unidos não mais ocupam o primeiro lugar como outrora — na educação, na economia, no sistema de saúde, no transporte e assim por diante. Os comentaristas parecem estar dizendo: "Somos norte-americanos, e o resto do mundo parece melhor quando visto pelo nosso retrovisor. Portanto, precisamos questionar os motivos que nos levaram a perder a nossa posição de liderança, e descobrir o que pode ser feito a esse respeito, além de definir quais devem ser os nossos objetivos e expectativas."

É quase possível ouvir as palavras de abertura do salmo 85 nos lábios daqueles que veem os Estados Unidos como o povo escolhido de Deus. Israel dificilmente ocupou o primeiro lugar no Oriente Médio, mas os israelitas sabiam como era experimentar o favor, a vida, o **bem-estar** e a prosperidade. Durante grande parte de sua história, a vida deles, certamente, foi "boa o suficiente". Do mesmo modo que os norte-americanos podem olhar para a Grande Depressão, os israelitas podiam relembrar os períodos mais difíceis e, então, os mais auspiciosos. O salmo fala a pessoas que, agora, experimentam outro retrocesso.

O salmo inicia-se relembrando a restauração vivenciada no passado, que soa como a restauração da comunidade após o **exílio**. De fato, aquele foi um tempo no qual *Yahweh* carregou as transgressões do povo, abriu mão de sua ira contra eles e lhes possibilitou a reconstrução do templo, da cidade de Jerusalém e da sua comunidade. Caso desejarmos um contexto mais atual para usarmos o salmo, então Calvino apresenta uma sugestão iluminadora. Ele imagina o salmo sendo orado três ou quatro séculos mais tarde, nos anos 160 a.C., quando a relativamente benigna autoridade dos **persas** foi sucedida por Alexandre, o Grande e, portanto, pela autoridade mais opressora do Império **Grego**, centralizado na Síria (trata-se da opressão refletida nas visões de Daniel). A adoração a *Yahweh*, de acordo com a **Torá**, foi proibida, e aqueles em Jerusalém que insistiam em sua fidelidade a *Yahweh* eram martirizados. Assim, Deus irou-se novamente contra eles, e há motivos para essa atitude?

O salmista prossegue e faz uma pergunta, aparentemente retórica, ao longo dessas linhas, mas que, em certas situações (pelo menos), causaria preocupações. O povo precisa considerar seriamente a possibilidade de haver um bom motivo para o desagrado de Deus. Todavia, o orador, presumidamente um líder de adoração, avalia que conhece a resposta à questão. Certamente, é incontestável. Se o povo for **comprometido** com *Yahweh* e guardar o temor a ele, ao contrário de se entregar à insensatez (i.e., comprometer-se com outras divindades), então, seguramente, *Yahweh* levará a cabo a **libertação** que o povo necessita em primeira instância, restaurará a sua honra na terra e, então, possibilitará que eles experimentem o bem-estar. Expressando de outra forma, quando a veracidade humana brotar da terra, a **fidelidade** divina olhará dos céus para baixo.

O salmista faz essa afirmação pela fé e contra as evidências da presente experiência. Ele se levanta ousadamente diante de Deus, desafiando-o a não viver pela fé que declarou. O líder de adoração, igualmente, se levanta com ousadia diante do povo, desafiando-o a crer que Deus irá justificar as declarações que o salmo faz. Se, novamente, imaginarmos o povo orando o salmo no contexto da dominação opressora do Império Sírio, nos anos 160 a.C., então sabemos que essa declaração de fé foi justificada. Deus, de fato, restaurou a liberdade do povo para adorá-lo segundo os preceitos da

Torá — embora, no devido tempo, veio o governo opressor dos romanos, o cenário do Novo Testamento. Desse modo, no período neotestamentário, o povo poderia estar orando esse salmo novamente.

Não vejo qualquer motivo para que norte-americanos ou britânicos reivindiquem a perspectiva do salmo 85 e busquem a bênção de Deus novamente sobre eles. Todavia, a sua palavra sobre nos trazer "novamente à vida" o torna favorito entre as pessoas que pensam e oram por um avivamento na igreja, a exemplo do salmo 80. De igual sorte, não vejo motivos para não reivindicarmos essa perspectiva nesse contexto.

SALMO 86
UM SERVO APOIA-SE EM SEU SENHOR
Uma súplica de Davi.

1. Inclina os teus ouvidos, *Yahweh*,
    responde-me, pois sou humilde e necessitado.
2. Protege a minha vida, pois sou comprometido;
    liberta o teu servo — tu és o meu Deus.
  Como alguém que confia em ti, ³sê gracioso comigo,
    pois a ti clamo o dia inteiro.
4. Faze a alma do teu servo regozijar-se,
    pois a ti, meu Senhor, elevo a minha alma.
5. Porque tu, meu Senhor, és bom e perdoador,
    grande em compromisso com todos que clamam a ti.
6. Dá ouvidos à minha súplica, *Yahweh*,
    presta atenção ao som das minhas orações por graça.
7. No dia da minha tribulação clamo a ti,
    pois tu me respondes.

8. Não há ninguém entre os deuses semelhante a ti, meu Senhor,
    e não existem atos como os teus.

SALMO 86 • UM SERVO APOIA-SE EM SEU SENHOR

9 Todas as nações que fizeste virão
 e se prostrarão diante de ti, meu Senhor.
 Elas honrarão o teu nome,
10 pois tu és grande, aquele que faz maravilhas.
 Tu somente és Deus;
11 ensina-me o teu caminho, *Yahweh*.
 Caminharei por tua veracidade;
 que o meu coração seja um em temor diante do teu nome.
12 Confessarei a ti, meu Senhor, meu Deus, com todo o meu coração;
 honrarei o teu nome para sempre.
13 Pois o teu compromisso é grande para comigo;
 resgatarás a minha vida das profundezas do Sheol.

14 Deus, pessoas obstinadas têm se levantado contra mim,
 um grupo de pessoas terríveis tem buscado a minha vida.
 Embora não tenham a ti diante dos seus olhos,
15 tu és o meu Senhor,
 o Deus compassivo e gracioso,
 longânimo e grande em compromisso e veracidade.
16 Volta-te para mim e sê gracioso comigo,
 concede a tua força ao teu servo.
 Liberta o filho da tua serva,
17 dá-me um sinal do bem,
 para que as pessoas que estão contra mim vejam e sejam envergonhadas,
 pois tu, *Yahweh*, me ajudaste e me consolaste.

A mídia, dois dias atrás, reportou que cristãos no Egito fizeram uma manifestação relativa aos obstáculos enfrentados para a construção de uma igreja. O ato, então, tornou-se uma expressão da insatisfação com o governo militar egípcio, de maneira que os muçulmanos se uniram aos cristãos naquela manifestação. A polícia e o exército tentaram dispersar os manifestantes; a situação tornou-se violenta, com os veículos militares sendo conduzidos na direção da multidão, resultando na morte de mais de vinte pessoas, vitimadas pelos veículos ou por tiros. Um sacerdote protestou contra o que classificou como uma perseguição aos cristãos; contudo, os muçulmanos também descreveram a ação como uma traição à revolução política que o Egito havia visto, um pouco antes, naquele mesmo ano. A manchete de hoje apresenta a foto de uma mulher pranteando sobre o caixão de um parente.

Como descrito pelo salmo 86, agressores obstinados e terríveis ignoram Deus, buscam tirar a vida das pessoas e, portanto, as ameaçam com uma descida ao **Sheol** antes do tempo. Nesse contexto, esse salmo torna-se adequado para orarmos em favor dos nossos irmãos de crença. Essa oração é imperiosa, persistente e urgente na busca pela atenção de Deus. Ela baseia-se na grande necessidade das pessoas que oram — humildes e desfavorecidas, pessoas sem poder e influência, desprovidas de armas ou tanques. Fundamenta-se também na relação delas com Deus: são pessoas **comprometidas** com ele, que confiam apenas nele, não em outros deuses ou em seus próprios recursos, pessoas comprometidas a caminhar na veracidade divina — isto é, viver de maneira verdadeira, honesta, perseverante e ser símplice de coração.

Essa oração tem como base o que Deus é: bom, perdoador e longânimo. Essas pessoas não fingem serem perfeitas, mas sabem que Deus não retém os nossos pecados contra nós, quando os enfrentamos diante dele. Isso é parte da natureza do compromisso grandioso do próprio Deus, ao qual respondemos com o nosso compromisso. Elas sabem que não existe outro Deus como *Yahweh* e que, assim, não existe um Deus real, exceto ele. A descrição das características divinas segue a própria autodescrição de Deus em Êxodo 34, e, assim, implicitamente, a oração indica a Deus que ele não tem alternativa, exceto responder a ela. Ele precisa ser fiel a si mesmo.

Yahweh é aquele que realiza atos maravilhosos e extraordinários, iniciados no êxodo, e as pessoas que oram esse salmo precisam ver tais atos repetidos em sua própria vida. Aquelas ações inspiram temor por parte dos que oram, um temor que se expressa na submissão e na obediência. Igualmente, ele transbordará na confissão de fé nesse Deus e na honra a ele diante de outros que professam a mesma fé, bem como diante dos agressores, que são confundidos pelos atos divinos.

Entremeadas na compreensão dupla do salmo sobre maravilha e temor e a sua tripla menção ao compromisso (nosso e de Deus), estão quatro variantes da palavra "graça". A ideia de graça ou favor é a de que não estamos reivindicando nenhum direito a ela nem que Deus nos deve alguma coisa. Tudo o que podemos fazer é nos lançarmos à misericórdia e ao amor de Deus. Assim, o salmista suplica: "Sê gracioso comigo." As nossas orações são "orações por graça"; a própria natureza da oração é suplicar por algo que Deus não é obrigado a nos conceder, mas que ainda dá com liberalidade. Você pode imaginar que haja alguma contradição com a implicação de que Deus está, realmente, obrigado a responder a essa oração por causa do que ele é, mas, talvez, apelar para a graça divina seja, simplesmente, outra forma de expressar o mesmo ponto. Embora, por um lado, Deus não esteja obrigado a nos responder, por outro, ele está, pois isso é intrínseco ao seu caráter, e Deus precisa ser verdadeiro consigo mesmo. *Yahweh* é "o Deus gracioso", e, portanto, próximo ao fim, uma vez mais o salmista suplica: "Sê gracioso comigo." Acho estranho que as pessoas, às vezes, presumam que o Antigo Testamento seja baseado na lei e que apenas o Novo Testamento seja alicerçado na graça.

No entanto, em outro leve paradoxo, ao lado da súplica pela graça, há um apelo sêxtuplo ao fato de *Yahweh* ser "Senhor". A palavra "Senhor" (em letra maiúscula) é recorrente nas traduções bíblicas, pois os tradutores, normalmente, substituem a menção a *Yahweh* por ela, mas, no salmo 86, a própria palavra hebraica para "Senhor" é utilizada seis vezes. Sua implicação é a de que oramos como um servo ao seu senhor, e os senhores possuem obrigações em relação aos seus servos, do mesmo modo que estes aos seus senhores. Trata-se de outro fundamento para nos apoiarmos em Deus, em nosso próprio benefício e no dos outros.

SALMO 87
COISAS GLORIOSAS SÃO FALADAS SOBRE TI, SIÃO

Uma composição dos coraítas. Um cântico.

1. Fundada por ele entre as montanhas santas,
2. *Yahweh* entregou-se aos portões de Sião,
    mais do que todas as habitações em Jacó. *(Pausa)*
3. Coisas honrosas são ditas em ti,
    cidade de Deus.
4. Farei menção de Raabe e da Babilônia
    às pessoas que me reconhecem.
  Há a Filístia, Tiro e Sudão —
    cada qual nasceu ali.
5. A Sião será dito:
    "Cada um e todos nasceram nela."
    Ele a estabelecerá, o Altíssimo; *(Pausa)*
6. *Yahweh* escreverá no registro dos povos:
    "Cada qual nasceu ali."
7. Eles cantam enquanto dançam:
    "Todas as minhas fontes estão em ti."

Há poucas semanas, recebemos a visita de alguns amigos de Londres que nos fizeram relatos encorajadores sobre os progressos na paróquia deles, na qual há um reitor cheio de ideias para alcançar a comunidade externa e manter a igreja em crescimento. A exemplo de muitas congregações em nossa vizinhança, a igreja da qual sou ministro honorário está diminuindo, e não sei o que fazer a respeito disso (afinal, sou apenas um professor de Antigo Testamento que não possui os mesmos instintos e as ideias do reitor londrino). Uma senhora vivaz e sincera, presente no conselho da igreja, declarou no mês passado: "Precisamos descobrir meios de alcançar a comunidade externa; caso contrário, logo estaremos mortos." No passado, era fácil para as igrejas do Ocidente presumirem que, se apenas continuassem fazendo o que sempre fizeram, seriam capazes de sobreviver — o que não é mais verdadeiro nos Estados Unidos, muito menos na Grã-Bretanha.

O que o salmo 87 oferece é uma promessa de que Deus ainda possui uma visão para o seu povo — a de que ele deveria abranger o mundo inteiro, não definhar até a inexistência. Durante grande parte da história de Israel, seria tentador concluir que esse seria o destino de Jerusalém. Após alcançar o seu apogeu em termos de importância política, nos reinados de Davi e de Salomão, a situação despencou morro abaixo, persistindo até o fim do período do Antigo Testamento. Portanto, imaginar esse salmo sendo orado em praticamente qualquer período da história israelita seria algo improvável (falando em termos de uma analogia, utilizada por um pastor da minha primeira esposa, seria o mesmo que um povo indígena imaginar a própria ascensão e o domínio sobre a América do Norte). Talvez esse seja o motivo de o salmo parecer menos uma oração a ser entoada pelo coro do templo e mais como a palavra de um profeta, a exemplo de outros salmos, como o salmo 110.

SALMO 87 • COISAS GLORIOSAS SÃO FALADAS SOBRE TI, SIÃO

Primeiro, a declaração lembra que *Yahweh* fundou **Sião**, que, assim, lhe pertence, e ele se entrega, dedica-se a Sião (a palavra, com frequência, é usada para "amor"). Com certa regularidade, Jerusalém sofreu e, algumas vezes, foi conquistada, mas, evidentemente, *Yahweh* não toleraria a sua captura como uma realidade duradoura. Ele a fundou entre as montanhas santas — isto é, na terra santa — e é mais comprometido com Sião do que com as demais cidades em Israel (as outras cidades foram capturadas mais vezes que a própria Jerusalém). Ela é honrada por ele como a sua cidade, o lugar no qual ele se digna a habitar.

Após a expressão de tamanho entusiasmo pela capital israelita, pode ser surpreendente descobrir *Yahweh* falando sobre a sua importância potencial em relação a outros povos. Obviamente, Israel não deve ignorá-los. Deus fala às pessoas que o reconhecem (i.e., a Israel) sobre povos que não o reconhecem, porém não com o objetivo de menosprezar estes. Deus discorre sobre o **Egito**, o grande opressor do Sul. "Raabe" é um termo para Egito (no hebraico, é escrito de forma distinta do nome Raabe em Josué); trata-se de um termo para um monstro marinho que expressa oposição a Deus. Ainda, Deus cita a **Babilônia**, o grande opressor do Norte, que destruiu Jerusalém e levou muitos cativos ao **exílio**. A **Filístia**, um tradicional inimigo local de **Judá**, é citada, além de Tiro, um poder relevante a noroeste de **Efraim**, e Sudão, com frequência associado com o Egito. "Cada qual nasceu ali", afirma *Yahweh*. A declaração aparece três vezes, e o salmista acrescenta que *Yahweh* registrará os nomes desses povos nessa conexão. Eles não nasceram, literalmente, em Sião, mas serão considerados como povos nascidos lá; se tornarão cidadãos adotados de Sião (o verbo "nascer" pode ser usado com o significado de "adotar").

O salmo, portanto, repete a mesma declaração dos profetas, embora use uma imagem distinta. As nações irão a Jerusalém para reconhecer a sua importância, pois reconhecerão que o verdadeiro Deus está ali; serão aceitas como cidadãos genuínos, e haverá cânticos e danças enquanto elas se alegram pela importância da cidade para elas. Isso dá a Israel uma base para a esperança de que Deus cumprirá o seu propósito de ganhar o reconhecimento do mundo por meio de Sião (estranhamente, o hino *"Glorious Things of Thee Are Spoken"* [Coisas gloriosas sobre ti são faladas], parcialmente baseado nesse salmo, não inclui essa esperança). Sim, Deus tem uma visão para o seu povo de incluir o mundo todo, não de definhar até a inexistência.

SALMO 88
UM CLAMOR DA SEPULTURA

Um cântico. Uma composição dos coraítas. Ao líder.
Segundo "Flauta" [uma melodia?]. Para aflição.
Uma instrução de Hemã, o ezraíta.

1. Yahweh, o meu Deus que liberta,
   dia e noite clamo diante de ti.
2. Que a minha súplica chegue à tua atenção;
   inclina os teus ouvidos ao meu grito.

3. Pois todo o meu ser está cheio de tribulações;
   a minha vida chegou ao Sheol.
4. Sou contado com as pessoas que descem ao Poço,
   tornei-me como um homem sem forças,
5. um proscrito entre os mortos,
   como pessoas assassinadas, que jazem na sepultura,
   de quem não há mais lembrança,
   quando elas são cortadas da tua mão.

SALMO 88 • UM CLAMOR DA SEPULTURA

⁶ Colocaste-me no mais profundo poço,
   em lugares escuros, nas profundezas.
⁷ Sobre mim a tua fúria tem pressionado;
   com todas as tuas ondas tens me afligido.

⁸ Distanciaste os meus conhecidos de mim,
   fizeste-me uma grande abominação para eles.
   Estou confinado e não posso sair,
   meus olhos enfraquecem de aflição.
   Clamo a ti, *Yahweh*, cada dia,
   estendo as minhas mãos a ti.
¹⁰ Acaso operas uma maravilha para com os mortos?
   Os fantasmas se levantam para te confessar?
¹¹ O teu compromisso é anunciado na sepultura,
   e a tua veracidade, no Abadom?
¹² Teu maravilhoso ato é feito conhecido nas trevas,
   e a tua fidelidade, na terra do esquecimento?

¹³ Mas eu, *Yahweh*, tenho clamado a ti por socorro;
   de manhã, a minha súplica te encontra.
¹⁴ *Yahweh*, por que me rejeitas
   e escondes de mim o teu rosto?
¹⁵ Estou aflito, morrendo desde a juventude;
   carrego os teus terrores, me desespero.
¹⁶ Os teus atos de fúria me oprimiram;
   os teus atos de terror me destruíram.
¹⁷ Estão ao meu redor como água o dia inteiro;
   cercam-me completamente.
¹⁸ Distanciaste amigo e vizinho de mim,
   meus conhecidos — trevas.

Ontem à noite, assistimos a um filme chamado *Incêndios*, sobre uma família que se vê em meio a um conflito civil no Líbano, nas décadas de 1970 e 1980. Trata-se de um filme

SALMO 88 • UM CLAMOR DA SEPULTURA

fictício, mas grande parte do enredo poderia replicar relatos reais do que aconteceu às pessoas durante essas duas décadas. A figura central na história é uma mulher cristã que testemunhou membros de uma outra comunidade assassinarem o pai do filho que ela trazia no ventre. Ela é, então, expulsa de sua própria comunidade e obrigada a abrir mão da criança. Mais tarde, ela descobre para qual orfanato o seu filho havia sido levado e que o local fora destruído durante o conflito. Ainda, subsequentemente, a mulher é levada cativa e repetidas vezes estuprada e engravidada. Um fato que enfurecia os seus captores era que a mulher não cessava de cantar; ela se tornou conhecida como "a mulher que canta".

Sem conhecer o idioma árabe, não sou capaz de entender o que ela cantava, porém o salmo 88 constituiria um lamento apropriado àquela mulher. Ela, de fato, estava morrendo desde a sua juventude, e é possível imaginar esse salmo sendo orado por uma mulher. Dentre os salmos com súplicas a Deus, os quais ocupam grande extensão no Saltério, o salmo 88 é o mais extremo. Sua introdução possui a mais longa sequência de epítetos de todos os salmos; pergunto-me se esse fato significa que ele estava presente em uma série de coletâneas de salmos das quais o Saltério foi compilado e se, por esse motivo, era especialmente conhecido e entoado. (Hemã era outro dos líderes de adoração do templo, a exemplo de **Asafe**; ele é citado em 1Crônicas 6:39.)

Em geral, esses salmos de lamento possuem uma série de características regulares: são dirigidos a Deus; descrevem o sofrimento de alguém; suplicam a Deus para que escute e aja; testificam o compromisso com os caminhos de Deus; afirmam a confiança em Deus; declaram a expectativa de que Deus irá **libertar**; e anseiam retornar à adoração para testemunharem a ação de Deus. Embora nem todas essas características

SALMO 88 • UM CLAMOR DA SEPULTURA

estejam presentes em todos os salmos de lamento, isso ocorre de maneira consistente em grande parte deles. No entanto, esse não é o caso do salmo 88. Ele inicia com uma invocação a **Yahweh**, como Deus é conhecido em Israel; dirige-se a *Yahweh* como "meu Deus" e, objetivamente, denomina esse Deus como aquele que liberta. A invocação, portanto, inclui um conjunto de declarações teológicas básicas subjacentes ao conteúdo do salmo. O salmista, então, suplica a Deus para ouvi-lo. Contudo, essa é a única oração no salmo, e pressagia o que se seguirá pela urgência de seu apelo, não apenas pelo uso da palavra "grito". Presta atenção no barulho que faço, o salmista implora.

Após os dois primeiros versículos, todo o restante do salmo é ocupado por uma dolorosa descrição de sofrimento e de medo, acompanhada por uma série de protestos sob a forma de perguntas. Uma característica imediata é a forma de o suplicante se descrever em termos de estar praticamente morto; ele não se preocupa em ser muito lógico em sua forma de descrever a própria situação. Ele está às portas do **Sheol**; ou é como alguém que, na verdade, já desceu ao Poço, que é outra forma de descrever o lar final dos mortos, derivada do fato de os mortos serem sepultados em uma cova. Na verdade, ele foi lançado às profundezas desse poço e, portanto, na mais profunda escuridão. Ou ele é como um guerreiro, tão exaurido pela batalha que já não possui forças para seguir vivendo, ou como alguém que não teve um enterro apropriado, cujo corpo ainda jaz no campo de batalha. Pelo fato de o nosso corpo ser uma parte intrínseca de nós, não encontraremos descanso se ele for simplesmente esquecido e abandonado dessa maneira.

O problema de estar no reino da morte é o fato de ser um reino no qual Deus não está presente. Na verdade, talvez a lógica desse lamento opere na direção contrária — ele sabe que está em um reino no qual Deus está ausente, portanto esse local deve ser o reino da morte. Deus e morte são incompatíveis; *Yahweh* é o Deus da vida, e não há outro deus que possa ser retratado como o deus da morte, como outros povos pensam. Deus não opera maravilhas no reino da morte; uma vez no Sheol, para sempre lá. Ali, não há celebração quanto ao **compromisso** e a **fidelidade** de Deus, pois ele não age lá; os fantasmas não se levantam para testemunhar o que Deus tem feito por eles. (Claro que Deus, no devido tempo, agirá no Sheol, operando para ressuscitar Jesus dentre os mortos, mas isso ainda não ocorreu então. E, se uma mulher em nossa própria época passar pela experiência descrita no salmo, é como se Jesus ainda não tivesse morrido e ressuscitado da morte.) Deus não se lembra das pessoas no Sheol; é uma terra extraída da mente, a terra esquecida.

O salmo termina em incoerência; as palavras hebraicas são uma expressão adequada de uma experiência que não faz sentido. O salmo como um todo constitui a dádiva mais extraordinária de Deus, presente no Saltério, para a pessoa cuja experiência a leva a orar dessa maneira.

SALMO **89:1–37**
HÁ ALGO ESTÁVEL?

Uma instrução, de Etã, o ezraíta.

¹ Sobre os atos de compromisso de *Yahweh* cantarei para
   sempre;
   a todas as gerações tornarei a sua veracidade
   conhecida com a minha boca.
² Pois eu disse: "O teu compromisso é edificado para
   sempre;
   os céus — estabeleces a tua veracidade neles."
³ "Selei uma aliança para o meu escolhido,
   jurei a Davi, o meu servo:

⁴ 'Estabelecerei a tua descendência para sempre,
   edificarei o teu trono por todas as gerações.'"

⁵ Nos céus eles confessam o teu maravilhoso ato, *Yahweh*,
   e a tua veracidade também na congregação dos santos.
⁶ Pois quem nos céus pode ser igual a *Yahweh*?
   Quem pode se comparar a *Yahweh*, dentre os seres
      celestiais,
⁷ o Deus que inspira grande veneração no conselho dos santos,
   que inspira temor sobre todos os que o rodeiam?
Yahweh, Deus dos Exércitos,
   quem é igual a ti, poderoso *Yah*,
   com a tua veracidade te cercando?
⁹ Governas sobre a elevação do mar;
   quando levanta as suas ondas, tu és aquele que pode
      acalmá-las.
¹⁰ És aquele que esmagaste Raabe, como um cadáver;
   com o teu poderoso braço, espalhaste os teus inimigos.
¹¹ Os céus são teus, e a terra é tua também,
   o mundo e o que o preenche; tu és aquele que os
      fundaste.
¹² O Norte e o Sul — tu és aquele que os criaste;
   o Tabor e o Hermom — eles ressoam ao teu nome.
¹³ A ti pertence um braço com força;
   a tua mão é poderosa, a tua mão direita é elevada.
¹⁴ A fidelidade no exercício de autoridade é a estabilidade do
      teu trono;
   o compromisso e a veracidade vão ao encontro do teu
      rosto.
¹⁵ Abençoado o povo que reconhece o brado,
   que caminha na luz do teu rosto, *Yahweh*!
¹⁶ Em teu nome, celebram o dia inteiro,
   e em tua fidelidade exultam.
¹⁷ Pois tu és a poderosa glória deles;
   por meio do teu favor, o nosso chifre se eleva.

¹⁸ Pois o nosso escudo pertence a *Yahweh*,
    o nosso rei, ao Santo de Israel.

¹⁹ Então, falaste em uma visão ao povo comprometido contigo.
    Disseste: "Coloquei socorro em um guerreiro,
    exaltei um escolhido dentre o povo.

²⁰ Encontrei Davi, o meu servo;
    com meu óleo santo o ungi,

²¹ aquele com quem a minha mão permanecerá firme;
    sim, o meu braço o fortalecerá.

²² Nenhum inimigo irá extorqui-lo;
    nenhum malfeitor o afligirá.

²³ Esmagarei os seus inimigos diante dele,
    ferirei as pessoas que estão contra ele.

²⁴ A minha veracidade e o meu compromisso estarão com ele,
    e em meu nome o seu chifre será exaltado.

²⁵ Estabelecerei a sua mão sobre o mar,
    a sua mão direita sobre o grande rio.

²⁶ Esse homem clamará a mim: 'Tu és o meu pai,
    o meu Deus, o rochedo que me liberta.'

²⁷ Sim, eu mesmo farei dele o meu primogênito,
    superior em relação aos reis da terra.

²⁸ Para sempre manterei o meu compromisso com ele;
    a minha aliança será verdadeira com ele.

²⁹ Estabelecerei a sua descendência para sempre,
    o seu trono como os dias dos céus.

³⁰ Se os seus filhos abandonarem o meu ensino
    e não andarem pelas minhas decisões,

³¹ se profanarem as minhas leis
    e não guardarem os meus mandamentos,

³² cuidarei da sua rebelião com uma vara,
    e da sua transgressão, com golpes,

³³ mas o meu compromisso não anularei dele;
    não serei falso com a minha veracidade.

SALMO 89:1-37 • HÁ ALGO ESTÁVEL?

³⁴ Não profanarei a minha aliança;
   o que saiu dos meus lábios eu não mudarei.
³⁵ Uma vez e para sempre jurei pela minha santidade:
   'Se eu mentir a Davi...'
³⁶ A sua descendência continuará para sempre,
   e o seu trono, como o sol diante de mim,
³⁷ como a lua, que permanecerá firme para sempre,
   uma testemunha no céu que é verdadeira." (*Pausa*)

Minha esposa, outrora, viveu em uma casa ao lado de um vale, na Califórnia, que parecia capaz de cair no oceano, em caso de um terremoto. Assim, após um preocupante abalo sísmico, não muito distante da região na qual morava, ela passou a verificar os relatórios semanais sobre terremotos. Aparentemente, a Califórnia sofre cerca de quinhentos abalos por semana, quase todos eles imperceptíveis à superfície. Ela parcialmente concordou que aquele acompanhamento constante era sem sentido, pois não poderia revelar o que realmente aconteceria no futuro. Todavia (ela argumentou), se há muitos pequenos abalos, isso significa boas notícias, pois sinaliza que as tensões na terra estão encontrando expressão. Quando não há alterações na terra e a tensão se eleva é que existe o perigo de um terremoto sério. Quanto a mim, assusto-me mais com os sinais vindos do oceano, anunciando a entrada em uma zona perigosa de *tsunami*, e/ou com instruções imprecisas sobre em que direção correr na ocorrência desse evento de grande magnitude.

Sinto-me, portanto, encorajado pelos salmos, a exemplo do salmo 89, que chamam a atenção para o fato de que a segurança do mundo reside na criação segura de Deus. Os céus e a terra dão testemunho da veracidade divina — essa palavra aparece oito vezes, nos versículos 1-37. Isso manifesta a firmeza, a confiabilidade e a credibilidade de Deus. Portanto, associar a criação com esse aspecto divino estabelece uma declaração extremamente forte. Deus imprimiu a sua própria veracidade no mundo criado por ele. Segue-se, naturalmente, que a criação também incorpora e reflete o **compromisso** de Deus; essa palavra surge sete vezes. O mundo é seguramente construído e estabelecido. Os poderes dos céus reconhecem essa realidade e que *Yahweh* é o único que o criou assim. Quando a terra se agitar ou os oceanos se elevarem, *Yahweh* pode acalmá-los. O ato da criação envolveu esse domínio, quando Deus colocou em seu devido lugar forças poderosas como o monstro marinho Raabe (não a Raabe do livro de Josué, cujo nome possui uma grafia distinta no hebraico, mas o mesmo ser mencionado no salmo 87). O brado que as pessoas reconhecem será a aclamação de que *Yahweh* é, de fato, o grande Criador.

O primeiro par de referências à veracidade e ao compromisso de Deus aparece nos dois primeiros versículos do salmo, mas, então, o salmo faz uma súbita transição para falar do juramento da **aliança** de Deus a Davi, a qual também é seguramente edificada e estabelecida. Similarmente, o longo trecho referente à estabilidade da criação faz uma inesperada transição para falar do rei de Israel, e os versículos 19-37, então, focam a aliança de Deus com Davi. Há uma relação paternal entre Deus e o rei davídico. O ponto sobre essa imagem é duplo e implica um compromisso mútuo e, igualmente, a disciplina do pai sobre o filho. Todavia, o pai jamais expulsará o filho. Marido e esposa podem se divorciar; você pode deixar de ser o cônjuge de alguém, mas jamais deixará de ser um pai, uma mãe, um filho ou uma filha, ainda que queira.

Portanto, há uma conexão e uma consistência entre os atos divinos na criação e na história de Israel. Bem, claro que há; como Deus poderia ser inconsistente em suas ações em esferas distintas? Uma implicação é que a convicção sobre uma das esferas pode reforçar a convicção sobre a outra. Suponha que a criação pareça instável; a reflexão sobre a veracidade dos atos de Deus na história de Israel, em Jesus e no Espírito Santo ajuda a reforçar a convicção sobre a estabilidade da criação. Ou imagine que não podemos ver as ações de Deus na história, em Jesus e no Espírito; a reflexão sobre a confiabilidade da obra divina na criação ajuda a reforçar a nossa convicção quanto ao envolvimento de Deus na história.

O Etã mencionado na introdução é, presumidamente, outro dos líderes de adoração do templo (a exemplo de **Asafe**), o mesmo citado em 1Crônicas 6:42.

SALMO **89:38-51**
ENFRENTANDO O OUTRO CONJUNTO DE FATOS

38 Mas tu rejeitaste, desprezaste
  e te iraste com o teu ungido.
39 Renunciaste a aliança com o teu servo,
  profanaste o seu diadema, lançando-o ao chão.
40 Rompeste todos os seus muros,
  fizeste das suas fortalezas uma ruína.
41 Todas as pessoas que passam no seu caminho o saqueiam;
  ele se tornou objeto de injúria para os seus vizinhos.
42 Elevaste a mão direita dos seus inimigos,
  deixaste todos os seus inimigos celebrarem.
43 Também viraste a lâmina da sua espada,
  não permitindo que permanecesse na batalha.
44 Deste fim à sua pureza;
  o seu trono arremessaste ao chão.
45 Encurtaste os dias de sua juventude;
  o vestiste de vergonha. (*Pausa*)

46 Até quando, *Yahweh*? Para sempre te esconderás?
  A tua fúria queimará como fogo?

SALMO 89:38-51 • ENFRENTANDO O OUTRO CONJUNTO DE FATOS

⁴⁷ Lembra-te do meu breve período de vida.
  Em vão criaste todos os seres humanos.
⁴⁸ Quem é o homem que pode viver e não ver a morte,
  que pode resgatar-se da mão do Sheol? (*Pausa*)
⁴⁹ Onde estão os teus atos de compromisso anteriores, meu Senhor,
  os quais juraste a Davi em tua veracidade?
⁵⁰ Lembra-te, meu Senhor, da injúria do teu servo,
  que tenho carregado em meu coração, de todos os muitos povos
⁵¹ que me têm insultado, dos teus inimigos, *Yahweh*,
  aqueles que têm insultado os passos do teu ungido.

Aqui está uma coisa estranha. No culto episcopal, usamos o livro de Salmos em todos os nossos cultos dominicais e nos dias especiais. Utilizamos a primeira parte do salmo 89 na noite de Natal, em outras ocasiões durante o período natalino e no Dia de São José. Às vezes, usamos esse salmo, novamente, em um dos domingos do mês de junho. Considerando esse relato da promessa de Deus a Davi e aos seus sucessores, pode-se ver por que devemos usá-lo em conexão com o nascimento de Jesus. O estranho é jamais usarmos a parte final do salmo (exceto em um ciclo diário separado que inclui todo o Saltério). Preferimos a primeira parte.

A ironia é que não se pode compreender o ponto da primeira parte sem alcançar essa última, que constitui uma extraordinária transição após a celebração prévia quanto à **aliança**, à veracidade e ao **compromisso** de Deus. Esse trecho final questiona: "O que aconteceu com a aliança, o compromisso e a veracidade então?"

O movimento é tão abrupto que é possível imaginar se esse trecho não foi acrescentado ao salmo posteriormente.

Em princípio, não há motivos para se pensar nisso. As sobreposições entre diferentes salmos indicam que os salmistas posteriores podiam pegar salmos antigos e retrabalhá-los, ou fazer isso com os seus próprios salmos. O mesmo ocorre com os hinos cristãos. Portanto, o salmo 108 reutiliza material dos salmos 57 e 60. Contudo, não existe uma indicação concreta desse processo em relação ao salmo 89, e a versão completa é a forma incluída por Israel em seu hinário. Além disso, a maneira pela qual a seção final utiliza palavras da primeira parte, tais como aliança, veracidade e compromisso, demonstra que ela foi designada a seguir a primeira. E, olhando em retrospectiva, a própria extensão da celebração da primeira seção intensifica o impacto do questionamento presente na parte final. Quando mais longa a celebração, mais imperioso é o protesto que diz: "Portanto, o que está acontecendo?" (Somente os salmos 78 e 119 são mais longos do que o salmo 89.)

Uma série de salmos de protesto possui como parte de sua genialidade a sua obstinada insistência em enfrentar dois conjuntos de fatos. O salmo 22 é o exemplo mais complexo, mas o salmo 89 é o mais ardiloso. A garantia dada por Deus à estabilidade da criação e ao rei davídico constitui um conjunto de fatos. A permissão de Deus para o rei davídico ser derrotado e insultado, e a sua capital ser devastada, é outro conjunto. Talvez a referência ao término da sua pureza considere o fato de ele, como ungido, ser colocado na mesma posição de um sacerdote (os sacerdotes também foram ungidos). A menção à criação, na parte final, considera o outro lado do tema, presente na primeira parte do salmo: o tema da criação ao lado do tema do compromisso de Deus a Davi. A glória da criação é comprometida pela facilidade com que as pessoas possam ser privadas pela guerra de viverem a sua vida em toda a sua duração.

Não sabemos a qual derrota e devastação em particular o salmo se refere, embora, de qualquer maneira, a sua presença no Saltério, normalmente, indique que o salmo não seja relativo a apenas um evento; ele podia ser usado em outras ocasiões comparáveis. Deus colocou-se em um beco sem saída, ao estabelecer a espécie de compromissos relacionados na primeira parte. Ainda assim, permitiu-se margem de manobra suficiente para infligir pequenas derrotas como consequência da desobediência do rei ao ensino divino, mas o salmista considera que a derrota e a humilhação impostas por Deus excedem os limites permitidos por ele. A parte final do salmo desafia Deus sobre como, agora, é possível a primeira parte fazer sentido; portanto, Deus é desafiado a agir em cumprimento a esses compromissos.

> SALMO **89:52**
> AMÉM, SEJA COMO FOR
> ⁵² *Yahweh* seja adorado para sempre.
> Amém e amém.

Existe uma peça, escrita por Elie Wiesel, intitulada *O julgamento de Deus*, que retrata um campo de concentração e se baseia em algo testemunhado pelo próprio autor. Ao fim do julgamento, Deus é declarado culpado de crimes contra a criação e a humanidade. Após um período de silêncio, um erudito do Talmude, que participara do julgamento, eleva os olhos ao céu e diz: "É hora das orações da noite", e os membros do tribunal recitam o serviço noturno da sinagoga.

Esse versículo, encerrando o salmo 89, possui algo em comum com a dinâmica da peça. Observei anteriormente, na introdução a esse volume, que o Saltério é dividido em cinco "livros" e que o salmo 89 sinaliza o fim do Livro Três. Esse versículo marca que alcançamos esse ponto — pode-se ver um versículo similar ao término do salmo 106, assinalando o fim do Livro Quatro. Portanto, esse versículo não faz, de fato, parte do salmo 89, porém é uma notável declaração de fé quando confrontado com ele. O salmo 89 é encerrado com protestos sem resposta. Esse versículo adicional, ousadamente, declara que, mesmo assim, adoramos a Deus e expressamos "Amém" a tudo o que vem antes (o que inclui a parte final do salmo 89).

SALMO 90
O TEMPO DE DEUS E O NOSSO TEMPO

Uma súplica de Moisés, homem de Deus.

1. Meu Senhor, foste um refúgio para nós
    de geração em geração.
2. Antes de as montanhas nascerem
    e trabalhares com a terra e o mundo,
  de eternidade a eternidade
    tu eras Deus.
3. Tornaste os mortais em moagem;
    disseste: "Voltem, pessoas!"
4. Pois mil anos, aos teus olhos, eram como um dia,
    ontem, quando passa, ou uma vigília, de noite.
5. Tu os varres, como um sono,
    embora pela manhã sejam como a grama que cresce
      fresca.
6. Pela manhã pode florescer e crescer viçosa;
    de noite, seca e murcha.

7. Pois somos consumidos por tua ira,
    por tua fúria temos sido oprimidos.
8. Estabeleceste os nossos atos rebeldes diante de ti,
    e nossos feitos juvenis à luz do teu rosto.

⁹ Pois todos os nossos dias passam na tua ira;
　　passamos os nossos anos gemendo.
¹⁰ Os dias dos nossos anos em si são setenta,
　　ou — com força — oitenta.
　Mas a energia deles tem sido aflição e esforço,
　　pois passam rapidamente, e nós voamos.
¹¹ Quem reconhece a força da tua ira
　　e o teu furor de acordo com o temor por ti?
¹² A contagem de nossos dias, faze-nos reconhecê-la,
　　a fim de obtermos uma mente sábia.

¹³ Volta-te, *Yahweh*! Até quando? —
　　Cede em relação aos teus servos.
¹⁴ Enche-nos de manhã com o teu compromisso,
　　e ressoaremos e celebraremos todos os nossos dias.
¹⁵ Capacita-nos a celebrar de acordo com os dias em que nos tens afligido,
　　os anos em que temos visto o mal.
¹⁶ Que o teu ato apareça aos teus servos,
　　e a tua majestade, aos seus descendentes.
¹⁷ Que o desejo do meu Senhor se realize,
　　nosso Deus, para nós.
　Estabelece o feito das nossas mãos para nós;
　　sim, o feito de nossas mãos, estabelece-o.

A minha primeira sogra costumava dizer que o tempo passa mais rápido à medida que envelhecemos, e eu sempre dizia a mim mesmo que, na verdade, ela simplesmente tinha medo da proximidade da morte. Agora que estou mais velho, percebo que ela estava certa e vejo que a minha percepção não indica apenas que estou com medo da proximidade da morte; existe um motivo para termos essa impressão. Hoje, na igreja, celebramos os aniversários de alguém com treze anos de vida e de outra pessoa, que completava 92 anos. Quando se tem treze anos, o ano anterior representa 1/13 (um treze avos) de sua vida, de maneira que, proporcionalmente falando, trata-se de um longo período em relação ao que a pessoa viveu e experimentou até ali. Todavia, quando se completa 92 anos, o ano anterior representa 1/92 (um noventa e dois avos) da vida, e a duração de toda a vida pode dar a impressão de esse ser um período muito curto, que passa rapidamente. Tenho uma tia que ainda está viva e me lembro, agora, de que, ao completar 92 anos, ela comentou que, após fazer oitenta anos, o tempo passou voando. Ainda que o tempo seja um parâmetro objetivo, a nossa experiência em relação a ele é subjetiva.

O salmo 90 nos lembra que, em qualquer idade, devemos considerar a nossa experiência em relação ao tempo no contexto não somente da nossa própria vida, mas à luz da "idade" de Deus. Isso não quer dizer que Deus seja atemporal, embora ouso dizer que os israelitas não teriam assumido isso. Antes, declara que a "idade" de Deus remonta ao tempo antes de o mundo vir à existência (de modo incomum, o salmo descreve o ato de criação do mundo como um ato de entrar em trabalho de parto e dar à luz) e que seguirá por um período equivalente — dura de "eternidade a eternidade". Em comparação, setenta, oitenta ou noventa anos terrestres tornam-se insignificantes. O jovem com treze anos que mencionei ilustra como, pela manhã, a vida floresce e cresce vicejante; nessa conexão, nem quero pensar sobre como, à noite, a vida seca e murcha, mas havia outro rapaz jovem, por cuja família oramos hoje; aos dezesseis anos, ele foi diagnosticado com câncer e, aos 21 anos, faleceu. E, embora outra de nossas idosas senhoras, com mais de noventa anos, seja apenas pele e osso e seu corpo não pareça estar rejuvenescendo ou se aperfeiçoando, ela mantém o brilho nos olhos, a vitalidade, o humor e o amor.

O salmo 90, tradicionalmente, tem sido usado em funerais, e nesse contexto ele é um solene lembrete às pessoas de que, não importa quão vigorosos e pujantes possamos ser agora, a nossa vitalidade secará e murchará. Não é um fato para nos deprimir ou nos paralisar, mas para nos dar uma verdadeira perspectiva sobre a vida. Quando temos a perspectiva correta, podemos viver como pessoas que nada têm a esconder e nada a perder.

No entanto, o salmo, pelo menos, preocupa-se com a relação da comunidade com Deus ao longo das eras. No Antigo Testamento, setenta anos não é uma figura para a duração da vida humana (a maioria das pessoas morria bem antes dessa idade), mas um valor para o tempo durante o qual Israel poderia estar sob o juízo divino. A ideia de poder atingir oitenta anos torna o ponto ainda mais solene. O salmista olha no retrovisor, para os longos períodos durante os quais Israel conheceu as bênçãos de Deus e a proteção divina contra os seus agressores, que foram simplesmente varridos. Se, algumas vezes, parecia que os seus opressores triunfariam para sempre — bem, isso ocorreu quando Israel precisava lembrar de que o que parece eterno para nós (mil anos) é apenas um dia para Deus, ou somente uma vigília noturna (umas poucas horas). Além disso, se o juízo durar setenta ou oitenta anos, talvez ainda haja uma pessoa ou duas que se lembre de como era a vida debaixo da bênção de Deus ou, pelo menos, haverá pessoas cujos pais ou avós passaram por essa experiência e a relataram a elas.

Essa experiência de bênção e de proteção contrasta com a experiência mais recente da comunidade, isto é, de secar e murchar, a exemplo dos agressores de outrora. É como se Deus não conseguisse parar de olhar para os seus malfeitos. A forma de o salmista orar corresponde ao sentimento da comunidade à medida que o **exílio** perdurava — com frequência, a duração do exílio tem sido retratada como sendo de setenta anos. É como se Deus ainda estivesse preso à transgressão que os levou ao exílio. Mas, em relação a isso, também o salmista pede para ser capacitado a enfrentar os fatos sobre o tempo e aprender o que precisa ser aprendido dessa experiência disciplinadora de Deus. Então, finalmente, pergunta: "Já não é suficiente?"

SALMO 91
À SOMBRA DO TODO-PODEROSO

1. Como alguém que vive no refúgio do Altíssimo,
   que permanece à sombra de Shaddai,
2. eu digo de *Yahweh*: "Meu refúgio, minha fortaleza,
   meu Deus em quem confio."
3. Pois ele é aquele que o resgatará do laço do caçador
   e da epidemia devastadora.
4. Com as suas penas ele o cobrirá,
   e debaixo de suas asas você encontrará refúgio;
   a sua veracidade será um escudo corporal, uma muralha.
5. Não precisa ter medo de um terror noturno,
   de uma flecha que voa de dia,
6. de uma epidemia que caminha na escuridão,
   de um flagelo que destrói ao meio-dia.
7. Mil podem cair ao seu lado,
   dez mil à sua direita —
   isso não o alcançará.
8. Você apenas olhará com os seus olhos
   e verá a recompensa dos infiéis.
9. Pois você é aquele que fez de *Yahweh* o "meu refúgio",
   do Altíssimo o seu abrigo.
10. A nenhum mal será dado acesso a você,
    nenhum dano se aproximará da sua tenda.

¹¹ Pois ele ordenará aos seus ajudantes
    quem o guardem em todos os seus caminhos.
¹² Eles o carregarão nas mãos
    para que o seu pé não tropece em uma pedra.
¹³ Pisará no filhote de leão e na víbora,
    pisoteará o leão e a serpente.

¹⁴ "Porque ele é devotado a mim, eu o resgatarei;
    o levantarei à segurança, pois reconheceu o meu nome.
¹⁵ Clamará a mim, e eu responderei;
    estarei com ele na tribulação,
    o salvarei e o honrarei.
¹⁶ Enchê-lo-ei com longos dias
    e lhe mostrarei a minha libertação."

Guardo uma vívida lembrança da adolescência quando assisti a uma película de filme (um antecedente pré-histórico do DVD) contando a história de cinco jovens norte-americanos que foram a uma floresta tropical no Equador, com o objetivo de levar a mensagem de Cristo ao povo auca, residente ali. A tribo, conhecida por sua violência, assassinou aqueles cinco jovens missionários. Anos mais tarde, Elisabeth Elliot, a esposa de um dos rapazes, escreveu um perfil de Jim, seu marido, e o intitulou *À sombra do Todo-poderoso*. O perfil foi baseado, em parte, no diário do seu marido, que incluía a frequentemente citada sentença: "Não é tolo aquele que abre mão do que não pode reter para ganhar o que não pode perder." No entanto, o título do livro foi extraído do primeiro versículo do salmo 91, da ACF.

Adotar esse título foi um ato de grande ousadia, pois, se há alguém cuja vida suscitou questões sobre a veracidade do salmo 91, essa pessoa foi Jim Elliot. O salmo é uma declaração de confiança em **Yahweh**, que uma pessoa pode transmitir a outra como um convite a assumir a mesma posição. Não seria surpresa se a pessoa a quem a declaração de confiança é transmitida fosse um líder, como um rei, alguém que precisasse liderar o seu povo em batalha, portanto objeto da atenção especial do inimigo. Ele é o que corre maior perigo. Aquele que fala e nos revela que fez dessas promessas o alicerce da sua própria vida pode, então, ser um sacerdote e, desse modo, alguém que, igualmente, medeia a promessa direta de Deus nos versículos de encerramento. Todavia, não há nada no salmo que limite essas promessas a uma pessoa como um rei. E, seja você um rei ou uma pessoa comum, decerto, estaria familiarizado(a) com exemplos de pessoas, iguais a você, que não experimentam o cumprimento das promessas divinas, a exemplo de Jim Elliot.

Uma característica estranha das atitudes cristãs do Ocidente é a maneira pela qual esses exemplos tanto nos perturbam, a ponto de deixarmos de ouvir as promessas. O livro de Salmos deixa claro que as pessoas perceberam as ocasiões nas quais as promessas não se cumpriram; ainda assim, essa consciência não teve esse efeito. Talvez seja outra faceta do que denominamos "enfrentar dois conjuntos de fatos", no tocante ao trecho final do salmo 89.

Nem sempre é possível explicar o motivo de Deus não cumprir as suas promessas, embora, às vezes, seja possível ver o resultado que Deus traz com o não cumprimento delas. Eu não fui o único profundamente impactado pela história da morte desses cinco missionários norte-americanos. O evento provocou um efeito positivo sobre os cristãos nos Estados Unidos e inspirou outros a prover o suporte financeiro para tornar isso possível. Bem mais irônico e paradoxo é o resultado da citação dessas promessas que Satanás faz a Jesus (veja Mateus 4:6). Considerando a suposição de que as promessas foram, originariamente, dirigidas a um rei, então aplicá-las a

Jesus seria um movimento inteligente, caso Jesus tivesse alguma reivindicação de ser o rei messiânico. É possível que Jesus tenha percebido o uso indevido de Satanás, em sua tentativa de usá-las como fundamento para Jesus se jogar do pináculo do templo e provar que Deus cuidaria dele (e os cristãos poderiam cair na cilada de assumir riscos em nome de Deus para os quais Deus não os chamou e, então, esperarem a proteção divina). No entanto, a própria morte de Jesus constitui o maior exemplo do descumprimento das promessas, contudo a sua morte produz um fruto estranho, e esse resultado torna essa "falha" no cumprimento das promessas algo insignificante.

Considerando esse resultado, somos encorajados a meditar nas promessas a fim de fundamentarmos a nossa vida nelas e não perdermos o impacto delas pela preocupação nas ocasiões em que elas não se cumprirem.

SALMO 92
COMO É A ADORAÇÃO DO SÁBADO?

Uma composição. Um cântico. Para o dia de sábado.

¹ É bom confessar *Yahweh*,
    fazer música ao teu nome, tu que és o Altíssimo;
² contar do teu compromisso de manhã
    e da tua veracidade a cada noite.
³ ao som da lira de dez cordas e a cítara,
    com declamação, na harpa.
⁴ Pois tu me fazes feliz, *Yahweh*, por teu ato;
    nos feitos de tuas mãos eu ressoo.
⁵ Quão grandiosos são os teus feitos, *Yahweh*;
    os teus planos eram muito profundos.
⁶ A pessoa bruta não reconhece,
    o estúpido não compreende isto:
⁷ quando os infiéis florescem como grama,
    e todas as pessoas perversas prosperam,

é para serem destruídos para sempre,
8 enquanto tu és exaltado eternamente, *Yahweh*.
9 Mas os teus inimigos, *Yahweh*,
os teus inimigos, perecem;
todos os malfeitores se dispersam.
10 Tu, porém, elevaste o meu chifre como um búfalo,
derramaste sobre mim, em minha exaustão, óleo refrescante.
11 Meus olhos veem os meus inimigos vigilantes;
as pessoas que se levantaram contra mim, agindo
perversamente,
meus ouvidos podem ouvi-las.

12 A pessoa fiel é como uma tamareira que floresce,
como um cedro do Líbano que cresce grande,
13 plantado na casa de *Yahweh*,
que floresce nos átrios do nosso Deus.
14 Eles ainda frutificam na velhice,
tornam-se ricos e viçosos,
15 proclamando que *Yahweh* é reto.
Ele é o meu rochedo, em quem não há transgressão.

Se estou pregando no domingo, em lugar de pregar um sermão de dez a quinze minutos após a leitura da Escritura (os episcopais não estão acostumados a longos sermões), adquiri o hábito de falar por uns poucos minutos, logo após cada uma das três leituras extraídas do Antigo Testamento, das Epístolas e dos Evangelhos. Conclui que dividir o sermão auxilia na manutenção da atenção dos presentes e na assimilação da mensagem e, a julgar pela reação espontânea das pessoas, creio que o objetivo tem sido alcançado. Ainda, senti-me igualmente encorajado pelo comentário de uma mulher que afirmou que estava aprendendo mais com a divisão do sermão, pois, caso contrário, segundo ela, as leituras entram por um ouvido e saem pelo outro. O principal motivo da pregação é provocar alguma mudança nas pessoas, não meramente levá-las a aprender algo, mas se, pela menos, estão aprendendo, não tenho do que reclamar.

O salmo 92 é o único salmo que menciona o sábado. Isso pode parecer estranho, pois somos propensos a concluir que o sábado seria o principal dia de adoração no templo, do mesmo modo que o domingo é para a igreja atual, mas o paralelo, na verdade, não se sustenta. A adoração era oferecida no templo diariamente, e não havia grande diferença para a adoração oferecida no sábado. O ponto principal em relação ao sábado era o fato de ser um dia de interrupção do trabalho, e, claro, praticamente todos os israelitas viviam distantes do templo, o que os impossibilitava de ir até ele semanalmente. Dessa forma, eles participavam da adoração no templo e recitavam os salmos somente durante os festivais e em ocasiões especiais. Mas, quando eles adoravam em suas casas, no sábado, não seria surpresa se, igualmente, usassem esse tempo para aprender sobre a fé que a **Torá** esperava do povo.

Há um aspecto de ensino no salmo 92, e a maneira com que o sábado e o ensino surgem juntos no salmo é sugestiva. Grande parte dos versículos de abertura sugere que ele será um salmo de ação de graças ou de testemunho, que celebra o que Deus recentemente fez em favor de um indivíduo ou de uma comunidade, mas ele não foca detalhes dessa experiência do mesmo modo que um salmo o faz regularmente. Além disso, a natureza do salmo 92 é possuir um caráter de ensino, e as suas palavras inaugurais: "É bom confessar **Yahweh**" já sublinham essa intenção didática, incentivando as pessoas a louvá-lo. A preocupação com o ensino surge mais claramente nas declarações gerais sobre a pessoa bruta ou moralmente estúpida não reconhecer e, então, nas afirmações sobre o que Deus faz com aquele que é **fiel**. Na verdade, são declarações de louvor. Assim, o salmo sugestivamente mescla louvor pelo que Deus faz e testemunho quanto ao que as pessoas necessitam aprender com tudo isso. Isso não é tudo o que o culto de domingo pode abranger (a oração é a principal característica adicional), mas possui características-chave nesse sentido.

SALMO 93
A TERRA É VULNERÁVEL?

1. *Yahweh* começou a reinar, vestiu-se de majestade;
    Yahweh vestiu-se, cingiu-se de poder.
   Além disso, o mundo permanece firme, não colapsa;
2.   o teu trono está firme desde muito tempo atrás —
    tu és de antigamente.
3. Os rios se elevaram, *Yahweh*,
    os rios elevaram a sua voz,
    elevaram o seu bramido.
4. Acima das vozes das muitas águas,
    imponentes, das ondas do mar,
    Yahweh era majestoso nas alturas.

5. Tuas decisões são muito verdadeiras;
    tua santidade adorna a tua casa,
    Yahweh, por longos dias.

Acabei de ver uma foto incrível da Terra tirada acima do Polo Norte. Sei que, em teoria, o Canadá, a Groenlândia, a Rússia e a Noruega quase se encontram no Ártico; mas, estou tão habituado ao mapa-múndi Projeção de Mercator que, normalmente, não penso nesses termos. A foto em questão era fabulosa, mas, igualmente, preocupante, pois mostrava quanto da área ocupada pelo gelo ártico diminuiu durante a última década. Isso abre novas possibilidades no tocante à exploração do óleo e da pesca. No entanto, o outro lado da moeda é que isso sinaliza quão rápido o mundo pode, em breve, ser tomado pelo oceano. A terra é segura?

O salmo 93 declara que a criação foi o momento a partir do qual *Yahweh* começou a reinar; portanto, a terra está fundada em segurança. O salmo não implica que alguém mais está reinando antes desse momento, mas que *Yahweh* confirmou a sua **autoridade** no cosmos no tempo da criação e declarou que o mundo criado permaneceria firme porque ele, *Yahweh*, permanece firme. Havia forças que buscaram resistir à soberania de *Yahweh* ou poderiam ter feito isso — forças que possuíam um poder dinâmico próprio, resumido no poder esmagador dos oceanos e dos rios que inundavam —, mas *Yahweh* agiu de maneira verídica e confiável ao longo dos milênios, assegurando que a santidade divina seja reconhecida em seu palácio celestial por todos os pretensos poderes.

Sim, o mundo é seguro; ele não estará vulnerável a outros poderes sobrenaturais porque *Yahweh* determinou a submissão deles. Claro que *Yahweh* não é propenso a forçar a submissão dos poderes humanos. Parece que temos uma espécie diferenciada de livre-arbítrio. Portanto, não ousemos assumir que podemos destruir o planeta.

SALMO 94
O DEUS DA REPARAÇÃO

1. Deus da reparação, *Yahweh*,
   Deus da reparação, resplandece.
2. Levanta-te como aquele que exerce autoridade sobre a terra,
   dá a recompensa às pessoas soberbas.
3. Até quando os infiéis, *Yahweh*,
   até quando os infiéis exultarão,
4. despejarão palavras arrogantes,
   e todos os malfeitores resistirão?
5. Eles esmagam o teu povo, *Yahweh*,
   derrubam os teus próprios.

SALMO 94 • O DEUS DA REPARAÇÃO

⁶ Matam a viúva e o estrangeiro,
    assassinam o órfão.
⁷ Eles dizem: "*Yah* não vê,
    o Deus de Jacó não toma nota."

⁸ Atentem, vocês, brutos dentre o povo;
    e quando vocês, tolos, mostrarão algum entendimento?
⁹ Aquele que faz o ouvido não ouve?
    Aquele que forma o olho não vê?
¹⁰ Aquele que disciplina nações não reprova
    o que instrui a humanidade sobre conhecimento?
¹¹ *Yahweh* conhece os planos da humanidade —
    eles são vazios.

¹² Abençoado o homem a quem disciplinas, *Yah*,
    e instruis com o teu ensino,
¹³ para dar-lhe descanso dos tempos maus
    até um poço ser cavado para a pessoa infiel!
¹⁴ *Yahweh* não abandona o seu povo,
    não abandona os seus próprios.
¹⁵ A autoridade voltará a [se basear] em fazer o que é fiel,
    e todos os que são retos de mente a seguirão.
¹⁶ Quem se levanta por mim contra os malfeitores?
    Quem assume uma posição por mim contra os perversos?
¹⁷ Não fosse *Yahweh* um socorro para mim,
    logo eu mesmo teria habitado em silêncio.
¹⁸ Se digo: "O meu pé escorregou",
    o teu compromisso, *Yahweh*, me sustém.
¹⁹ Quando as ansiedades se multiplicam dentro de mim,
    os teus consolos alegram o meu ser.
²⁰ Pode o trono que traz destruição se aliar contigo —
    alguém que cria sofrimento por meio de uma lei?
²¹ Eles se juntam contra a vida da pessoa fiel,
    condenam o sangue da pessoa inocente.
²² Mas *Yahweh* tem sido um abrigo para mim;
    o meu Deus é um rochedo que me dá refúgio.

> ²³ Ele faz recair sobre eles a sua maldade;
> ele lhes dará um fim por meio dos seus malfeitos —
> *Yahweh*, o nosso Deus, lhes dará um fim.

Enquanto escrevo estas palavras, centenas de pessoas estão acampadas em um parque próximo a Wall Street, em protesto pelo fato de que somente 1% da população norte-americana, do qual Wall Street constitui um símbolo, possui um patrimônio líquido maior do que os 90% de toda a base da pirâmide. Muitos dos manifestantes são pessoas desempregadas e, portanto, na parte mais inferior da base de 90% (mas a minha esposa gosta de lembrar que no Ocidente estão 6% dessa base). Nas cidades de Israel, centenas de seus cidadãos estão, igualmente, acampados em cidades-acampamentos, em nome de uma causa similar, com o ressentimento adicional, às custas de gastos com segurança e de concessões aos interesses de grupos especiais. Na Índia, na qual a prosperidade também passa longe dos milhões de pessoas comuns do povo, um homem chamado Anna Hazare, recentemente, empreendeu uma greve de fome durante doze dias até que o Parlamento concordasse com algumas de suas demandas com respeito a medidas anticorrupção para responsabilizar agentes públicos.

O salmo 94 fala pelas vítimas dessa desigualdade e corrupção. Há uma percepção de que elas, por definição, são impotentes e indefesas. Manifestações e greves de fome constituem um dos meios de sobrepujar a impotência e a vulnerabilidade; a oração é outro. Talvez a mescla dos dois seja uma boa combinação. As pessoas das quais o salmista reclama são eminentes, importantes e poderosas, além de serem **infiéis**. A infidelidade delas se expressa na arrogância e na confiança das suas palavras; sempre têm muito a dizer sobre si mesmas. Isso é expresso na maneira com que elas tratam as pessoas comuns e, especialmente, na forma de ignorarem as carências dos vulneráveis ou, até mesmo, de obterem vantagens da fraqueza dessas pessoas. Expressam-se contra Deus ao presumirem que ele não percebe o que está acontecendo. Talvez não o façam de modo explícito, mas isso está implícito em suas ações. É muito difícil o poder e a infidelidade não andarem juntos: quer obter poder por meio da infidelidade, quer ser tentado à infidelidade pelo poder.

O lamento "Até quando?", logo no início do salmo, sinaliza o desespero que pode caracterizar os salmos de protesto, mas o tom subsequente do salmista está mais para uma gentil confiança. A seção intermediária apresenta essa confiança contra as pessoas prósperas, pois são estúpidas o bastante para presumirem a falta de interesse de **Yahweh** quanto ao que está acontecendo no mundo. *Yahweh* é aquele que disciplina e que instrui; sendo assim, é pouco provável que não preste atenção à sua disciplina e instrução. Obedecer a elas é, portanto, o caminho para a bênção, ainda que, às vezes, pareça o contrário, no curto prazo. A seção intermediária termina com uma corajosa declaração de confiança de que, no longo prazo, a corrupção não prevalecerá. A **autoridade** voltará ao seu fundamento adequado, e as pessoas retas serão capazes de apoiar o governo, em lugar de protestar contra ele.

Uma vez mais, a queixa em forma de pergunta, "Quem?", abrindo a seção final, é a espécie de indagação que, com frequência, marca o desespero, porém aqui ela introduz uma declaração adicional de confiança. O início do último versículo fala como se Deus já tivesse agido contra os malfeitores, embora o restante dele sugira que esse processo ainda não foi concluído. Talvez a questão também seja uma forma de recrutar a próxima geração para uma posição de **fidelidade**, ou de ação, caso possam. É possível que o salmista esteja certo de que alguém irá se levantar e esteja observando a geração vindoura para ver quem será. No entanto, o ponto implícito é o de que Deus não fica sentado de braços cruzados para sempre, quando 1% ou 10% prospera e a maioria vive empobrecida. Na verdade, esse é um salmo assustador para os que o leem no mundo ocidental, especialmente os leitores de Wall Street.

SALMO 95
PODERÁ APENAS SE CALAR E OUVIR?

1. Venham, ressoemos para *Yahweh*,
    bradamos para o nosso rochedo que nos liberta.
2. Aproximemo-nos de seu rosto com confissão;
    nós o aclamaremos com música.
3. Pois *Yahweh* é o grande Deus,
    o grande rei sobre todos os deuses,
4. aquele em cujas mãos estão as extremidades da terra,
    e a quem os picos montanhosos pertencem,
5. aquele a quem o mar pertence (ele o fez)
    e a terra seca (suas mãos a moldaram).

6. Venham, prostremo-nos, curvemo-nos,
    dobremos os joelhos diante de *Yahweh*, o nosso Criador.
7. Pois ele é o nosso Deus,
    e somos o povo que ele pastoreia,
    as ovelhas em suas mãos.

Hoje, se ouvirem a sua voz,
8. não enrijeçam a sua atitude, como fizeram na Contenção,
    como fizeram no dia da provação no deserto,
9. quando os seus ancestrais me testaram.
    Eles me provaram, embora tenham visto a minha ação;
10. por quarenta anos, abominei aquela geração.
    Eu disse: "Eles são um povo que vagueia em atitude,
    porque não reconheceram os meus caminhos,
11. por isso jurei em minha ira:
    'Se eles vierem ao meu lugar de descanso...'"

SALMO 95 • PODERÁ APENAS SE CALAR E OUVIR?

Uma das experiências mais pedagógicas da minha vida foi participar do coro na catedral da minha cidade natal, na Inglaterra. Aprendi a cantar, ler e escrever música, e não me teria tornado um fanático por música caso não a tivesse vivenciado. Contudo, o mais importante é que fui atraído para a adoração real dos cultos nos quais cantávamos, o que não acontece com todos os membros do coro e, portanto, não me teria tornado um sacerdote anglicano sem essa experiência. Uma das minhas lembranças é como todos os cultos dominicais, pela manhã, começavam com o *Venite*, que é o título tradicional do salmo 95. *Venite* é o termo em latim para o chamamento inicial, "Venham".

Não sei ao certo quando percebi que cantávamos somente as duas primeiras seções do salmo e que essa prática comum envolvia algumas ironias de primeira classe. A lógica de usar o salmo naquele momento do culto é que, além de convidar os presentes a se unirem ao louvor, isso os desafia a prestarem atenção ao que Deus tem a dizer por meio das leituras bíblicas subsequentes. Todavia, ao usarmos apenas as duas seções iniciais, omitimos o trecho que transmite esse desafio e, assim, desconsideramos a parte que torna o salmo distinto. Enquanto as duas primeiras seções seguem a estrutura regular de um salmo, de nós para Deus (ou melhor, neste caso, de algumas pessoas para outras sobre Deus), na derradeira seção Deus fala em resposta.

Por si só, as duas primeiras seções formam um exemplo didático de um salmo de louvor. Elas abrangem um convite à adoração, seguido pelos motivos para a adoração ou o conteúdo dele; então, há outro convite e mais motivos. As duas seções inaugurais complementam-se e formam uma sequência significativa. O salmo começa com um convite a uma ruidosa e entusiástica aclamação de Deus, mais semelhante aos brados e cânticos ouvidos no interior de um estádio de futebol, distante cerca de seis quilômetros da nossa catedral, do que ao canto elegante e gracioso do nosso coral. O fundamento para essa aclamação é a grandeza de **Yahweh** como o supremo Deus. A segunda seção renova o convite. Trata-se de um chamado a um reconhecimento externo e ousado de Deus, mas o ato, agora, envolve uma prostração física, similar àquela dos muçulmanos em oração e distinta da genuflexão parcial característica do culto anglicano. A base para essa atitude de prostração de toda a pessoa é o assombroso reconhecimento de que *Yahweh*, o supremo Deus sobre todo o mundo, dignou-se de ser o nosso Deus e o nosso pastor.

O salmo termina perfeitamente bem após aquelas duas seções, e gosto de imaginar que ele existia muito bem como um salmo de louvor, até o dia em que *Yahweh* se cansou de toda aquela aclamação e prostração, que facilmente poderiam estar desacompanhadas de um compromisso sincero com Deus, fora da adoração. Assim, Deus transmitiu a algum sacerdote ou profeta a mensagem do trecho final. Ele inicia-se como se a pessoa estivesse falando *sobre* Deus, mas, então, faz uma transição para falar *como* Deus, o que, com frequência, ocorre nas palavras de profetas. O trecho refere-se a incidentes do passado cujos relatos podem ser encontrados em passagens como Êxodo 17. Dois capítulos antes, em Êxodo 15, encontramos os israelitas orando a Deus com grande entusiasmo, a exemplo das duas seções iniciais do salmo 95, mas o entusiasmo e a prostração logo cessaram.

Como uma alternativa à minha imaginação, pode ser que as três seções fizessem parte do salmo desde o princípio e que ele desempenhava um papel na adoração semelhante ao desempenhado no culto anglicano, quando era usado na íntegra. No templo, o salmo, então, prepararia as pessoas para a audição da leitura da **Torá**, como no livro de Êxodo, quando logo após Deus dar o seu ensino, no Sinai, segue-se o relato do que ocorreu em "Contenção e Teste", isto é, Meribá e Massá.

Outra ironia é que, quando o Novo Testamento cita o salmo, em Hebreus 3 e 4, ele menciona somente o trecho final, não as duas primeiras seções. A exemplo da congregação israelita, a comunidade cristã precisa aprender a não crer em sua própria publicidade, caso não deseje se tornar objeto da irada rejeição divina.

SALMO 96
SIM, YAHWEH COMEÇOU A REINAR

1. Cantem a *Yahweh* um cântico novo;
   cante a *Yahweh* toda a terra!
2. Cantem a *Yahweh*, louvem o seu nome,
   anunciem dia após dia a sua libertação!
3. Contem de sua honra entre as nações,
   das suas maravilhas entre todos os povos!
4. Pois *Yahweh* é grande e digno de ser louvado;
   deve ser admirado acima de todos os deuses.
5. Pois os deuses de todas as nações são insignificantes,
   enquanto *Yahweh* fez os céus.
6. Esplendor e majestade estão diante dele,
   força e glória em seu santuário.

7. Deem a *Yahweh*, ó famílias dos povos,
   deem a *Yahweh* honra e força.
8. Deem a *Yahweh* a honra devida ao seu nome;
   carreguem uma oferta e entrem em seus átrios.
9. Prostrem-se diante de *Yahweh* em seu santo esplendor;
   trema diante dele toda a terra.
10. Digam entre as nações: "*Yahweh* começou a reinar!" —
    sim, o mundo permanecerá firme, não colapsará.
    Ele governará os povos com retidão;
11. os céus podem celebrar, e a terra, regozijar.

SALMO 96 • SIM, YAHWEH COMEÇOU A REINAR

> O mar e a sua plenitude podem trovejar;
> ¹²   o campo e tudo o que nele há exultem.
> Então, todas as árvores na floresta podem ressoar
> ¹³   diante de *Yahweh*, pois ele está vindo.
> Porque ele está vindo para exercer autoridade sobre a terra;
>   exercitará autoridade sobre o mundo com fidelidade,
>   e sobre os povos, com veracidade.

O noticiário de hoje inclui um relato sobre as forças no Iêmen atirarem na direção de manifestantes que protestavam contra o governo, assassinando alguns deles. No Afeganistão, soldados afegãos e norte-americanos enfrentam ataques cada vez mais contundentes dos insurgentes de sua base no Paquistão. Nesse ínterim, no estado de Kansas, um bispo está sendo indiciado por não denunciar um sacerdote flagrado com imagens pornográficas de crianças em sua congregação. Na Líbia, Muammar Kadafi foi sumariamente executado pelas forças revolucionárias, que, por fim, ocuparam a cidade na qual ele estava refugiado; ele é a última — ou melhor, provavelmente uma das últimas — dentre os milhares de pessoas a morrer em um conflito naquele país. Na Somália, uma mulher cadeirante morreu após ser sequestrada do Quênia.

É difícil acreditar que **Yahweh** reina ou que tenha começado a reinar. Igualmente, se a vinda de Jesus trouxe o reino de Deus para perto, parece que ele foi embora. No entanto, o salmo 96 declara que *Yahweh*, de fato, começou a reinar e, aparentemente, fala não somente do reino da criação e da natureza (a exemplo do salmo 93), mas do reino da política e da história. O seu autor e o povo estavam bem cientes das realidades no próprio contexto deles, que eram equivalentes àquelas que vemos na mídia de nossos dias.

SALMO 96 • SIM, YAHWEH COMEÇOU A REINAR

O salmo 96 opera de modo similar ao salmo anterior, ao começar com uma exortação a adorar e, então, expressar os motivos ou o conteúdo dessa adoração. Ele, porém, segue essa sequência não uma ou duas vezes, mas três vezes. Contudo, enquanto o salmo 95 diz: "Venham, adoremos", o salmo 96 apresenta uma exortação: "Cantem... contem... deem." O motivo para essa distinção é que o salmo 95 fala sobre a adoração de Israel, enquanto o salmo posterior discorre sobre a adoração do mundo. Ao abordar a adoração de Israel, o líder ou o coro pode falar para "nós", as pessoas que estão presentes; ao falar sobre a adoração das nações, as pessoas a quem a exortação é dirigida estão ausentes. O chamado, simplesmente, é lançado ao vento. Se alguém ouvir o chamado, de novo, será Israel, que, ao ouvir, será lembrado de que Deus é, de fato, o Deus das nações, que ele merece ser reconhecido por todos os povos e que esse destino já está traçado. Por outro lado, quando o salmo convida os ouvintes a contarem os feitos de *Yahweh* entre as nações, isso implica que uma nação conta à outra? Ou significa que Israel é que deve proclamar os atos divinos entre as nações? Quando, no devido tempo, cada vez mais gentios se tornaram prosélitos ou "tementes a Deus", talvez isso fosse uma indicação de que os judeus, consciente ou inconscientemente, estavam cumprindo essa comissão de anunciar os atos de *Yahweh* entre os povos da terra.

Por que as nações deveriam cantar louvores a *Yahweh*, como o início do salmo convida, e qual é a evidência de que *Yahweh* começou a reinar? A resposta jaz na libertação realizada por *Yahweh* e em suas maravilhas, termos referentes a eventos como a **libertação** de Israel do **Egito**, operada por *Yahweh*, a sua vitória no **mar de Juncos**, e também a restauração dos judaítas do **exílio** na **Babilônia**. Esses eventos constituem a evidência de que os deuses adorados pelas nações nada significam, enquanto *Yahweh* reina em glória em seu santuário celestial.

Do mesmo modo que a história em Êxodo e as mensagens dos profetas, o salmo considera que os atos, realizados em benefício de Israel, são significativos não apenas para os israelitas, mas para todo o planeta. Eles mostram o padrão do envolvimento de Deus no mundo inteiro e indicam o propósito que Deus está perseguindo para toda a terra. Dessa forma, são motivos pelos quais as nações podem celebrar com Israel, mesmo que elas ainda não saibam disso. Há motivos para que as nações se unam a Israel na apresentação de ofertas a *Yahweh* e para se prostrarem diante dele. Elas podem ir diretamente ao palácio de *Yahweh*, aos seus átrios, trazendo aquelas ofertas.

Igualmente, esses eventos constituem a evidência de que *Yahweh*, de fato, começou a reinar. Inúmeras vezes, tanto Israel quanto as nações não conseguiram ver a evidência desse reino, do mesmo modo que é tentador, no contexto do caos mundial em nosso próprio tempo, imaginar que o mundo está colapsando politicamente. O salmista nos encoraja a ver os eventos, tais como a libertação dos israelitas do jugo egípcio e do cativeiro babilônico (podemos acrescentar a morte e a ressurreição de Jesus), como indicadores mais confiáveis da direção para a qual o mundo ruma do que os sinistros eventos que eles e nós conhecemos em nossa própria experiência (ou dos quais tomamos conhecimento por meio do noticiário diário). Eles são a evidência de que *Yahweh* virá para implementar a sua **autoridade** sobre todo o mundo. Na verdade, não são apenas motivos para a adoração de Israel e de todas as nações a Deus, mas o fundamento para que todo o mundo natural louve a Deus, segundo a capacidade que lhes foi dada.

SALMO 97—98
O VERDADEIRO REI DOS REIS

CAPÍTULO 97

1. *Yahweh* começou a reinar, a terra deve celebrar,
    as muitas costas estrangeiras deveriam alegrar-se!
2. Nuvem e escuridão o rodeiam,
    e a fidelidade no exercício da autoridade é a base do seu trono.
3. Fogo vai adiante dele
    e queima os seus inimigos em derredor.
4. Seus relâmpagos iluminam o mundo;
    a terra viu e convulsionou.
5. Montanhas se derretem como cera na presença de *Yahweh*,
    na presença do Senhor de toda a terra.

6. Os céus contam a maneira com que ele age retamente,
    e todos os povos verão a sua honra.
7. Envergonhados serão todos os que servem a uma imagem,
    aqueles que exultam em nulidades;
    todos os deuses prostram-se diante dele.
8. Sião ouve e celebra,
    as cidades-filhas de Judá regozijam-se,
    por tuas decisões autoritativas, *Yahweh*.
9. Pois tu, *Yahweh*, és o Altíssimo sobre toda a terra,
    és exaltado muito acima de todos os deuses.
10. Vocês, que são dedicados a *Yahweh*, repudiem o mal;
    ele guarda a vida das pessoas comprometidas com ele
    e as resgata das mãos dos infiéis.
11. A luz é semeada para a pessoa fiel,
    e a alegria para aqueles que são retos de mente.
12. Celebrem *Yahweh*, vocês que são fiéis,
    confessem o seu santo nome!

CAPÍTULO 98
Uma composição

1 Cantem a *Yahweh* um cântico novo,
 pois ele tem realizado maravilhas!
 A sua mão direita forjou libertação para ele,
 sim, o seu braço santo.
2 *Yahweh* fez a sua libertação ser conhecida;
 aos olhos das nações ele revelou a sua fidelidade.
3 Lembrou-se de seu compromisso e da sua fidelidade
 para com a casa de Israel.
 Todos os confins da terra viram
 a libertação do nosso Deus

4 Bradem por *Yahweh*, toda a terra,
 irrompam e ressoem e façam música!
5 Façam música a *Yahweh* com a harpa,
 com a harpa e o som de música!
6 Com trombetas e o som do chifre,
 gritem diante do Rei, *Yahweh*!
7 O mar e tudo o que nele há devem trovejar,
 o mundo e as pessoas que vivem nele.
8 Os rios devem bater palmas,
 e as montanhas devem ressoar juntas,
9 diante de *Yahweh*, pois ele veio
 para exercer autoridade na terra.
 Ele exerce autoridade sobre o mundo com fidelidade
 e sobre os povos com retidão.

Segundo o noticiário, Muammar Kadafi, que governou a Líbia por cerca de quatro décadas, certa feita declarou: "Eu sou um líder internacional, o decano dos governantes árabes, o rei dos reis da África e o imã dos muçulmanos, e o meu *status* internacional não me permite descer a um nível inferior."

SALMO 97—98 • O VERDADEIRO REI DOS REIS

Dois dias atrás, o rei dos reis foi retirado de um esgoto de concreto, onde estava escondido, e morto. Não sei, precisamente, como associar Deus com a derrocada de Kadafi, mas posso ver como o povo líbio crerá que Deus, por fim, o livrou da tirania desse governante e que Deus reina um pouco mais na Líbia do que antes.

Os salmos 97 e 98 são similares, de maneira que os considero juntos. Se fôssemos ligá-los a um evento particular na história de Israel, seria com um que, de alguma forma, guarda similaridades com a queda do regime de Kadafi, ou seja, a queda da **Babilônia**, em 539 a.C., que possibilitou aos **judaítas** exilados retornarem a Judá e reconstruir a cidade. Quando a Babilônia estava prestes a cair nas mãos dos **persas**, Isaías 52:7 usa a mesma expressão presente nesses salmos, quando declara: "O seu Deus começou a reinar!" Foi uma convulsão na história mundial, que é retratada no salmo 97 como se refletisse uma espécie de convulsão nos céus, quando *Yahweh* desce para agir de modo assombroso.

De forma mais explícita do que os salmos precedentes que, igualmente, falam sobre o reino de *Yahweh*, esses dois salmos enfatizam as implicações para Israel do fato de *Yahweh* afirmar a sua **autoridade** como rei. O ato de Deus no mundo resulta do seu zelo pelo **compromisso** e pela veracidade para com a casa de Israel. Isso dá a **Sião** e às suas cidades-filhas (i.e., as demais cidades de Judá) motivo para júbilo. É como se Deus tivesse semeado sementes que produzirão luz (uma imagem para **libertação** e bênção) e alegria. Não surpreende que esse evento demande um "cântico novo" e o ressoar de todos os instrumentos que se possa encontrar.

Não se deve imaginar as cidades judaítas como meras ruínas vazias, porém a queda da Babilônia significou que *Yahweh* cumpriu suas promessas e derrotou o soberano opressor sobre eles. *Yahweh* lançou mão de sua autoridade e agiu em **fidelidade** — o exercício da autoridade da maneira correta, que é fundamental ao seu reino. Ele mostrou que as imponentes imagens de deuses que os babilônios desfilavam não passam disso, estátuas vazias — não há verdadeiro poder por trás daquela imponência exterior. Como de hábito, o Antigo Testamento não nega a existência de outros deuses; simplesmente, nega que eles possuam um poder semelhante ao de *Yahweh*. Há muitos deuses, mas apenas um único Deus. Judá tem motivos para alegrar-se, com certeza.

Igualmente, esses salmos que falam sobre *Yahweh* reinar e agir em benefício de Israel prosseguem, portanto, instando o mundo a reconhecer *Yahweh*. Esse é motivo suficiente para o mundo se alegrar. Muitos outros povos, além de Israel, foram beneficiados com a queda da Babilônia. Mesmo a costa estrangeira do Mediterrâneo deveriam celebrar, embora não tenham sido diretamente afetadas por aquele evento. A ação autoritativa de *Yahweh* é um sinal de que a própria história deles, por fim, obterá benefícios de seu reino beneficente. Mesmo o mundo natural deveria usar a sua ampla capacidade para ressoar e bater palmas em aclamação a *Yahweh*.

No entanto, as referências dos salmos a Israel e a Sião tornam apropriado que Sião, em particular, celebre. O salmo 97 segue incentivando o povo de Sião a reconhecer *Yahweh*. O salmo refere-se a eles como o povo que é dedicado a *Yahweh* — o verbo também significa "amor", mas isso sugere compromisso, não somente sentimentos ternos. A implicação dessa dedicação é que o povo repudia o mal — por seu turno, esse verbo também significa "odiar"; mas o termo, igualmente, sugere ser contra algo e se opor a isso, não apenas ter sentimentos hostis. No contexto, o mal que deve ser repudiado pelas pessoas é o mal de reconhecer outros deuses como se fossem o próprio

Deus. E a motivação desse repúdio é a fidelidade que Deus mostra àqueles que são comprometidos com ele.

Sim, a luz e a alegria foram semeadas para os fiéis e retos. Não obstante, na verdade, foram semeadas para toda a comunidade, pois a queda da Babilônia beneficiou a todos: fiéis e retos ou não. Qualquer um pôde desfrutar da luz e do júbilo que a asserção do reino de Deus trouxe. Parece que a fidelidade e a retidão são tanto uma resposta ao semear da luz e da alegria por *Yahweh* quanto uma condição para elas. Constituem respostas adequadas para o dom da luz e da alegria de Deus.

SALMO 99—100
SOBRE ESPAÇO, ATOS E SOM SAGRADOS

CAPÍTULO 99

1. *Yahweh* começou a reinar — tremam os povos;
    aquele que se assenta sobre os querubins — abale-se a terra
2. Em Sião, *Yahweh* é grande,
    e ele está nas alturas sobre todos os povos.
3. Confessem o teu grande e assombroso nome —
    ele é santo.

4. Com o poder de um rei, tu és dedicado a exercer autoridade,
    és aquele que estabeleceu a retidão.
   Tu és aquele que exerceu autoridade
    com fidelidade em Jacó.
5. Exaltem *Yahweh*, o nosso Deus,
    e prostrem-se diante do estrado de seus pés — ele é santo.

6. Moisés e Arão, entre os seus sacerdotes,
    e Samuel, entre o povo que invoca o seu nome,
   eram pessoas que clamavam a *Yahweh*,
    e ele mesmo lhes respondia;
7.   na coluna de nuvem, ele lhes falava.

SALMO 99–100 • SOBRE ESPAÇO, ATOS E SOM SAGRADOS

Eles guardaram as suas declarações, a lei que ele lhes deu;
⁸ *Yahweh*, nosso Deus, tu lhes respondias.
Tu te tornaste um Deus que carregou coisas para eles,
mas aquele que exigiu reparação por suas ações.
⁹ Exaltem *Yahweh*, o nosso Deus,
e prostrem-se diante da sua santa montanha —
pois *Yahweh*, o nosso Deus, é santo.

CAPÍTULO 100

Uma composição. Para ação de graças.

¹ Bradem a *Yahweh*, toda a terra,
² sirvam a *Yahweh* com alegria,
apresentem-se diante dele com retumbância.
³ Reconheçam que *Yahweh* é Deus.
Ele é aquele que nos fez, e somos dele;
somos o seu povo e as ovelhas que ele pastoreia.

⁴ Venham aos seus portais com ações de graças
e aos seus átrios com louvor;
confessem-no e venerem o seu nome.
⁵ Pois *Yahweh* é bom,
e o seu compromisso é para sempre;
a sua veracidade permanece de geração em geração.

Ontem, recebi o que, a princípio, parecia um convite enigmático para uma reunião de oração semanal, cedo de manhã, descrita como um "espaço sagrado para uma variedade de tradições de oração". Pareceu-me enigmático porque sempre pensei no espaço como um lugar físico, mas claro que é possível falar sobre espaço como um período de tempo. Agora, descobri que a ideia desse espaço sagrado assumiu certa importância na forma de as pessoas pensarem sobre espiritualidade. Igualmente, suspeitei que parte da sacralidade significava que esse tempo seria de quietude e de reflexão, tão necessárias em nossa barulhenta e ocupada vida.

A ideia de um espaço sagrado no sentido de lugar físico é importante no salmo 99, a exemplo de muitos outros salmos; na verdade, está implícito na maioria deles (o Antigo Testamento também pensa em termos de um tempo sagrado, como o sábado e os festivais). A maneira pela qual o Saltério pensa sobre o espaço sagrado não é idêntica ao uso moderno da palavra, mas sobrepõe-se a ele. Em Israel, *o* espaço sagrado, *o* lugar santo, é o monte **Sião** e o seu santuário. O monte Sião é a montanha santa de *Yahweh*, que se assenta invisivelmente entronizado sobre os **querubins**, no Lugar Santíssimo do templo, e ele possui o **baú da declaração** como seu estrado ou suporte ali — portanto, o estrado também é santo.

Esse, porém, não é o início da história no salmo 99. O salmo começa com o mesmo motivo que apareceu nos salmos precedentes, o fato de *Yahweh* ter começado a reinar. A menção às pessoas tremendo corresponde ao relato da vitória de *Yahweh* no **mar de Juncos**, em Êxodo 14 e 15, no qual Israel declarou que *Yahweh* reinará para sempre e retratou o tremor de outros povos. Aquele evento significou que eles deveriam reconhecer que o **nome** de *Yahweh* é santo — naturalmente, pois isso resume o que *Yahweh* é (daí a advertência, nos Dez Mandamentos, para não usar o nome de *Yahweh* em vão).

O reinado de *Yahweh* foi, então, novamente expresso na conquista da terra de **Canaã** e na sua distribuição aos clãs de Israel. Essa história atinge o clímax com a conquista de Jerusalém e a construção do templo ali, o lugar que se tornou ou que abrigou o estrado de *Yahweh*. O reinado manifesta-se, uma vez mais, no retorno dos **judaítas** do **exílio** e na reconstrução do templo, após sua destruição. Um lugar se torna santo por ele pertencer a *Yahweh*, por ter sido apropriado por ele como um lugar para ele habitar. Talvez, de maneira surpreendente, não seja preciso, necessariamente, guardar distância de um lugar que é sagrado. Era proibido adentrar no Lugar Santíssimo do templo, que preservava a ideia de que a santidade de *Yahweh* possuía uma onda poderosa e perigosa, similar a uma corrente elétrica, mas era permitido entrar no interior do próprio templo, sobre o monte santo, o que abrangia a ideia de que a natureza sobrenatural de *Yahweh* não o tornava inacessível.

A santificação de um lugar requer, pelo menos, a cooperação divina. Segundo Gênesis, o sábado tornou-se um espaço ou tempo sagrado porque Deus assim o declarou. O monte Sião tornou-se um local sagrado porque Davi tomou a iniciativa, e Deus aceitou. Assim, podemos tomar a iniciativa e declarar: "Este tempo ou lugar será sagrado para nós", mas devemos fazê-lo de forma humilde e inquiridora, na esperança de que Deus possa aquiescer. Construa o local e, talvez, ele venha.

A última parte do salmo 99 reprisa a história, relembrando os papéis-chave de Moisés, de Arão e de Samuel, mas também omitindo referências aos próprios reis, aqueles que tomam iniciativas que podem ser perigosas ou presunçosas. A importância de Moisés, de Arão e de Samuel é que eles oraram e fizeram o que *Yahweh* disse. Nenhum deles foi infalível, e eles experimentaram os dois lados de *Yahweh* nessa relação. *Yahweh* foi capaz de "carregar" a transgressão deles, aceitar a responsabilidade de lidar com as consequências, em lugar de obrigá-los a isso. Igualmente, *Yahweh* foi capaz de exigir reparação pela transgressão deles. É necessário submeter-se às decisões **autoritativas** de *Yahweh* com respeito a um determinado momento ser de misericórdia ou de disciplina. Eis a razão de o salmo terminar com a óbvia, porém culminante, declaração: "*Yahweh*, o nosso Deus, é santo."

O salmo 100 pressupõe a noção de espaço sagrado no sentido de um lugar que foi santificado por *Yahweh* e transformado em sua morada (isso fornece outro exemplo didático sobre como louvar, a exemplo de inúmeros salmos precedentes: convide as pessoas a louvarem a *Yahweh*; diga-lhes por quê; convide-as novamente; diga-lhes, uma vez mais, por quê). Assim, a adoração envolve o extraordinário privilégio de ir à casa de *Yahweh*, entrar em seus portais e em seus átrios, como convidados bem-vindos ao jardim da família para um prazeroso churrasco. Os adoradores vêm trazendo presentes, do mesmo modo que você faz ao comparecer a um churrasco, que, nessa ocasião, é um evento de agradecimento. Os convidados chegam fazendo barulho, outra característica dessa celebração. Suspeito que as pessoas que participam da organização desse local sagrado para a oração matinal, com a qual iniciei esse comentário, vejam a sua quietude como parte de sua sacralidade, e, na cultura do Ocidente, precisamos dessa tranquilidade. Todavia, a Bíblia, frequentemente, expressa que a aclamação apropriada de Deus requer sons elevados, a exemplo de uma aclamação feita a um rei, a um presidente, ou a uma equipe esportiva campeã. A adoração envolve o barulho sagrado, para acompanhar os atos sagrados, durante aquele tempo sagrado, no lugar sagrado.

SALMO 101
O DESAFIO DA LIDERANÇA

Uma composição de Davi.

1. Cantarei o compromisso e o exercício de autoridade;
    para ti, *Yahweh*, farei música.
2. Prestarei atenção ao caminho que tem integridade;
    quando virás a mim?

SALMO 101 • O DESAFIO DA LIDERANÇA

> Irei com integridade em minha atitude
> dentro da minha casa.
> ³ Não estabelecerei diante dos meus olhos
> nada indigno.
> Sou contra a ação das pessoas desviadas;
> não me apegarei a isso.
> ⁴ Uma mente tortuosa ficará distante de mim;
> não reconhecerei o mal.
> ⁵ A pessoa que fala contra o seu vizinho em segredo —
> porei um fim a ela.
> A pessoa que é [auto] importante de olhos e ampla de
> mente —
> eu não tolerarei.
> ⁶ Os meus olhos estarão sobre a pessoa que é confiável na
> terra,
> para viver comigo.
> A pessoa que é reta de caminho —
> ela me servirá.
> ⁷ A pessoa que pratica o engano
> não viverá dentro da minha casa.
> A pessoa que fala mentiras
> não permanecerá diante dos meus olhos.
> ⁸ Manhã após manhã, porei um fim
> a todas as pessoas que são infiéis na terra,
> para cortar da cidade de *Yahweh*
> todos os que agem perversamente.

O noticiário de ontem relatou que uma pesquisa recente indica que a desconfiança das pessoas em relação ao governo dos Estados Unidos está mais elevada do que nunca e que os cidadãos possuem uma profunda sensação de ansiedade econômica e dúvidas quanto ao futuro. O aparente ar de surpresa que acompanhou a reportagem foi estranho, pois esse fenômeno é claramente perceptível. Isso reflete a percepção expressa naquela sentença: "É a economia, estúpido", que desempenhou um relevante papel na campanha presidencial de Bill Clinton, em 1992. Isso lembra os candidatos de que os eleitores não estão interessados na política externa ou em questões morais importantes. A inquietação da população é com a sua própria segurança, e é difícil culpar as pessoas por pensarem assim.

No entanto, o salmo implica que, se os líderes cederem a esse pensamento, fugirão à vocação deles. Lendo a abertura do salmo, pode-se, a princípio, presumir que ele abrange um ato de louvor com respeito ao **compromisso** e o exercício de **autoridade** por parte de Deus, mas a maior parte do salmo sugere algo mais. Ele ainda anuncia que descreverá o caminho que possui integridade, que vem a ser o caminho de retidão com o qual a pessoa que entoa esse salmo está comprometida. Essa vereda não é a de uma pessoa comum, mas a de um líder, de modo que o significado do salmo para as pessoas comuns é que ele tanto indica como orar por um líder quanto como avaliar os líderes ou aspirantes a líderes. Expressando de outra forma, a "capacidade de liderança" é, acima de tudo, uma questão de caráter e de compromisso moral.

O apelo "Quando virás a mim?" talvez indique que o salmo resulte da consciência do líder quanto à necessidade da intervenção divina. A ideia, provavelmente, não é de que ele necessite do auxílio de Deus para cumprir a visão moral pela qual ele aceitou a responsabilidade, embora isso seja verdade, mas que a própria descrição que faz de seu compromisso é uma versão estendida de um elemento que aparece em muitos salmos de oração: uma declaração de estar comprometido com o caminho de *Yahweh*, e de que não há, portanto, motivos para Deus hesitar em agir com base no fato de a pessoa que ora não ser moral ou religiosamente merecedora. Assim, esse elemento simples que aparece em inúmeros salmos domina o salmo 101. Fundamentado na própria afirmação quanto ao seu compromisso moral, o salmista pode apelar para que *Yahweh* o visite e o proteja ou o liberte de possíveis ataques.

Grande parte de seu compromisso de liderança é expressa em negativas. A liderança envolve adotar ações duras, interromper coisas que precisam ser interrompidas. Alguns desses compromissos negativos são expressos em termos gerais — ele é intolerante com as transgressões e a indignidade (moral) no interior de sua "casa", o equivalente ao corpo de funcionários da Casa Branca, do mesmo modo que ele próprio, igualmente, vive com integridade naquele contexto. Em vez de permitir que os membros de sua equipe façam o serviço sujo em seu lugar, ele se cerca de pessoas moralmente confiáveis. O ponto geral sobre a transgressão e a credibilidade também sugere uma ligação com o caráter interior do líder e de sua equipe: a posição deles envolve tanto uma integridade exterior quanto interior. Falar inverdades sobre outra pessoa estabelece esse ponto de modo mais concreto, e também ser uma pessoa que se considera muito importante, ou de mente aberta quanto ao compromisso moral de outras pessoas. O salmista encerra com uma reivindicação de ser duro consigo mesmo e com os membros de sua equipe, do mesmo modo que está preparado para ser duro com as pessoas lideradas por ele. É pela manhã que o rei lida com os casos que lhe são trazidos e age em defesa do inocente e contra o opressor.

Muitos dos envolvidos na liderança política frequentam as igrejas aos domingos, e é função do pastor esfregar no nariz desses líderes as expectativas implicadas por um salmo como esse.

SALMO 102
TENHO ESPERANÇA PARA SIÃO, MAS HÁ ESPERANÇA PARA MIM?

Uma súplica. Para uma pessoa fraca, quando está desfalecida e derrama o seu murmúrio diante de Yahweh.

1 *Yahweh*, ouve a minha súplica;
   que o meu clamor por socorro chegue a ti.
2 Não escondas o teu rosto de mim
   no dia em que há tribulação para mim.
   Inclina os teus ouvidos para mim;
   no dia em que clamo, sê rápido, responde-me.

3 Pois os meus dias são consumidos em fumaça,
   e os meus ossos queimam como uma lareira.
4 O meu coração tem sido atingido como grama, e murchou,
   porque tenho ignorado o meu alimento.
5 Por causa do som do meu gemido,
   os meus ossos se apegam à minha carne.
6 Tornei-me semelhante a uma coruja do deserto,
   como uma coruja chirriante das ruínas.
7 Tenho ficado acordado
   e tornei-me como um pássaro solitário no telhado.
8 Os meus inimigos me insultam o dia inteiro;
   as pessoas das quais eu zombava lançam maldições com
      o meu nome.
9 Porque tenho comido cinzas
   e misturado a minha bebida com lágrimas,
10 por causa da tua ira e da tua fúria,
   pois me apanhaste e me lançaste fora.
11 Os meus dias são como uma sombra estendida,
   e eu murcho como a grama.

12 Mas tu, *Yahweh*, te assentarás para sempre;
   o teu renome continuará de geração em geração.
13 Tu te levantarás e terás compaixão de Sião,
   pois é tempo de ser gracioso com ele;

a hora indicada é chegada.
¹⁴ Pois os teus servos favorecem as suas pedras
e demonstram graça ao seu pó.
¹⁵ As nações temerão o nome de *Yahweh*,
e todos os reis da terra, o seu esplendor.
¹⁶ Pois *Yahweh* edificou Sião,
apareceu em seu esplendor,
¹⁷ atendeu à súplica da pessoa desnuda
e não desprezou o seu apelo.
¹⁸ Que isso seja escrito para a próxima geração,
para que um povo a ser criado possa louvar a *Yah*,
¹⁹ pois ele olhou para baixo de sua santa altura;
dos céus, *Yahweh* olhou para a terra,
²⁰ para ouvir o clamor do prisioneiro,
para libertar pessoas condenadas à morte,
²¹ para que o nome de *Yahweh* seja proclamado em Sião,
e o seu louvor em Jerusalém,
²² quando os povos se reunirem,
sim, reinos, para servir a *Yahweh*.

²³ Ele humilhou a minha força no meu caminho,
cortou os meus dias.
²⁴ Eu direi: "Meu Deus, não me leves
no meio dos meus dias.
Os teus anos continuam
de geração em geração;
²⁵ antes, estabeleceste a terra,
e os céus são a obra das tuas mãos.
²⁶ Embora eles possam perecer,
tu permanecerás.
Todos eles podem se desgastar como um casaco;
como roupas poderias passá-las adiante.
²⁷ Eles passam, mas tu és único,
e os teus anos não chegarão ao fim.
²⁸ Que os filhos dos teus servos habitem,
e a descendência deles persista, diante de ti."

SALMO 102 • TENHO ESPERANÇA PARA SIÃO, MAS HÁ ESPERANÇA PARA MIM?

A cada manhã, ao acordarmos, a minha esposa faz as nossas orações matinais e quase invariavelmente agradece a Deus por mais um dia maravilhoso. Uma hora mais tarde, sento-me diante da minha escrivaninha e reflito sobre a passagem do dia para a série *O Antigo Testamento para todos*. Hoje, o sol está brilhando e, em minutos, aproveitarei para tomar o meu café da manhã na área externa. À noite, iremos a um bar ouvir uma banda, *Flat Top Tom and His Jump Cats*, que toca vários estilos musicais, e pretendo dançar muito, pela primeira vez desde a minha cirurgia, algum tempo atrás (necessitei restringir as minhas atividades físicas por algumas semanas). Há uma grande bênção em nossa vida pessoal. Entretanto, existe um contraste entre essa bênção e a situação da igreja, que não pode ser considerada "maravilhosa". As igrejas no Ocidente estão em declínio, embora não seja esse o caso em outros lugares. Considerando o ritmo atual, a nossa própria congregação deixará de existir em uma década ou pouco mais. Contra essa perspectiva, oro todos os dias pedindo que Deus tenha misericórdia pela igreja em meu país de origem e também no país que me adotou. Ainda, sinto-me perplexo diante do contraste entre a bênção de Deus sobre a nossa vida pessoal e o abandono dele por sua igreja.

Igualmente, sinto-me impactado pela diferença entre a minha experiência, reflexão e oração e aquelas presentes no salmo 102, pois a experiência que o salmista pressupõe, a reflexão e a oração que expressa, são quase opostas às minhas. Por um lado, o indivíduo que faz essa oração, o faz a partir da sensação de abandono por parte de Deus aos insultos dos inimigos. Ele se tornou a espécie de pessoa sobre a qual as pessoas lançam maldições, implicando: "Que eu seja como ele, caso eu esteja mentindo!" Ele está só, como uma coruja ou um pássaro isolado; murcha como a grama sob o sol escaldante.

Sua vida lembra uma pessoa ao entardecer, quando as sombras se estendem, o que significa que a escuridão está prestes a cair.

Em contraste, a cidade de Deus é um lugar com um futuro. De fato, no presente, é um lugar que foi submetido à destruição, de maneira que o que resta para ser amado pelo povo são suas pedras e o seu pó. Todavia, na imaginação e na antecipação do salmista trata-se de um lugar edificado, no qual Deus apareceu. Ele sabe que o local voltará a ser como antes, porque Deus está comprometido com ele. As cidades perecem, do mesmo modo que as pessoas, porém **Sião** permanecerá, pois o seu Deus não morre e a compaixão divina por Sião também não. Na verdade, o salmo afirma com ousadia: "Porque a hora indicada é chegada", desafiando Deus a discordar. A fé do salmista é tamanha que ele pode facilmente imaginar a situação na qual a cidade já está restaurada e pode falar disso como um fato atual.

O mesmo não ocorre com o seu sofrimento pessoal. A terceira seção do salmo retoma o tema de sua realidade pessoal. Há um pequeno sinal de antecipação e imaginação aqui, apenas uma renovada sensação de contraste entre a brevidade da nossa vida humana e a eterna duração da existência de Deus. Ou melhor, existe uma percepção renovada da brevidade da vida humana. Embora o corpo físico pareça designado a durar cerca de setenta ou oitenta anos, em uma sociedade tradicional a maioria das pessoas morre "no meio dos meus dias". O cosmos é muito mais seguro do que a minha vida individual, mas é possível imaginá-lo sendo desgastado pelo tempo (essa imaginação é muito mais possível agora, considerando as realidades como o aquecimento global e as chances de sermos atingidos por algum meteoro errante). O ponto do salmista não é que o cosmos *irá* perecer, mas apenas imaginar essa possibilidade, somente imaginar Deus fazendo isso.

De modo até comovente, o salmo termina com uma súplica implícita: "Está bem, talvez tu não impeças que a minha vida seja cortada. Então, considerando que tua vida continuará, por favor, torna possível que a próxima geração viva diante de ti", com a tua bênção. Tais esperanças são fundamentadas no que Deus é, e em seu compromisso com a continuidade da vida da cidade de Deus, que também é a cidade do salmista. Conheço uma mulher que se comprometeu a orar todos os dias pela próxima geração, a de seus filhos e a de seus netos também, cuja vida adulta ela talvez jamais veja. Na verdade, trata-se de uma oração prioritária.

SALMO 103
COMO PERSUADIR O SEU CORAÇÃO
De Davi.

1. Adore a *Yahweh* meu coração;
    todo o meu ser [adore] o seu santo nome.
2. Adore a *Yahweh* meu coração;
    não ignore nenhuma de suas ações.
3. Ele é aquele que anistia todas as nossas transgressões,
    que cura todas as nossas enfermidades,
4. que restaura a sua vida do poço
    e o coroa com compromisso e compaixão,
5. que o enche- de adornos em sua bondade,
    para que a sua juventude se renove como uma águia.

6. *Yahweh* opera feitos fiéis,
    atos decisivos por todos os oprimidos.
7. Ele tornou os seus caminhos conhecidos a Moisés,
    e os seus feitos aos israelitas.
8. *Yahweh* é compassivo e gracioso,
    longânimo e grande em compromisso.
9. Ele não contende para sempre,
    não se apega a isso por um longo tempo.

SALMO 103 • COMO PERSUADIR O SEU CORAÇÃO

¹⁰ Não age contra nós de acordo com as nossas ofensas;
   não lida conosco de acordo com os nossos atos
   obstinados.
¹¹ Pois como os céus se elevam acima da terra,
   o seu compromisso tem sido forte sobre as pessoas que
   o temem;
¹² Como o Oriente dista do Ocidente,
   ele afasta de nós as nossas rebeliões.
¹³ Como um pai tem compaixão dos seus filhos,
   assim *Yahweh* tem compaixão dos que o temem.
¹⁴ Pois ele conhece a nossa estrutura;
   lembra-se de que somos pó.
¹⁵ Um mortal: seus dias são como a grama;
   como uma flor selvagem — é assim que ele floresce.
¹⁶ Quando o vento passa por ele, não é mais;
   seu lugar não o reconhece mais.
¹⁷ Mas o compromisso de *Yahweh* dura de uma eternidade a
   outra
   para com as pessoas que o temem,
   e a sua fidelidade aos seus netos,
¹⁸ a pessoas que guardam a sua aliança e se lembram das suas
   ordens,
   para as realizarem.

¹⁹ *Yahweh* estabeleceu o seu trono nos céus;
   o seu reino domina sobre todas as coisas.
²⁰ Adorem a *Yahweh* seus ajudantes,
   poderosos guerreiros que cumprem a sua palavra,
   que ouvem o som de sua palavra.
²¹ Adorem a *Yahweh* todos os seus exércitos,
   os seus ministros que fazem a sua vontade.
²² Adorem a *Yahweh* todas as suas obras,
   em todos os lugares nos quais ele governa.
   Adore a *Yahweh* meu coração.

SALMO 103 • COMO PERSUADIR O SEU CORAÇÃO

Há alguns anos, atravessei um daqueles períodos nos quais Deus não parecia ser real. Não quero dizer que passava por um período de questionamento intelectual, embora isso tenha ocorrido em outras ocasiões; antes, que eu não "sentia" a presença de Deus ali. Eu frequentava os cultos, semanalmente, na capela do seminário principal, onde podia ver muitas pessoas tendo uma entusiástica "experiência com Deus", enquanto tudo o que eu sentia era uma experiência de fria indiferença. Quando, certa feita, eu disse isso a alguém após o culto, ele comentou que talvez essa experiência era o que Deus desejava para mim naquele período. Parece-me uma resposta um tanto insensível, agora que penso nela, mas talvez ele estivesse certo. Seja como for, com o tempo, aquela sensação de indiferença desapareceu.

Considerei o salmo 103 muito útil, ao conviver com aquela experiência. Primeiro, embora a adoração possa, às vezes, vir naturalmente, ele presume que talvez precisemos nos agitar para a adoração. A exemplo de outros salmos, este considera que, em certas ocasiões, é necessário que argumentemos conosco. Assim, "eu" digo ao "meu coração" e a "todo o meu ser" que eles devem adorar e bendizer a Deus. O termo para "coração", geralmente, é traduzido por "alma", mas refere-se à pessoa em sua totalidade ou ao eu em vez de apenas a uma parte imaterial. Assim, o salmo, de fato, espera que dialoguemos com nós mesmos.

No entanto, o que você diz ao seu coração ou ao seu eu? Não é apenas dizer a si mesmo para sentir coisas que não sente, ou cantar em voz alta quando isso não lhe parece ser natural. Antes, é para lembrar dos motivos para adorar e bendizer; dos atos de Deus em relação a nós. Ao expressar o ponto de maneira mais específica, o salmista aponta para dois deles, perdão e cura, sobre os quais as linhas seguintes dão mais detalhes.

Em vez de "anistia", as traduções, normalmente, usam "perdão", mas o salmista utiliza um termo que se aplica ao indulto ou anistia concedida por um rei, não à maneira que um ser humano comum carrega o delito de outro ser humano comum. Mais tarde, o salmo explica as implicações. Deus não é o tipo de pessoa que se apega às coisas, como se esperasse pelo momento estratégico para descer sobre você como uma tonelada de tijolos. Antes, ele desconsidera as nossas rebeliões (essa palavra também sugere a relação entre um súdito e um rei), mandando-as para um **exílio** tão distante quanto o Oriente dista do Ocidente; se o salmista soubesse disso ou não, essa distância é infinita.

Você poderia dizer que a expressão "anistia todas as nossas transgressões" é uma hipérbole; se você não pedir pela anistia, provavelmente não a receberá. Da mesma forma, "cura todas as nossas enfermidades" pode parecer um exagero; muitas doenças não são curadas (o período na minha vida, ao qual me referi, foi aquele durante o qual a minha primeira esposa começou a ser mais crescentemente afetada pela sua esclerose múltipla, e Deus jamais a curou). Mas, pelo menos, Deus *pode* curar todas as doenças e é a origem de qualquer cura que ocorra — ninguém mais é capaz de curar. O salmo expressa o significado da cura como algo muito mais espetacular do que aparenta ser. Na semana passada, contraí um resfriado (aparentemente, como resultado de receber a vacina contra a gripe, mas os especialistas dizem que isso é impossível; então, quem sabe?). Orei por cura e a obtive, mas a espécie de cura que o salmista tem em mente envolve o resgate de pessoas quando elas estavam prestes a descer à cova, o que envolve vestir uma guirlanda celebratória em volta do pescoço, pois é algo tão espetacular que demanda rejúbilo e vestir os mais finos adornos. É como se elas rejuvenescessem vinte anos.

SALMO 104 • DEUS DA LUZ E DEUS DAS TREVAS

Falar em anistia e cura pode soar como se Deus estivesse apenas interessado nas necessidades pessoais dos indivíduos. Na verdade, Deus também é aquele que age em benefício dos oprimidos, a exemplo da experiência de Israel sob a liderança de Moisés. Como um salmo poderia omitir aquele fato? Essas e todas as ações divinas constituem expressões magníficas de **compromisso**, compaixão, graça e longanimidade. A combinação desses termos indica que o salmo está usando a própria autodescrição de Deus em Êxodo 34 e dizendo a ele: "Sim, tu és o que disseste que eras." Considerando que "compaixão" é o termo para o ventre de uma mulher e que isso sugere os sentimentos de uma mãe por seus filhos, é notável que o salmo considere que a compaixão possa também ser uma característica paterna. Ainda, que essa compaixão paterna encontra uma expressão adicional ao fazer concessões pelo fato de os mortais serem frágeis, feitos de pó, como originariamente fomos formados, segundo o relato de Gênesis. Deus sabe quanto dependemos dele e aceita bem esse fato. Tudo o que Deus pede é que o temamos — isto é, que sejamos submissos a ele e vivamos diante dele de modo obediente, como filhos.

Não são apenas os seres humanos que apropriadamente honram ***Yahweh*** pelo que ele é. Todo o mundo sobrenatural também o faz, mas o salmista finaliza retornando ao "meu coração", minha alma e meu ser, ou seja, o salmo termina onde começou, mas trata-se de um lugar diferente por causa da estrada na qual viajamos.

SALMO 104
DEUS DA LUZ E DEUS DAS TREVAS

1 Adore a *Yahweh* meu coração! —
    Yahweh, meu Deus, tornaste-te muito grande.
  Estás vestido de honra e de majestade,
2   envolto em luz como um casaco,

SALMO 104 • DEUS DA LUZ E DEUS DAS TREVAS

esticando os céus como uma tenda,
³   fixando os seus aposentos sobre as águas,
fazendo das nuvens o seu transporte,
    indo nas asas do vento,
⁴ fazendo dos ventos os seus ajudantes,
    do fogo flamejante os seus ministros.
⁵ Ele fundou a terra sobre as suas bases
    para que ela jamais colapse, nunca.
⁶ Cobriste-a com o abismo como um manto
    para que as águas permanecessem acima das montanhas.
⁷ Ao teu sopro elas fugiram;
    ao som do teu trovão puseram-se em fuga.
⁸ Subiram pelas montanhas, desceram pelos vales,
    para o lugar que fundaste para elas.
⁹ Estabeleceste uma fronteira que não deveriam ultrapassar;
    elas não mais cobriram a terra.

¹⁰ Tu és aquele que faz correr riachos em vales
    para que sigam entre as montanhas.
¹¹ Eles regam todos os animais selvagens;
    os jumentos matam a sua sede.
¹² Junto a eles as aves dos céus habitam;
    dentre os ramos elas expressam sua voz.
¹³ Aquele que rega as montanhas de seus aposentos —
    do fruto dos seus feitos a terra se enche.
¹⁴ Tu és aquele que faz crescer a grama para o gado
    e as plantas para o serviço dos seres humanos,
para produzir pão da terra
¹⁵   e vinho que alegra o coração das pessoas,
fazer o rosto brilhar com azeite,
    e alimento que sustenta o coração dos seres humanos.
¹⁶ As árvores de *Yahweh* obtêm o seu sustento,
    os cedros do Líbano que ele plantou,
¹⁷ nos quais as aves fazem ninho;
    a cegonha — os zimbros são o seu lar.

SALMO 104 • DEUS DA LUZ E DEUS DAS TREVAS

¹⁸ As altas montanhas pertencem às cabras montesas,
e os rochedos são um refúgio para os texugos das rochas.
¹⁹ Ele fez a lua para as datas;
o sol conhece [o tempo para] se pôr.
²⁰ Traz a escuridão para que se torne noite:
nela toda a criatura da floresta se move.
²¹ Os leões rugem pela presa,
sim, buscando de Deus o alimento.
²² Quando o sol nasce, eles se reúnem
e se agacham em seus covis.
²³ Os seres humanos saem para o seu trabalho
e para o seu labor até a noite.

²⁴ Como as coisas que fizeste se multiplicaram, *Yahweh*!
Fizeste-as todas com discernimento.
A terra está repleta de tuas posses;
²⁵ eis o mar, grande e amplo em alcance.
Há coisas moventes sem número,
coisas viventes pequenas e grandes.
²⁶ Lá, passam os navios,
o Leviatã que formaste para brincar nele.
²⁷ Todos eles olham para ti
para que lhes dês o alimento a seu tempo.
²⁸ Tu lhes dás, e eles ajuntam;
abres a tua mão, e eles se fartam de coisas boas.
²⁹ Escondes o teu rosto, e eles entram em pânico;
recolhes o fôlego deles, e eles perecem.
³⁰ Envias o teu fôlego, e eles são criados,
e renovas a face da terra

³¹ Que o esplendor de *Yahweh* seja para sempre;
que *Yahweh* se alegre em seus feitos,
³² aquele que olha para a terra, e ela treme;
toca as montanhas, e elas fumegam.

³³ Cantarei a *Yahweh* enquanto eu viver,
   farei música ao meu Deus enquanto ainda estiver aqui.
³⁴ Que o meu murmúrio seja agradável a ele;
   eu mesmo me alegrarei em *Yahweh*.
³⁵ Que os pecadores cheguem a um fim na terra;
   pessoas infiéis — que não haja nenhuma delas mais.
   Adore a *Yahweh* meu coração;
   louve a *Yah*.

Quando o meu filho mais velho entrou na adolescência, ele declarou que não mais iria à igreja conosco, sua mãe e eu. Felizmente, a sua decisão não foi por ele achar que toda a igreja era estúpida, mas por considerar que a nossa recatada igreja anglicana não era interessante e animada o suficiente; ele pretendia frequentar uma igreja mais dinâmica com alguns de seus amigos. Obviamente, ficamos aliviados por essa rebelião contra a posição dos pais sobre igreja assumir essa forma, não simplesmente significar a sua desistência dela. Assim, algumas vezes, fui com ele na igreja de sua preferência. Numa dessas ocasiões, o pastor pregou sobre os versículos do salmo 104 que falam sobre pão, vinho e azeite, estabelecendo uma relação com Jesus como o pão vivo, com o Espírito Santo que foi derramado como vinho e com a unção de poder que Deus nos concede.

Considero não haver problemas em adaptar versículos das Escrituras para expressar algo diferente do que eles literalmente dizem (desde que esse "algo mais" também seja bíblico); afinal, o Novo Testamento faz isso. Todavia, é igualmente importante verificar o que os versículos realmente expressam, e a importância inerente do salmo 104 reside no que ele afirma sobre a relação de Deus com o nosso mundo normal e na maneira com que ele nos conclama à adoração por esse relacionamento.

SALMO 104 • DEUS DA LUZ E DEUS DAS TREVAS

O salmo inicia com um retrato vívido e poético da ação criadora de Deus no princípio, mas não descreve Deus simplesmente estabelecendo o mundo e, então, deixando-o funcionar por conta própria. A segunda seção do salmo discorre sobre como Deus está, agora, ativo no mundo. Deus faz brotar as fontes da terra; ele está assentado nos céus com o seu regador, aguando as encostas nas quais as árvores e as plantações crescem. O salmista observa como a ecologia do mundo funciona. Plantas, árvores, animais e seres humanos fazem parte de um todo, do qual Deus cuida constantemente. A provisão de azeite, vinho e demais alimentos é parte desse zelo. Os movimentos do sol e da lua constituem um aspecto dessa ecologia; eles sinalizam às criaturas da noite quando elas devem sair para realizar o seu trabalho, do mesmo modo que sinalizam aos seres humanos, como criaturas diurnas, quando devem sair para o seu labor.

A riqueza da obra criativa de Deus não está confinada às plantas e aos animais que estão disponíveis para a humanidade. Há o mar com seus navios e a sua abundância exótica, incluindo (o salmista observa com um sorriso) uma criatura como o Leviatã. No salmo 74, o Leviatã é retratado como uma figura de imenso poder afirmado contra Deus, mas é um poder que Deus não tem dificuldades em derrotar, de maneira que, aqui, ele se torna meramente uma figura de humor, a exemplo do monstro do lago Ness. As criaturas do mar, do mesmo modo que as criaturas da terra, olham para Deus em busca do sustento. É possível suspeitar que elas não façam literalmente isso, mas, de fato, dependem de Deus a cada dia. Quando a provisão divina vem, elas vivem; quando Deus a retém, elas perecem. Deus é Senhor tanto da vida quanto da morte; somente ele tem a vida em si mesmo para dar. Se Deus dá o sopro vivente, as criaturas vivem; se Deus o retém, elas morrem.

O salmo, portanto, reconhece o lado escuro da criação — as trevas do mesmo modo que a luz, a fome e também a suficiência, a morte e a vida, o tremor e a estabilidade da terra. Talvez haja uma ligação entre aquele reconhecimento duplo e resoluto e a surpreendente nota que é incluída quase ao final do salmo: uma súplica para que os pecadores e **infiéis** desapareçam da terra. A rebelião humana e a transgressão arruínam o mundo criado por Deus e continuam existindo. A oração, igualmente, significa que os adoradores nos termos desse salmo não podem assumir o risco de se tornarem infiéis e pecadores.

SALMO 105
APRENDENDO COM A SUA HISTÓRIA

1. Louvem a *Yahweh*, clamem em seu nome,
    tornem os seus feitos conhecidos entre os povos.
2. Cantem a ele, façam música para ele,
    murmurem sobre todas as suas maravilhas.
3. Exultem no seu santo nome;
    alegre-se o coração de todos os que buscam o socorro
    de *Yahweh*.
4. Recorram a *Yahweh* e ao seu poder;
    busquem o socorro do seu rosto continuamente.
5. Lembrem-se das suas maravilhas, aquelas que ele fez,
    e de seus portentos, as decisões de sua boca,
6. vocês, descendentes de Abraão, seu servo,
    filhos de Jacó, seus escolhidos.

7. Ele é *Yahweh*, o nosso Deus;
    suas decisões estão em toda a terra.
8. Ele se lembra para sempre da sua aliança,
    a palavra que ordenou a mil gerações,
9. que selou a Abraão
    e jurou a Isaque.
10. Ele a estabeleceu como um estatuto a Jacó,
    a Israel como uma aliança duradoura,

SALMO 105 • APRENDENDO COM A SUA HISTÓRIA

¹¹ dizendo: "Darei a terra de Canaã a você,
  como a sua própria partilha."
¹² Quando eram poucos em número,
  pequenos e estrangeiros nela,
¹³ e eles foram de nação em nação,
  de um reino a outro povo,
¹⁴ ele não permitiu que ninguém os oprimisse,
  mas reprovou reis por conta deles:
¹⁵ "Não toquem em meus ungidos,
  não façam mal aos meus profetas."

¹⁶ Ele convocou a fome para a terra;
  partiu cada pedaço de pão.
¹⁷ Enviou adiante deles um homem
  que foi vendido como um servo, José.
¹⁸ Submeteram o seu pé ao grilhão;
  o ferro veio sobre a sua pessoa.
¹⁹ Até o momento em que a sua palavra se cumpriu,
  a palavra de *Yahweh* o refinou.
²⁰ Um rci mandou libertá-lo;
  um governante dos povos [mandou] e o soltou.
²¹ Fez dele senhor em sua casa,
  regente sobre toda a sua propriedade,
²² para restringir os seus oficiais de acordo com a sua vontade
  e ensinar discernimento aos seus anciãos.

²³ Israel foi para o Egito;
  Jacó permaneceu na terra de Cam.
²⁴ Ele fez o seu povo muito frutífero,
  tornou-os mais fortes que os seus adversários.
²⁵ Fez a atitude deles voltar-se contra o seu povo,
  para conspirarem contra os seus servos.
²⁶ Enviou Moisés, o seu servo,
  e Arão, a quem ele escolheu.
²⁷ Apresentaram entre eles palavras sobre os seus sinais,
  os seus portentos na terra de Cam.

²⁸ Ele enviou trevas, e a terra escureceu;
  eles não desafiaram a sua palavra.
²⁹ Transformou as suas águas em sangue
  e matou os seus peixes.
³⁰ A terra deles fervilhou com rãs,
  até nos aposentos dos reis.
³¹ Ele falou, e um enxame veio,
  mosquitos em todo o território deles.
³² Fez da chuva deles granizo,
  fogo flamejante na sua terra.
³³ Atingiu as suas vinhas e as suas figueiras,
  quebrou as árvores em seu território.
³⁴ Ele falou, e os gafanhotos vieram,
  gafanhotos inumeráveis.
³⁵ Eles comeram toda a vegetação no seu país,
  comeram o fruto da sua terra.
³⁶ Atingiu todos os primogênitos no seu país,
  o primeiro de todo o vigor deles.

³⁷ Assim, ele os tirou com prata e ouro;
  nenhum de seus clãs colapsou.
³⁸ O Egito celebrou quando eles saíram,
  pois o medo deles havia caído sobre os egípcios.
³⁹ Ele estendeu uma nuvem por cobertura,
  e um fogo para iluminar a noite.
⁴⁰ Eles pediram, e ele enviou codornizes
  e os saciou com pão dos céus.
⁴¹ Abriu um rochedo, e as águas fluíram,
  correram em lugares secos como um riacho.
⁴² Por estar atento à sua santa palavra
  com Abraão, seu servo,
⁴³ ele tirou o seu povo com alegria,
  os seus escolhidos com retumbância.
⁴⁴ Deu-lhes as terras das nações,
  e eles entraram na posse do trabalho dos povos,

SALMO 105 • APRENDENDO COM A SUA HISTÓRIA

> ⁴⁵ para que pudessem guardar as suas leis
> e observar os seus ensinos.
> Louvem a *Yah*!

O Dia de Ação de Graças e o Advento estão se aproximando, e estou pedindo aos membros da nossa igreja para refletirem sobre as seguintes questões:

1. "Qual o seu motivo particular de agradecimento neste ano?"
2. "Na sua fé cristã, o que você considera inspirador ou encorajador no momento?"
3. "Quais os seus questionamentos quanto à fé cristã?"
4. "O que você se compromete a fazer no próximo ano?"

Os membros responderão anonimamente na igreja; nós recolheremos a suas respostas e as apresentaremos a Deus; eu as lerei e usarei alguns dos temas em sermões ao longo do próximo ano.

Ocorreu-me que o salmo 105 oferece indicadores para o conjunto de respostas de Israel a essas perguntas. Pode-se dizer que tudo começa com a pergunta: "Pelo que devemos ser gratos?" A resposta a essa questão não se relaciona ao que Deus fez em benefício de uma geração em particular, às pessoas que estavam vivas em 900, 700 ou 500 a.C., embora em outros contextos o Antigo Testamento indique a expectativa de que Israel reflita sobre essa questão. A sua resposta convida Israel à gratidão pela extraordinária sequência de eventos que jazem na fundação de cada século na vida de Israel, como um povo. Contudo, como forma de resposta a essa série de eventos, a gratidão não é a única atitude diante de Deus que o salmista procura. A história que irá contar estabelece como **Yahweh** é aquele em quem Israel deve buscar socorro, a quem deve recorrer; essa é a outra resposta. Existem duas outras direções para as quais Israel sempre foi tentado a olhar em relação a isso; o povo sempre foi propenso a olhar para diferentes divindades ou para outras nações como aliados políticos. A história que é contada fornece os fundamentos para olharmos firmemente para *Yahweh*.

A grande extensão do salmo, portanto, compreende uma revisão da história descrita de Gênesis a Josué, principiando com referências à **aliança** estabelecida entre Deus e os ancestrais israelitas. O salmo utiliza a palavra "aliança" no sentido complementar àquele que o termo tem quando a nossa congregação pensa sobre uma aliança; no caso do salmo, a palavra é referente à aliança de Deus, não à nossa. "Aliança" é uma forma de expressar um compromisso, que é assumido solenemente e do qual não se pode escapar. As referências a "selar" e a "jurar" essa aliança, e estabelecê-la como um "estatuto", sublinham o ponto. Quão arriscado é Deus fazer uma aliança com seres humanos dos quais se espera apenas decepção!

O compromisso de aliança de Deus a Abraão é o alicerce de tudo o que vem a seguir na história resumida pelo salmista. Desde o princípio, ao proferir as implicações da aliança, o foco do salmo é quanto a Deus dar a Israel uma terra para sua posse; essa é a dádiva da aliança. Assim, ela começa relatando como Deus protegeu os ancestrais e Israel no início da história, quando eles viviam na terra certa, mas ainda eram controlados por outro povo. O salmo não considera a questão sobre quão "justa" foi a desapropriação para os habitantes precedentes daquele território, porque isso não está na agenda; a **Torá** responde a essa pergunta ao observar como os **cananeus** eram merecedores da disciplina divina.

Então, a história precisa empreender um desvio estranho e longo. Deus traz fome ao território; ela não ocorreu naturalmente, mas Deus a causou; o salmo não questiona o motivo, a exemplo do que fariam os ocidentais. Uma vez mais, a sua perspectiva da história complementa a perspectiva presente na Torá, que simplesmente registra que a fome veio, não que Deus, deliberadamente, a provocou. A fome obrigou os ancestrais a deixarem o território cananeu em busca de alimento, porém Deus antecipa-se à crise que isso traz aos israelitas e envia José adiante deles para o **Egito**, em uma posição que lhe permite cuidar do seu povo. Novamente, o salmo complementa Gênesis, que se abstém de dizer que a providência divina estava envolvida na presença de José no Egito, até o próprio José interpretar a sua história dessa maneira, no capítulo final do livro. O salmo vê o envolvimento ativo de Deus na maneira com que os egípcios se puseram contra os israelitas, pois essa oposição é o meio pelo qual Deus irá operar a fim de cumprir aquela palavra dita a Abraão. Em outras palavras, o ponto sobre deixar o Egito não foi apenas para encontrar a liberdade do cativeiro ali, mas para obter acesso à terra que Deus lhes prometera. Desse modo, Deus protegeu e proveu aos israelitas durante a jornada rumo à terra de Canaã.

A abertura do salmo sugere dois motivos da importância da história relatada pelo salmo: trata-se da base para adorar a *Yahweh* e confiar nele. O fim do salmo apresenta um ponto adicional. Se o salmo tem um motivo para *Yahweh* dar a Israel a terra pertencente aos cananeus, é para que os israelitas vivam lá pelas leis e pelo ensino de *Yahweh*. Talvez isso sugira o mesmo raciocínio presente em Gênesis 15 — os cananeus são expulsos daquele território por causa da sua transgressão; Israel é conduzido até Canaã para viver de maneira diferente. Embora o salmo não afirme que Israel também deve fazer uma aliança de compromisso com *Yahweh*, a exemplo da aliança feita por *Yahweh* com Israel, essa é a sua implicação. A relação entre Deus e Israel se inicia como uma aliança estabelecida por Deus, mas prossegue como uma aliança que Israel também sela. Obviamente, a falha em guardar esse compromisso significa o risco de os israelitas serem tratados da mesma forma que os cananeus, o que, de fato, acontece. Portanto, o salmo finaliza dando a Israel algo mais sobre o qual refletir.

SALMO 106:1-47
COMO A NOSSA INFIDELIDADE ENGRANDECE A FIDELIDADE DE DEUS

1. Louvem a *Yah*!
   Confessem *Yahweh* porque ele é bom,
   porque o seu compromisso é para sempre.
2. Quem pode proferir os poderosos atos de *Yahweh*,
   fazer as pessoas ouvirem todos os seus louvores?
3. Abençoadas as pessoas que se preocupam com a tomada de decisão,
   a pessoa que faz o que é fiel em todos os momentos!

4. Lembra-te de mim, *Yahweh*, quando favoreceres o teu povo,
   atenta para mim quando os libertares,
5. para que eu possa ver as boas coisas que vêm aos teus escolhidos,
   rejubilar com a alegria da tua nação,
   exultar com os teus.

6. Ofendemos junto com os nossos ancestrais,
   temos sido rebeldes, temos sido infiéis.
7. Nossos ancestrais no Egito não discerniram as tuas maravilhas,
   não se lembraram da magnitude dos teus atos de compromisso.
8. Mas ele os libertou pelo bem do seu nome,
   para que o seu poder fosse reconhecido.

⁹ Ele soprou o mar de Juncos, e ele secou,
   e os capacitou a passar pelas profundezas como por um deserto.
¹⁰ Ele os libertou das mãos do seu oponente,
   restaurou-os das mãos do inimigo.
¹¹ A água cobriu os seus adversários;
   nenhum deles foi deixado.
¹² Eles confiaram em suas palavras
   e cantaram o seu louvor.

¹³ Rapidamente ignoraram os seus feitos;
   eles não esperaram por seu plano.
¹⁴ Sentiram um profundo desejo no deserto
   e testaram Deus nas regiões áridas.
¹⁵ Ele lhes deu o que pediram,
   mas enviou uma perda ao interior de seu espírito.
¹⁶ Tiveram inveja de Moisés no acampamento,
   de Arão, o santo de *Yahweh*.
¹⁷ A terra abriu e engoliu Datã,
   fechou-se sobre o grupo de Abirão.
¹⁸ O fogo irrompeu entre o grupo deles,
   uma chama que queimou os infiéis.
¹⁹ Eles fizeram um bezerro em Horebe
   curvaram-se diante de uma imagem.
²⁰ Trocaram o seu esplendor
   pela representação de um touro que come grama.
²¹ Ignoraram o seu libertador,
   aquele que fizera grandes coisas no Egito,
²² maravilhas na terra de Cam,
   feitos assombrosos no mar de Juncos.
²³ Ele disse que os eliminaria,
   caso Moisés, o seu escolhido,
   não tivesse se postado na brecha diante dele,
   para desviar a sua ira de destruí-los.

²⁴ Eles rejeitaram a beleza da terra
   e não confiaram em sua palavra.

²⁵ Murmuraram em suas tendas
    e não ouviram a voz de *Yahweh*.
²⁶ Assim, ele levantou a mão [para jurar] a eles,
    para fazê-los cair no deserto,
²⁷ e para fazer a sua descendência cair entre as nações,
    para dispersá-los entre as terras.
²⁸ Uniram-se ao Mestre de Peor
    e comeram sacrifícios oferecidos aos mortos.
²⁹ Provocaram por seus feitos,
    e uma epidemia irrompeu entre eles.
³⁰ Mas Fineias posicionou-se e interveio,
    e a epidemia cessou.
³¹ Isso lhe foi contabilizado como um feito justo,
    de geração em geração para sempre.
³² Mas eles se irritaram nas águas da Contenda;
    e isso foi desagradável a Moisés, por causa deles.
³³ Porque se rebelaram contra o seu espírito,
    ele foi imprudente com a sua língua.

³⁴ Não destruíram os povos,
    como *Yahweh* lhes dissera.
³⁵ Misturaram-se às nações
    e aprenderam o que elas faziam.
³⁶ Serviram às imagens deles;
    elas se tornaram um laço para eles.
³⁷ Sacrificaram os seus filhos
    e as suas filhas aos demônios.
³⁸ Derramaram sangue inocente,
    o sangue de seus filhos e de suas filhas,
  a quem sacrificaram às imagens de Canaã;
    a terra tornou-se poluída pelo derramamento de sangue.
³⁹ Tornaram-se tabu por seus feitos;
    eles foram imorais em seus atos.

⁴⁰ A ira de *Yahweh* ardeu contra o seu povo,
    ele detestou os seus próprios.

SALMO 106:1-47 • COMO A NOSSA INFIDELIDADE ENGRANDECE A FIDELIDADE DE DEUS

⁴¹ Entregou-os nas mãos das nações;
   seus oponentes governaram sobre eles.
⁴² Os seus inimigos os oprimiram,
   e eles se curvaram debaixo da mão deles.
⁴³ Muitas vezes ele os resgatou, mas aquelas pessoas —
   eram rebeldes em seus planos.
   Elas afundaram por causa da sua transgressão,
⁴ e ele viu a tribulação que lhes sobreveio.
   Quando ouviu o ressoar delas,
⁴⁵ lembrou-se de sua aliança com elas.
   Ele cedeu de acordo com a magnitude de seus atos
   de compromisso
⁴⁶ e os fez objetos de compaixão
   diante de seus captores.
⁴⁷ Liberta-nos, *Yahweh*, nosso Deus,
   reúna-nos das nações,
   para confessar o teu santo nome
   e gloriar em teu louvor.

Distante quase dez mil quilômetros, sinto-me atônito ao acompanhar em Londres o equivalente a uma ocupação de Wall Street, com os manifestantes acampados nos arredores da Catedral de São Paulo, na qual fui ordenado, próximos ao centro financeiro de Londres, similar à Wall Street. Não fiquei surpreso ao descobrir que a catedral irá à corte para obter a remoção legal dos manifestantes, embora eu tenha ficado feliz ao saber que alguns integrantes da direção da catedral renunciaram aos seus cargos, pela convicção de que a catedral deveria estar, evidentemente, do lado dos manifestantes. Nessas ocasiões compartilho a mesma convicção e, tristemente, considero a ação da catedral típica da capacidade da igreja de atirar no próprio pé.

SALMO 106:1-47 • COMO A NOSSA INFIDELIDADE ENGRANDECE A FIDELIDADE DE DEUS

Sinto-me levemente reconfortado pela lembrança do salmo 106 de que isso sempre ocorreu. Desde o início, a história do povo de Deus é um relato que confirma a nossa perda de foco, a nossa falha em relação a Deus. Claro que a história da igreja pode ser contada de outras formas; como uma história que, constantemente, ilustra o compromisso do povo com Deus, no compartilhamento do evangelho ao mundo e na expressão do amor divino. O salmo 105 contou a história de Israel como um relato da proteção e da **fidelidade** de Deus; no entanto, o salmo seguinte segue, em grande parte, a mesma história (embora principie mais tarde e termine idem), a fim de transmitir uma mensagem diferente. Embora repita a bênção e a **libertação** de Deus sobre o povo, esse salmo concentra-se na indiferença dos israelitas. Embora o salmo 105 corresponda amplamente ao período e mensagem dominantes de Gênesis a Josué (período no qual a indiferença de Israel é enquadrada nos atos de graça de Deus), o salmo 106 corresponde mais ao período e mensagem dominantes de Êxodo a Juízes (que se encerra com a infidelidade de Israel). Se o salmo 105 constitui, portanto, mais uma história de salvação, o salmo 106 é mais um relato sobre a desobediência.

A insensibilidade do povo em relação a Deus remonta ao período no **Egito**, quando Moisés e Arão enfrentaram muitas dificuldades para convencer o povo de que Deus estava agindo para o bem deles. Deus os libertou, apesar disso, e eles reconheceram esse fato, mas logo se esqueceram dele, e a história da jornada israelita em direção à terra prometida é de testes em relação a Deus, de ciúmes pela posição de Moisés, de confecção de imagens, de falhas em confiar na qualidade da terra que Deus lhes estava dando, e de união ao culto aos **Mestres**. A história prosseguiu em **Canaã**; eles falharam em eliminar os povos que já estavam estabelecidos naquele território e, além disso, seguiram as práticas pelas quais aquelas nações tinham suscitado a ira de Deus, tais como o sacrifício de seus filhos. No entanto, **Yahweh** não conseguiu evitar a lembrança da sua **aliança** com os israelitas. Aqui reside uma nota comum aos salmos 105 e 106. A aliança da parte de Deus é que constitui a base para a vida do povo, quer eles sejam responsivos a Deus quer não.

Por esse motivo é que o salmo pode começar daquela maneira. Por outro lado, a sua abertura é surpreendente à luz do rumo que o salmo eventualmente toma, pois essa direção não é condizente com a introdução. Um longo relato sobre as falhas do povo de Deus torna-se o tema dominante desse salmo que se inicia com louvor, pois a descrição da falha e da **infidelidade**, na verdade, realça a fidelidade e a misericórdia de Deus. A abertura e o encerramento do salmo apontam para outras implicações. Uma delas emerge do fato de que Deus disciplina o seu povo, mesmo que não os rejeite por completo. O corolário é que a bênção repousa sobre os que se entregam a agir fielmente na maneira com que tomam decisões **autoritativas**. No nível mais egoísta, as pessoas inferem do **compromisso** de Deus que podem agir como bem lhes parecer. A história de Israel comprova que esse não é o caminho para a bênção.

Outra implicação é que essa ousadia torna possível orar por misericórdia e libertação quando estamos em uma merecida confusão. Deus é imprudente o suficiente para mostrar que ele enfrenta dificuldades em sua resistência para agir compassivamente, de maneira que o encerramento do salmo tira proveito desse fato. Pode-se acrescentar que essa motivação levará Deus a ser reconhecido e louvado. Não obstante, outra inferência é que todo esse padrão é aplicável tanto ao povo como um todo quanto a indivíduos. O ponto é expresso no fato de a bênção alcançar os fiéis, mas os indivíduos se beneficiam da incapacidade de Deus de fugir à sua fidelidade em relação ao povo como um todo.

SALMO 106:48
OUTRO AMÉM

⁴⁸ *Yahweh*, o Deus de Israel, seja adorado,
   de eternidade a eternidade!
Todo o povo deve dizer: "Amém!"
   Louvem a *Yah*!

Enquanto o amém, ao final do Livro Três do Saltério, estabelece um contraste com o conteúdo do salmo 89, do qual constitui um anexo, o amém em questão, ao final do Livro Quatro, harmoniza-se com o salmo 106, embora, talvez, isso resulte num desafio, pois envolve o reconhecimento de que a nossa história, como povo de Deus, é, de fato, uma história de rebelião e de transgressão.

SALMO 107
QUE OS REDIMIDOS DO SENHOR O DIGAM

¹ Confessem *Yahweh*, porque ele é bom,
   porque o seu compromisso é para sempre.
² As pessoas restauradas por *Yahweh* devem dizer isso,
   aqueles a quem ele restaurou da mão do inimigo,
³ e reuniu dentre as terras,
   do Norte e do Oeste.

⁴ Elas vagaram pelo deserto, por terras áridas;
   não encontraram o caminho a uma cidade estabelecida.
⁵ Famintas e sedentas, também
   o espírito dentro delas desfaleceu.
⁶ Mas clamaram a *Yahweh* em sua tribulação,
   e ele as resgatou de suas pressões.
⁷ Direcionou-as por um caminho reto,
   para chegarem a uma cidade estabelecida.

SALMO 107 • QUE OS REDIMIDOS DO SENHOR O DIGAM

⁸ Elas devem confessar a *Yahweh* o seu compromisso,
 suas maravilhas pelos seres humanos,
⁹ pois ele saciou a pessoa apressada
 e encheu a pessoa faminta com coisas boas.

¹⁰ As pessoas que vivem nas trevas e na escuridão mortal,
 prisioneiras da aflição e do ferro,
¹¹ porque desafiaram as palavras de Deus,
 desprezaram o plano do Altíssimo:
¹² ele subjugou o coração delas com aflição;
 colapsaram sem um auxiliador.
¹³ Mas clamaram a *Yahweh* em sua tribulação,
 e ele as libertou de suas pressões.
¹⁴ Retirou-as das trevas e da escuridão mortal
 e quebrou as suas correntes.
¹⁵ Elas devem confessar a *Yahweh* o seu compromisso,
 suas maravilhas pelos seres humanos,
¹⁶ pois ele quebrou portas de bronze,
 despedaçou barras de ferro.

¹⁷ Povo estúpido, por causa do seu caminho rebelde
 e de seus atos de transgressão, sofreram aflição.
¹⁸ O seu espírito abominou toda a comida;
 alcançaram os portões da morte.
¹⁹ Mas clamaram a *Yahweh* em sua tribulação,
 e ele os resgatou de suas pressões.
²⁰ Enviou a sua palavra e os curou;
 libertou-os do seu poço profundo.
²¹ Devem confessar a *Yahweh* o seu compromisso,
 suas maravilhas pelos seres humanos.
²² Devem oferecer sacrifícios de ações de graças
 e contarem os seus feitos com retumbância.

²³ As pessoas que desceram ao mar em navios,
 trabalhando em grandes águas,

²⁴ essas pessoas viram os feitos de *Yahweh*
    e suas maravilhas nas profundezas.
²⁵ Ele falou, e levantou um vento tempestuoso,
    que elevou as suas ondas.
²⁶ Elas subiram aos céus e desceram às profundezas;
    o espírito delas derreteu em sua aflição.
²⁷ Vacilaram e cambalearam como um bêbado,
    e todo o seu discernimento consumiu-se.
²⁸ Mas clamaram a *Yahweh* em sua tribulação,
    e ele as libertou de suas pressões.
²⁹ Ele tornou a tempestade em calmaria;
    suas ondas se aquietaram.
³⁰ Alegraram-se quando elas se tornaram silentes,
    e ele as conduziu para o porto que ansiavam.
³¹ Devem confessar a *Yahweh* o seu compromisso,
    suas maravilhas pelos seres humanos.
³² Devem exaltá-lo na congregação das pessoas
    e louvá-lo na sessão dos anciãos.

³³ Ele transforma rios em deserto,
    fontes de água em terra sedenta,
³⁴ terra frutífera em pântano salgado,
    por causa da maldade das pessoas que vivem nela.
³⁵ Transforma deserto em um reservatório de água,
    terra seca em nascentes de água.
³⁶ Estabeleceu pessoas famintas ali;
    elas edificaram uma cidade.
³⁷ Semearam campos e plantaram vinhas,
    e elas produziram fruto, uma colheita.
³⁸ Ele as abençoou, e elas aumentaram grandemente,
    e ele não deixou que os seus rebanhos diminuíssem.

³⁹ Mas eles diminuíram e se tornaram poucos
    por meio da opressão, da tribulação e da tristeza.
⁴⁰ Ele derrama vergonha sobre os líderes
    e os faz vaguear em desertos sem caminhos.

⁴¹ Mas ele protege a pessoa necessitada da aflição
   e faz as suas famílias como rebanhos.
⁴² Os retos verão e se alegrarão;
   todos os perversos se calam.
⁴³ Quem é a pessoa de discernimento que notará essas
      coisas? —
   elas considerarão os atos de compromisso de *Yahweh*.

Quando adolescente, eu costumava ir a acampamentos organizados pela *National Young Life Campaign*, atualmente conhecida como *Young Life* (a qual não creio estar relacionada com a *Young Life* dos Estados Unidos, embora seus propósitos não sejam muito diferentes). Íamos à praia ou subíamos às montanhas durante o dia e tínhamos cultos às noites. Foi num desses acampamentos na Inglaterra ou no País de Gales que senti o chamado de Deus para o ministério. Creio ter ocorrido no mesmo evento em que Raymond Castro, um dos líderes, costumava realizar períodos de "Assim digam", durante os cultos noturnos, quando incentivava os presentes a se voluntariarem para falar sobre o que Deus estava fazendo na vida deles, ou o que Deus lhes estava dizendo. Ele sabia que dar o nosso testemunho daquela maneira produzia um poderoso efeito sobre os demais jovens, mais eficiente que o testemunho de adultos sobre o tema. Isso, igualmente, tinha um importante impacto sobre os que compartilhavam.

Foi com base na abertura desse salmo que esses períodos foram denominados "Assim digam". Na *King James Version*, em Salmos 107:2, lemos: "*Let the redeemed of the* LORD *say so*" [Que os redimidos do SENHOR assim digam]. Embora o salmista queira incentivar Israel, como comunidade, a testificar o que Deus tem feito por eles, a sua pressuposição é a mesma usada por Raymond Castro. Os três versículos de abertura sugerem que o testemunho encorajado pelo salmo tenha relações com o retorno do povo do **exílio** e com o significado desse evento para eles. As seções seguintes celebram a sua restauração de quatro experiências em vez de quatro lugares distintos. Para alguns, a experiência significou estar perdido, faminto e sedento. Para outros, significou cativeiro e escuridão; ainda para outros, representou enfermidade ou danos e a probabilidade da morte. Por fim, para alguns significou uma perigosa travessia pelo oceano a fim de começar uma nova vida em algum outro local da costa mediterrânea.

Havia aspectos dessa experiência comuns a todas as pessoas. Primeiro, ninguém podia reclamar dela; pois resultava da própria falha delas, fruto da categoria de transgressão descrita em 1 e 2Reis e ainda nos profetas. Contudo, segundo, **clamaram** a *Yahweh* em meio à tribulação. Terceiro, *Yahweh* respondeu e as **libertou**, independentemente da espécie de tribulação — tipicamente, Deus não foi impedido de resgatá-las por causa da pecaminosidade delas. Em cada caso, o resgate lida com a tribulação específica na qual elas estão — *Yahweh* as capacita a encontrarem o caminho no qual há alimento; ou rompe as portas da prisão; ou cura e as traz de volta dos portões da morte; ou acalma as ondas que ameaçam a travessia marítima delas. Todas essas pessoas, então, foram redimidas ou restauradas por *Yahweh*, e devem assim dizer — pois o testemunho delas honra o nome de *Yahweh*, edifica as pessoas que testemunham e encorajam as que ouvem o testemunho.

A derradeira grande seção do salmo implica uma ênfase nessa última consideração. O fato de as pessoas serem livres para retornarem a **Judá**, no decorrer das décadas, não resolveu os seus problemas como elas esperavam. Você pode ler a história nos livros dos profetas, tais como Ageu e Zacarias, e nos livros de Esdras e de Neemias. Portanto, é importante que as pessoas extraiam as conclusões corretas das quatro vinhetas do salmo. Os atos por meio dos quais *Yahweh* resgatou as pessoas não constituíram eventos únicos, porque as tribulações não vinham uma única vez. Eles mostraram a espécie de Deus que *Yahweh* é e o modo pelo qual ele, caracteristicamente, age. No entanto, o decréscimo, a opressão, a aflição e a tristeza reafirmaram-se na experiência do povo. E, assim, era necessário que ouvissem o testemunho que a geração anterior podia dar. Os redimidos do Senhor devem assim dizer, para o bem de seus netos e bisnetos. Desse modo, pessoas de discernimento meditarão sobre a história delas, a fim de abrir possibilidades em sua imaginação e orar da maneira que os seus avós oravam.

SALMO 108
O QUE FAZER QUANDO AS PROMESSAS DE DEUS FALHAM

Um cântico. Uma composição de Davi.

1. Minha mente está firme, Deus,
    cantarei e farei música; sim, minha alma [está firme].
2. Despertem, harpa e lira;
    acordarei a alvorada.
3. Confessar-te-ei entre os povos, *Yahweh*,
    farei música para ti entre as nações.
4. Pois o teu compromisso é grande, acima dos céus,
    e a tua veracidade até o firmamento.
5. Sê exaltado acima dos céus, Deus,
    sobre toda a terra esteja a tua honra.
6. Para que as pessoas que tu amas possam ser resgatadas,
    liberta-me com a tua mão direita e responde-me.

7. Deus falou por sua santidade:
    "Exultarei enquanto alocar Siquém
    e medir o vale do Sucote.

SALMO 108 • O QUE FAZER QUANDO AS PROMESSAS DE DEUS FALHAM

8 Gileade será meu e Manassés também.
  Efraim será o meu capacete, e Judá o meu cetro.
9 Moabe será o meu lavatório, sobre Edom lançarei o meu sapato
  e sobre a Filístia eu gritarei."
10 Quem me conduzirá à cidade fortificada?
   Quem me levará a Edom?
11 Não nos rejeitaste, Deus? —
   tu não sais com os nossos exércitos.
12 Concede-nos socorro contra o inimigo,
   pois a libertação humana é vazia.
13 Por Deus, agiremos com força;
   ele pisoteará os nossos inimigos.

Num dia desses, eu estava conversando com um amigo que tem sido pastor associado em uma próspera igreja pentecostal, por cerca de um ano. Ele não possui o típico histórico pentecostal, mas esse fato era de menor importância, pois nada muito pentecostal havia restado naquela igreja. Ela se tornara indistinguível de outras igrejas avivadas, fora das denominações principais. Esse meu amigo afirmou não ter visto ninguém profetizando, falando em línguas ou sendo miraculosamente curado, durante seu ano naquela igreja. Esse relato mostrou-se coerente com as impressões que recebi de outras pessoas e de visitas ocasionais a igrejas pentecostais nos Estados Unidos (a situação é diferente em dois terços do mundo). Sinto-me triste pelo fato, embora não esteja, necessariamente, acusando as igrejas. A profecia, o falar em línguas e a cura são dons divinos, não algo que somos capazes de gerar. Entretanto, esse aspecto da situação atual nas igrejas do Ocidente levanta algumas questões. Deus, certa feita, prometeu derramar o seu Espírito sobre o seu povo (veja Joel 2). Ele não está fazendo isso.

SALMO 108 • O QUE FAZER QUANDO AS PROMESSAS DE DEUS FALHAM

Um tópico concreto e distinto é o foco do salmo 108 (que retrabalha o material que também aparece nos salmos 57 e 60), mas há similaridade em uma questão subjacente. O que você faz quando Deus não cumpre as suas promessas? A seção intermediária do salmo relembra realizações de Deus que remontam ao início da vida de Israel. Foi, de fato, um empreendimento solene — Deus falou por sua santidade, colocando a sua própria natureza como Deus na mira.

As promessas são referentes à conquista da terra de **Canaã**. Elas pressupõem a situação na qual *Yahweh* e Israel ainda não estavam na terra prometida. Eles estão prontos a entrar nela, localizados no sul ou no sudeste daquele território, próximos ao fim da jornada desde o **Egito**. *Yahweh* pretende lotear a região situada no lado oeste do Jordão, que é simbolizada por Siquém, a moderna Nablus, a maior cidade de então, no princípio da história israelita, quando Jerusalém era desimportante. Similarmente, *Yahweh* planeja medir e, portanto, alocar o vale do Sucote, no lado leste do Jordão, que, em geral, representa aquela área. Falar, então, sobre Gileade e Manassés sugere uma referência aos clãs israelitas que se assentaram a leste do Jordão, enquanto **Efraim** e **Judá** são os clãs mais proeminentes estabelecidos a oeste do Jordão. Os clãs israelitas serão os beneficiários do loteamento das terras por parte de *Yahweh*, tornando-se seus inquilinos. Mas, em primeira instância, os clãs são agentes de *Yahweh* na conquista daquela região; é como se Efraim fosse o capacete usado pelo guerreiro *Yahweh*, e Judá fosse o bastão com o qual esse general comanda as suas tropas.

Será impossível a qualquer um se colocar no caminho de *Yahweh*. Moabe, Edom ou a **Filístia** podem tentar, mas fracassarão. Edom constitui a área que *Yahweh* e Israel alcançarão primeiro, de modo que *Yahweh* pergunta quem assumirá a liderança à medida que eles se aproximam de Edom. Você pode ler a história sobre Edom e Moabe em Números 20 e 21.

Os filisteus não aparecem nesse relato por algum tempo, pois eles chegam na fronteira de Canaã praticamente ao mesmo tempo que os israelitas, mas, no lado oposto, vindos do outro lado do Mediterrâneo. Ciente desse fato, é possível ler um relato dessa promessa na história do Antigo Testamento presente na **Torá**; essa narrativa da promessa resume as implicações das promessas de *Yahweh*, já que elas podiam ser expressas em uma geração posterior.

O problema é que a realidade da experiência subsequente de Israel, com frequência, contrastou com o que era explícito ou implícito nas promessas. Então, o que você faz? O salmo possui duas respostas, expressas nos dois lados da recordação das promessas. Como esperado, a lembrança leva ao protesto, à oração e à declaração da convicção de que Deus irá cumpri-las. O mais surpreendente é a maneira com que o salmo começa, com uma expressão extensa de louvor pelo **compromisso** de Deus e sua veracidade ou confiabilidade, embora esse louvor também termine com uma oração. É possível haver uma ironia aqui; o louvor irá, no devido tempo, implicar que a (alegada) realidade do compromisso e da confiabilidade de Deus é o motivo pelo qual Deus deve responder à oração.

A minha intenção é orar cada vez mais a Deus pelo cumprimento das promessas expressas em Joel e louvar a Deus por seu compromisso e por sua confiabilidade.

SALMO 109
COMO LIDAR AO SER ENGANADO

Ao líder. Uma composição de Davi.

1 Ó Deus, a quem louvo, não te cales,
2   pois é uma boca infiel e uma boca enganosa
  que as pessoas têm aberto contra mim;
    elas falam comigo por meio de uma língua mentirosa.

³ Com palavras agressivas elas me cercaram e
  fizeram guerra contra mim sem razão.
⁴ Em troca da minha amizade, elas me acusam;
  assim, eu [estou fazendo] uma súplica.
⁵ Trouxeram sobre mim o mal em troca do bem,
  agressão em troca da minha amizade.
⁶ "Designe-se uma pessoa infiel sobre ele,
  um acusador que se levantará à sua mão direita.
⁷ Quando estiver pronto para uma decisão, que ele saia
    como infiel;
  sua súplica conduzirá à sua condenação.
⁸ Que os seus dias sejam poucos;
  que outra pessoa tome a sua propriedade.
⁹ Que os seus filhos se tornem órfãos,
  e a sua esposa uma viúva.
¹⁰ Que os seus filhos vagueiem, implorem e solicitem,
  de suas ruínas.
¹¹ Que o credor ataque tudo o que ele tiver,
  e estranhos saqueiem os seus ganhos.
¹² Que não tenha ninguém mostrando compromisso,
  nem ninguém sendo gracioso com os seus órfãos.
¹³ Que a sua sucessão seja cortada
  na próxima geração, e que o seu nome seja apagado.
¹⁴ Que a transgressão de seus ancestrais permaneça na
    mente
  de *Yahweh*,
¹⁵ e eles estejam diante de *Yahweh* sempre;
  que ele corte a memória deles da sua terra.
¹⁶ Por causa do fato de ele não se lembrar de guardar
    o compromisso,
  mas perseguir a pessoa que era humilde e necessitada,
    e a pessoa esmagada em espírito, para matá-la.
¹⁷ Ele gostava de amaldiçoar, e isso veio sobre ele;
  não desejava [proferir] bênção, e isso ficou longe dele.

SALMO 109 • COMO LIDAR AO SER ENGANADO

¹⁸ Vestia a maldição como um casaco;
    isso veio às suas entranhas como água,
    e aos seus ossos como azeite.
¹⁹ Que isso lhe seja como roupa na qual ele se veste
    e como um cinto do qual ele se cinge."

²⁰ Que este seja o salário de *Yahweh* aos meus acusadores,
    as pessoas que falam mal contra mim.
²¹ Assim tu, *Yahweh*, meu Senhor,
    lida comigo pelo bem do teu nome;
    porque o teu compromisso é bom, resgata-me.
²² Pois sou humilde e necessitado,
    e meu espírito dói dentro de mim.
²³ Como uma sombra à medida que se alonga, eu parto,
    sou sacudido como um gafanhoto.
²⁴ De tanto jejuar, os meus joelhos fraquejam,
    e o meu corpo definha de magreza.
²⁵ Eu tornei-me um objeto de injúria para eles;
    quando me veem, eles balançam a cabeça.

²⁶ Socorre-me, *Yahweh*, meu Deus,
    liberta-me de acordo com o teu compromisso,
²⁷ para que as pessoas reconheçam que essa é a tua mão,
    que tu, *Yahweh*, fizeste isso.
²⁸ Aquelas pessoas podem amaldiçoar, mas tu — que abençoes;
    elas se levantarão e serão envergonhadas, mas o teu
    servo regozijará.
²⁹ Que os meus acusadores vistam-se de desgraça,
    que se vistam com sua vergonha como um casaco.
³⁰ Confessarei *Yahweh* grandemente com a minha boca,
    no meio de muitas pessoas eu o louvarei,
³¹ pois ele se põe à direita da pessoa necessitada, para
    libertá-la das pessoas que tomam decisões
    sobre ela.

SALMO 109 • COMO LIDAR AO SER ENGANADO

Neste fim de semana, planejo ver um filme sobre certas vítimas do colapso financeiro, ocorrido na primeira década deste século. Elas fazem parte da equipe de funcionários de um condomínio de luxo que descobrem que o ocupante da cobertura está envolvido em uma fraude de bilhões de dólares e que (entre outras coisas) roubou o fundo de pensão deles. Então, decidem obter a devida reparação roubando o magnata financeiro. Um dos críticos comentou: "Pelo menos, por um breve tempo, isso o fará rir em vez de chorar pela condição atual, o que é muito mais do que é possível dizer sobre inúmeras outras coisas." Na vida real, no rescaldo desse colapso, a mídia tem reportado como as vítimas desse tipo de vigarista ameaçaram matar a própria esposa e filhos deles.

A espécie de pessoa para a qual o salmista fala é alguém que, de fato, deseja obter uma reparação daqueles que a enganaram. Considero a longa seção intermediária (v. 6-19) como suas palavras sobre a pessoa que ora esse salmo. As palavras dos vigaristas são citadas; eles planejam fazer que essa pessoa seja condenada por atos que ela não cometeu, para que isso resulte em sua ruína pessoal ou mesmo morte, no confisco de sua terra e propriedade e também na rejeição por parte da comunidade. Ainda mais assustador é que eles incluem Deus em seu modo de falar. Essas palavras fornecem um grande exemplo do que significa usar o **nome** de *Yahweh* em vão, vincular o nome de *Yahweh* a algo que é desprovido de realidade e de verdade. Nesse sentido, os vigaristas citam os nomes dos pais da vítima em vão, falando como se fossem grandes pecadores e merecedores de terem seus nomes riscados da memória, a exemplo do que o salmista faz. Por ironia, o acusam das ofensas pelas quais eles mesmos são culpados — falta de **compromisso**, insensibilidade, amor por amaldiçoar em lugar de abençoar, que esperam recaia sobre ele.

SALMO 109 • COMO LIDAR AO SER ENGANADO

Como você lida com a experiência de ser tratado com falsidade? Podemos considerar que há duas maneiras alternativas. Ou você age em defesa das vítimas desse trapaceiro fictício ou real, incluindo recuperar o que lhe foi tomado, ou engole o choro e oferece a outra face. Ao lado de outras partes das Escrituras, o salmo 109 considera que você deve orar. Ao mesmo tempo que assimila o golpe, você também bate no peito de Deus a respeito disso; há motivos para estar enfurecido, e você tem o direito de expressar a sua ira diante de Deus em vez de fingir que nada aconteceu. No salmo, pelo menos, parte do motivo pelo qual a vítima precisa que Deus aja contra os trapaceiros é para **libertá-la** de suas ciladas; é necessário que eles sejam derrotados. Mas a ira do salmo vai além disso, indo para a necessidade mais geral de ver a reparação do delito praticado.

Passagens do Novo Testamento, tais como Mateus 23, reafirmam a posição do salmo a esse respeito; a retribuição deve recair sobre aqueles que praticam o mal contra outros. A citação do salmo 109 no Novo Testamento, em conexão com Judas, em Atos 1, sugere que não foi estranho a Deus incluir esse salmo em seu livro. Caso não sejamos pessoas que necessitam orar esse salmo, somos chamados a nos colocarmos na posição de pessoas para as quais essa oração é necessária. Essa identificação é, particularmente, arrepiante se imaginarmos pessoas em outras partes do planeta orando esse salmo em relação a nós, que vivemos no Ocidente. De fato, a importância dos salmos para nós, com frequência, emerge quando percebemos que desempenhamos neles um papel distinto daquele que presumíamos. Somos aqueles dos quais os salmos reclamam, não as pessoas que têm o direito de reclamar. Pode ser um dos motivos pelos quais nos sentimos desconfortáveis em relação aos salmos.

SALMO 110
UMA QUESTÃO DE PODER

Um salmo de Davi.

1 Palavra de *Yahweh* ao meu senhor:
 "Senta-te à minha direita
 até eu fazer de teus inimigos um estrado para os teus pés."

2 *Yahweh* enviará de Sião o teu forte cetro;
 governará no meio dos teus inimigos.
3 O teu povo deve se apresentar voluntariamente no dia
 que estenderes as tuas forças.
 Em santo esplendor, desde o romper da alvorada,
 a tua juventude é como o orvalho.
4 *Yahweh* jurou e não cederá:
 "Tu és sacerdote para sempre, à maneira de
 Melquisedeque."

5 O Senhor está à tua direita;
 ele esmagará reis no dia da sua ira.
6 Ele exerce autoridade entre as nações,
 enchendo [a cena] de corpos;
 esmagará cabeças sobre a terra;
 em toda parte.
7 Do riacho pelo caminho ele bebe;
 portanto, ele pode levantar a sua cabeça.

Minha esposa, constantemente, fala sobre poder. Não considero isso de modo pessoal. Na verdade, isso trabalha a meu favor, pois a fixação dela reside em como o pensamento ocidental contemporâneo se preocupa com questões sobre quem tem poder e como ele se apresenta nos relacionamentos entre homens e mulheres, pais e filhos, pastores e congregações, e professores e alunos. Ela acha que a nossa apreciação e compreensão dessas relações está sendo prejudicada pelo excessivo foco no poder e pela obsessão em obtê-lo, com os impotentes ganhando poder ou com o empoderamento das pessoas. As dinâmicas são paralelas àquelas aplicadas em relação à importância de lugares sagrados, como o templo. Essa relevância é pervertida pela maneira com que esses locais se tornam símbolos de poder, de tal modo que nos dias atuais a questão-chave quanto ao monte do templo, em Jerusalém, é sobre quem o controla. Todavia, essas considerações confirmam o princípio de que a obstinação humana torna perigosa a concentração de poder e reforça a necessidade de difundi-lo.

Esse princípio torna o salmo 110 preocupante. Em Israel, o poder religioso era partilhado por sacerdotes, reis e profetas. Os reis não podiam realizar as tarefas dos sacerdotes, sendo passíveis de morte caso o fizessem, a exemplo do ocorrido com o rei Uzias (2Crônicas 26). Aos profetas era permitido confrontar reis e sacerdotes. Aqui, no salmo 110, provavelmente, é um profeta que está falando, no exercício de uma espécie de poder possuído por Natã ou Gade, na corte de Davi (veja 2Samuel 7), e ele declara que *Yahweh* indica o rei também como um sacerdote. Isso significa que Davi é alçado a uma posição similar à de Melquisedeque. Gênesis 14 fala sobre esse rei de Salém, que o salmo 76 confirma como sendo a mesma cidade conhecida por Jerusalém. Conforme a prática comum nas sociedades tradicionais, Melquisedeque era tanto sacerdote quanto rei em Salém. Isso significava que a sua posição não era diferente daquela de Abraão, que, com efeito, detinha os dois tipos de poder no clã, em Gênesis. Mas, quando Israel se tornou uma nação, pode-se dizer que o poder foi distribuído entre Moisés, que exercia o mesmo papel de um rei, Arão, responsável pelo papel sacerdotal, e Miriã, na posição de profetisa. No período de Juízes, não há reis, e não lemos muito sobre sacerdotes ou profetas. Quando há reis e um templo em Jerusalém, a história torna-se um pouco ambígua quanto ao poder que os reis tinham no templo. Em contrapartida ao relato sobre a morte de Uzias, há narrativas sobre reis oferecendo sacrifícios sem serem punidos por isso — mas, talvez, isso signifique que os reis providenciaram o sacrifício e, na realidade, um sacerdote o realizou.

No salmo 110, as palavras inaugurais e de encerramento de *Yahweh* são promessas de que o rei logrará liderar o seu povo com sucesso, que eles servirão voluntariamente em seu exército, e que ele derrotará os seus inimigos. Essas promessas parecem servir de encorajamento para que o rei se envolva em guerras designadas meramente a ampliar o poder de Israel no mundo, embora inúmeras considerações reduzam essa preocupação. Uma delas é que Israel jamais alcançou a posição de uma grande potência, como os Estados Unidos ou a Grã-Bretanha. Normalmente, assumiu a posição de um pequeno poder sob a constante pressão de grandes potências ou de seus vizinhos, cujas forças, pelo menos, eram equiparáveis às suas. Outra consideração é o ponto que aparece nos versículos finais, sobre Israel e seu rei serem os meios de *Yahweh* exercer **autoridade** no mundo. Caso tentassem usar esse poder para construírem um império próprio, os israelitas correriam o risco de serem tratados por *Yahweh* do mesmo modo que ele agiu contra outras potências mundiais.

Talvez a solene declaração de *Yahweh* quanto ao rei também ser sacerdote atue como uma restrição. Se o rei também for um sacerdote, isso poderia significar que ele está em posição de reivindicar sanção religiosa por guerras travadas unicamente por motivos políticos. O rei não é meramente o comandante-chefe, mas deve enfrentar Deus pelas guerras que vier a empreender, e deve fazê-lo de maneira pública e oficial. Além disso, ele é um sacerdote à maneira de Melquisedeque,

que aparece no Antigo Testamento não como alguém que empreende guerras, mas como alguém que abençoa.

O Novo Testamento usa o salmo 110 para ajudar na compreensão da relevância de Jesus, mas o próprio salmo não fornece qualquer indicação de que fala sobre o Messias, e, como ocorre com frequência, este também é um caso no qual o Novo Testamento está dando ao salmo um significado diferente, ao aplicá-lo a Jesus.

SALMO 111
A ALIANÇA DE *YAHWEH* E A NOSSA ALIANÇA

1 Louvem a *Yah*!
 Confessarei *Yahweh* com toda a minha mente,
  no conselho dos retos, a assembleia.
2 As obras de *Yahweh* são grandes,
  considerando todos os seus deleites.
3 Sua ação é majestosa e gloriosa,
  e sua fidelidade permanece para sempre.
4 Ele ganhou renome por suas maravilhas;
  Yahweh é gracioso e compassivo.
5 Ele deu carne às pessoas que estavam no temor dele;
  lembra-se de sua aliança para sempre.
6 Contou ao seu povo o poder dos seus feitos,
  ao lhes dar a posse das nações.
7 As obras das suas mãos são verdadeiras e decisivas;
  todos os seus decretos são verídicos,
8 estabelecidos para todo o sempre,
  feitos em verdade e retidão.
9 Enviou redenção ao seu povo,
  ordenou a sua aliança para sempre.
 O seu nome é santo e deve ser temido;
10 o temor por *Yahweh* é a essência do discernimento.
 O bom senso pertence a todos os que o praticam;
  o seu louvor permanece para sempre.

SALMO 111 • A ALIANÇA DE YAHWEH E A NOSSA ALIANÇA

Observei em meu comentário sobre o salmo 105 que para o próximo Dia de Ação de Graças/Advento estamos sugerindo aos membros da nossa igreja que reflitam sobre o que têm a agradecer a Deus no ano que está acabando e qual a aliança que pretendem estabelecer para o ano vindouro. Não me ocorreu que os compromissos de aliança dos membros para o próximo ano poderiam ser uma resposta à reflexão deles sobre o ano que se aproxima do fim, mas esse ponto fica evidente ao pensarmos na proposta. Hoje, apresentamos à congregação as quatro questões citadas em meu comentário anterior, para que as pessoas pensem nelas antes de as usarmos no contexto de nosso culto do próximo domingo. Assim, no caminho de volta para casa, a minha esposa perguntou se eu mesmo iria refletir sobre elas antecipadamente. Quer reflita quer apenas confie no que vier à minha mente no próximo domingo (o que está mais de acordo com a minha abordagem normal diante da vida), devo, agora, vincular a minha aliança ao modo pelo qual Deus me abençoou ao longo do ano.

O salmo 111 aponta na mesma direção, pois começa estabelecendo o compromisso de confessar **Yahweh** e finaliza com uma referência a "cumprir" os requisitos da sua **aliança**. A primeira parte do salmo refere-se ao compromisso de aliança estabelecido por *Yahweh* com Israel; próximo ao fim, o salmo fala sobre *Yahweh* "ordenar" uma aliança, sugerindo o compromisso de aliança que *Yahweh* espera das pessoas. De modo similar, por três vezes, o salmista cita as "obras" ou "feitos" de *Yahweh* em benefício do povo; então, no final, expressa o que as pessoas precisam "fazer" em resposta às "obras" de *Yahweh*. O compromisso de aliança de Deus e a sua obra devem vir antes, mas devem ser seguidos pelo nosso compromisso de aliança e a nossa ação. Em nossa congregação, no exercício quanto à ação de graças e à aliança, iremos refletir sobre as bênçãos pessoais que recebemos de Deus e a resposta específica e pessoal que daremos. O salmo reflete sobre as bênçãos fundamentais concedidas ao povo por Deus e a resposta fundamental deles.

Pode-se dizer que isso resume a natureza da relação do povo com Deus, e, portanto, é adequado que esse seja um salmo alfabético — isto é, após as palavras de abertura, "Louvem a *Yah*!", cada linha dos versículos começa com uma letra diferente do alfabeto hebraico. Há, portanto, 22 linhas para as 22 letras do alfabeto, e o salmo é capaz de cobrir a natureza do culto e da relação com Deus de A a Z.

As questões sobre ação de graças e aliança correspondem à primeira e à última sobre as quais consideraremos. O salmo também oferece discernimento quanto às duas perguntas intermediárias. A segunda questão fala sobre quais aspectos da fé cristã são especialmente importantes e úteis às pessoas; o A a Z pode ajudar na consideração dessa questão. A terceira pergunta versa sobre possíveis preocupações que as pessoas têm sobre a fé cristã; assim, é digno de nota que esse salmo, iniciado com motivo de louvor, termine falando sobre discernimento ou sabedoria. Isso sugere que o que Deus fez e disse contém as respostas ao nosso questionamento. Igualmente, sugere que a sabedoria é uma questão da atitude que adotamos em relação a Deus e ao que ele diz, tanto quanto à maneira com que vivemos essa atitude.

SALMO 112
O EVANGELHO DA PROSPERIDADE REDEFINIDO

¹ Louvem a *Yah*!
 Abençoada a pessoa que vive no temor de *Yahweh*,
  que se deleita em seus mandamentos!
² A sua descendência se tornará um homem poderoso na terra;
  a geração dos retos será abençoada.

³ Prosperidade e riquezas estão em sua casa,
    e a sua fidelidade permanece para sempre.
⁴ Ele se levanta nas trevas como luz para os retos,
    graciosos, compassivos e fiéis.
⁵ Boa é a pessoa que é graciosa
    e empresta, enquanto cumpre as suas preocupações com
        determinação.
⁶ Pois ela não colapsará jamais;
    a pessoa fiel se tornará um objeto de renome
    para sempre.
⁷ Não tem medo de más notícias;
    sua mente permanece firme, confiante em *Yahweh*.
⁸ Sua mente mantém-se firme, de modo que ela não sente
        medo,
    até olhar para os seus inimigos.
⁹ Reparte com abundância ao dar aos necessitados;
    sua fidelidade permanece para sempre.
   O seu chifre permanecerá elevado em honra;
¹⁰ a pessoa infiel verá e se inquietará.
   Rangerá os seus dentes e definhará;
    o desejo da pessoa infiel perecerá.

Minha esposa trabalhou para uma das pessoas mais prósperas e ricas dos Estados Unidos (isso não resultou em um maravilhoso dote para o nosso casamento). O seu trabalho consistia em auxiliar essa pessoa a investir bem o seu dinheiro; os projetos nos quais ela estava envolvida eram notáveis, impressionantes, interessantes e, com frequência, educacionais. Um deles consistia na remodelagem de uma mansão, situada em uma região chique, na Europa, na qual ela sonhava viver com toda a nossa família estendida. Outro projeto objetivava a restauração de inúmeras aeronaves militares da Segunda Guerra Mundial. Os projetos, com frequência, beneficiavam diretamente pessoas comuns ou necessitadas, e o seu chefe havia se comprometido a dar a maior parte de seu dinheiro em vida.

A Bíblia não possui o ideal de que todos tenham a mesma riqueza. Isso sugere a ciência de que certas pessoas são melhores que outras, o que pode ser devido ao fato de serem agricultores mais eficientes ou mais esforçados, ou, ainda, apenas com mais sorte. Isso presume que há uma correlação entre a **fidelidade** da vida de um fazendeiro e o sucesso de sua fazenda, embora também reconheça que nem sempre as coisas sigam esse roteiro. Isso não presume que a sua habilidade, o seu trabalho duro e a sua fidelidade, simplesmente, assegurem o direito de sua família de usufruir dos frutos de uma vida melhor que a dos demais, ignorando os menos favorecidos.

O salmo 112 é outro salmo de A a Z, a exemplo do salmo anterior. Implicitamente, talvez ofereça um ciclo espiritual de riqueza e de atitude em relação à vida. Usando certa estrutura, contudo, isso também permite que os salmistas, a exemplo de todos os poetas, pensem coisas que, de outro modo, não teriam pensado. O salmo inicia-se como se desse aos fazendeiros fiéis uma desculpa para a autocongratulação no tocante à prosperidade que resulta de sua fidelidade, mas, então, os confunde ao redefinir as bênçãos provenientes da fidelidade. Essa bênção não reside no fato de o fazendeiro fazer o bem a si mesmo e à sua família, mas reside no fato de ele poder levantar quando ainda está escuro a fim de trazer luz aos que são retos, graciosos, compassivos e fiéis. Essa declaração em si implica o reconhecimento de que nem todos os que são retos, graciosos, compassivos e fiéis se dão bem na vida. E a declaração talvez tenha um duplo significado. Luz e trevas são símbolos comuns para bênção e calamidade. Assim, o salmo pode estar dizendo que o fazendeiro rico está em posição de levantar quando está literalmente escuro a fim de ser uma bênção para outra pessoa. Ou pode significar que ele está em posição de se levantar quando as coisas estão escuras para a família de outra pessoa fiel, que enfrenta dificuldades, e trazer luz para ela. Ou, ainda, pode ter os dois significados.

Seja como for, por ser alguém com alguma riqueza, ele é capaz de ser gracioso e emprestar a uma outra família que enfrenta tempos difíceis, a fim de mantê-los até a próxima colheita. Ele, portanto, utiliza uma ação **decisiva** com os bens de sua própria família para beneficiar outra família em necessidade. Como de costume, o Antigo Testamento presume que, quando você dispõe de bens excedentes, não deve emprestar visando obter mais lucros; empresta como exercício de compaixão pelos necessitados e não fazer deles fonte de lucro. Mas, ao viver essa vida fiel e generosa, e manter a sua confiança em Deus, o salmo promete que os seus bens irão aumentar. Não apenas isso, mas você receberá as honras da comunidade e prosperará mais do que aqueles que focam apenas em suas próprias necessidades, que ridicularizam o fiel e que, por fim, descobrem que a sua preocupação egoísta em obter cada vez mais para si não os levará a lugar algum.

SALMO 113—114
SOBRE ESTAR ABERTO AO INESPERADO

CAPÍTULO 113

¹ Louvem, servos de *Yahweh*,
   louvem o nome de *Yahweh*!
² Que o nome de *Yahweh* seja adorado,
   agora e para sempre.
³ Desde o nascer até o pôr do sol,
   o nome de *Yahweh* seja louvado!
⁴ *Yahweh* é exaltado acima de todas as nações,
   sua honra está acima dos céus!
⁵ Quem é como *Yahweh*, o nosso Deus,
   aquele que está no alto para sentar [entronizado],

⁶ que se abaixa a fim de ver,
  em relação aos céus e à terra,
⁷ que levanta a pessoa pobre do pó
  e ergue a pessoa necessitada do monturo,
⁸ para capacitá-las a se sentar com os líderes,
  com os líderes do povo,
⁹ que capacita a mulher sem filhos a se sentar no lar,
  uma alegre mãe de filhos?
  Louvem a *Yah*!

CAPÍTULO 114

¹ Quando Israel saiu do Egito
  e a casa de Jacó saiu do meio de um povo tagarela,
² Judá se tornou o seu santuário,
  e Israel o seu reino.
³ Quando o mar viu, fugiu,
  e o Jordão retrocedeu.
⁴ As montanhas saltaram como carneiros,
  e as colinas, como cordeiros.

⁵ O que houve com você, mar, para fugir,
  Jordão, para retroceder,
⁶ as montanhas, para saltarem como carneiros,
  as colinas, como cordeiros?

⁷ Estremeça diante do Senhor, terra,
  diante do Deus de Jacó,
⁸ que transformou o rochedo em um tanque de água,
  e o basalto em uma fonte de água.

Em meu comentário sobre o salmo 108, referi-me à igreja de um amigo pentecostal que parecia não ter mais expectativas quanto a Deus agir do que as principais denominações evangélicas. Mas, ontem, enquanto eu aguardava na sala de espera do oftalmologista, lia um livro que fora recomendado pelo meu chefe (assim, obviamente, tinha que lê-lo), da autoria de James K. A. Smith, com o provocativo título *Pensando em línguas* (Rio de Janeiro: Thomas Nelson Brasil, 2021). Um dos capítulos começa com o testemunho de uma mulher sobre como ela e o seu marido tentaram conceber um filho durante oito anos, sem êxito, resultando em frustração, desesperança e ira contra Deus. Contudo, no mês anterior, as mulheres do grupo de estudo bíblico que frequentava impuseram as mãos sobre ela e oraram. Ela estava cansada demais para crer que histórias como a de Ana poderiam se tornar a sua própria história e, assim, não pensou muito a respeito disso nos dias posteriores. Todavia, agora ela está grávida.

Yahweh é aquele que permite que as mulheres sem filhos tomem assento no lar como a alegre mãe de filhos, o salmo diz. Claro que nem sempre é assim. Inúmeras mulheres estéreis permanecem nessa condição, e muitas outras orações não são respondidas. O salmista não deixou esse fato passar despercebido, mas isso não o fez recusar-se a reconhecer que **Yahweh**, às vezes, responde às orações, muito menos o fez ceder à tentação de concluir que a inesperada gravidez de uma mulher estéril fosse apenas mais uma daquelas situações estranhas, explicáveis com base em algum evento hormonal, sem nenhuma relação com Deus. Pode ser mais confortável presumir que sabemos como a vida funciona e como Deus age e que, hoje, ele não realiza mais milagres dessa categoria, ainda que isso ocorresse nos tempos bíblicos. É mais inquietante reconhecer a nossa ignorância sobre como a vida funciona e sobre como Deus age e que não possuímos critérios para decidir por que algumas orações encontram respostas e outras não. O salmo 113 nos encoraja a viver uma vida inquieta e sugere que, então, poderemos ver milagres que, de outra forma, não veríamos. James Smith expressa isso em termos de nos mantermos abertos às surpresas divinas, de esperar o inesperado.

SALMO 113-114 • SOBRE ESTAR ABERTO AO INESPERADO

Não é a sua abertura que faz o inesperado acontecer; ela não é nem mesmo uma condição para que isso ocorra (a mulher, no livro, já havia perdido a esperança, embora seja importante enfatizar que as suas amigas não). Deus é quem decide quando agir; e, se não esperarmos o inesperado, podemos não reconhecer quando isso acontecer.

Para uma família israelita, o fato de uma mulher não ser capaz de gerar filhos constituía uma grande tristeza, pois tê-los era uma função-chave que ela desempenhava para assegurar o futuro do seu povo e também de sua própria família. No caso de um homem, uma infelicidade da mesma magnitude era vinculada à sua incapacidade de fazer o negócio da família prosperar. Podia ser por sua própria incompetência de gerenciamento, por sua má sorte ou, talvez, por sua preguiça; é possível que fosse vítima de agiotas ou sofresse com invasões dos inimigos em sua propriedade; seja como for, o seu fim é no pó, no monturo. Como ocorre em nosso mundo, às vezes isso pode ser uma metáfora ou, outras vezes, uma realidade literal. Sem dúvida, muitos empreendedores fracassados jamais conseguem recuperar os seus negócios. Mas, às vezes, Deus lhes possibilita recomeçar e recuperar a sua posição de honra junto aos anciãos da sua vila, como líderes da comunidade. Uma vez mais, o salmo convida as pessoas a não verem aquele evento como um mero acaso ou o resultado de iniciativa humana, mas como a dádiva surpreendente de Deus.

Tais experiências por parte de um marido ou de uma esposa são reflexos do fato de que Deus é aquele que tanto se assenta entronizado nas alturas quanto olha para baixo a fim de ver o que está acontecendo na terra e se envolver aqui. Nessa conexão, o salmo 113 não é tanto uma oração a ser feita por alguém que está sobre um monturo (seu trabalho é orar por si e por socorro para sair dali) ou pela mulher estéril (nesse caso, ela deve orar por si e para obter alimento suficiente). Esse salmo é para ser usado pelas pessoas em geral, como uma expressão de louvor e de oração, parcialmente para que saibam como responder quando mulheres não conseguem engravidar ou homens estão sobre um monturo.

O salmo 114 oferece um encorajamento paralelo ao do salmo anterior, mas orientado à comunidade em vez de ao indivíduo. Nos séculos posteriores, esses dois salmos eram usados em conjunto, no início da refeição da Páscoa. Quando as pessoas se reuniam para esse evento familiar, elas podiam considerar significativo que o salmo 113 nos convide a celebrar o modo com que Deus se envolve com a vida das famílias, enquanto o salmo 114 seria, especialmente, adequado à Páscoa. Ele começa recordando o êxodo, a **libertação** do povo junto ao **mar de Juncos**, além de levá-los do outro lado do Jordão a uma nova terra, e retrata a natureza pulsando com o que vê Deus fazendo por Israel — um som diferente da tagarelice dos **egípcios** em sua língua estrangeira.

Em um contexto posterior, quando o povo não era, de fato, livre, subjugado por uma superpotência, haveria certa pungência nessa recordação. Não se podia acusá-los por pensarem que ainda não tinham experimentado a espécie de restauração da comunidade que viria, segundo os profetas. Então, é com esse relato que o salmista termina, com a referência a um tanque de água e uma fonte, porque Isaías 41 prometeu essa provisão aos pobres e necessitados (o que nos leva de volta ao salmo 113), como um modo de descrever a restauração vindoura e o retorno do povo do **exílio**. Assim, o salmo diz: "Vocês sabem como Deus proveu ao povo na jornada do Egito até a terra prometida? Bem, isso não foi algo que Deus fez uma vez, lá no início, mas algo que Deus realizou novamente, ao trazer o povo de volta do exílio. Isso é o que Deus faz, ao libertar e restaurar o seu povo. Portanto, é a espécie de ação pela qual podem esperar novamente."

SALMO 115
CONFIANÇA OU CONTROLE

1. Não a nós, *Yahweh*, não a nós, mas ao teu nome dá glória,
   por teu compromisso, por tua veracidade.
2. Por que as nações diriam:
   "Onde, então, está o Deus deles?"
3. quando o nosso Deus está nos céus;
   tudo o que deseja ele faz.
4. As imagens deles são prata e ouro,
   a feitura de mãos humanas.
5. Elas têm boca, mas não falam,
   têm olhos, mas não veem,
6. têm ouvidos, mas não ouvem,
   têm nariz, mas não cheiram,
7. [têm] mãos, mas não sentem,
   [têm] pés, mas não andam por aí;
   elas não fazem som com sua garganta.
8. Seus criadores se tornam como elas,
   todos os que nelas confiam.

9. Israel, confie em *Yahweh*! —
   ele é o seu socorro e o seu escudo.
10. Casa de Arão, confie em *Yahweh*!
    — ele é o seu socorro e o seu escudo.
11. As pessoas que estão no temor de *Yahweh*, confiem em
    Yahweh! —
    ele é o seu socorro e o seu escudo.
12. Nisso Deus tem se lembrado de nós, ele nos abençoará;
    abençoará a casa de Israel.
    Ele abençoará a casa de Arão,
13. abençoará as pessoas que estão no temor de *Yahweh*,
    o pequeno e o grande.
14. Que *Yahweh* acrescente a vocês,
    a vocês e aos seus filhos.

SALMO 115 • CONFIANÇA OU CONTROLE

¹⁵ Que sejam abençoados por *Yahweh*,
   criador dos céus e da terra.
¹⁶ Os céus são céus que pertencem a *Yahweh*,
   mas a terra ele deu aos seres humanos.
¹⁷ Embora os mortos não louvem a *Yah*,
   nem ninguém que desça ao silêncio,
¹⁸ nós adoraremos *Yah*,
   agora e para sempre.
   Louvem a *Yah*!

Hoje, recebi um *e-mail*, daqueles de corrente, contando uma história comovente sobre uma mulher que agiu generosamente em relação a um desabrigado e seu amigo com problemas mentais, que apareceram em um restaurante de comida expressa. O *e-mail* prometia que, caso retransmitisse aquela mensagem aos meus amigos, eu poderia fazer um pedido, e ele seria atendido. Se o enviasse a cinco pessoas, o meu desejo se realizaria em três meses; se o enviasse a dez pessoas, em cinco semanas; e assim por diante. As pessoas que retransmitem esse tipo de mensagem querem ter o controle de sua vida e de seu destino e acham que sabem como obter esse controle.

As pessoas descritas pelo salmista buscam cumprir o mesmo desejo pela fabricação de imagens de deuses para uso próprio. Uma imagem é algo que você pode ver e controlar, e, assim, os deuses representados por elas são seres que você pode controlar. Apresente as ofertas certas diante das imagens, e você obterá o resultado desejado. Essa teologia não difere muito daquela defendida por alguns cristãos, a teologia da máquina automática de vendas: insira a moeda certa, e a barra de chocolate será disponibilizada pela máquina. Similarmente, embora o salmo fale dos fabricantes de imagens como pertencentes a outras nações, os israelitas, com frequência, recorriam às imagens, de modo que um dos objetivos do salmo (talvez o principal) é falar a eles.

Os fabricantes de imagens poderiam, naturalmente, alegar: "Onde, então, está o seu Deus?" Em outras passagens, o Saltério se refere a essa questão em contextos nos quais as pessoas estão zombando de alguém porque Deus está falhando em agir em seu benefício, mas aqui a questão considera um significado distinto. As pessoas zombam porque não conseguem ver o Deus no qual os israelitas criam (ou deveriam crer). O salmo transforma aquela aparente fraqueza em força: "Sabe por que você não consegue ver o nosso Deus? Porque ele está nos céus, seu tolo!" Claro que os escarnecedores também acreditavam que os seus deuses estavam nos céus; claro que não criam que os deuses estavam contidos em suas imagens (pelo menos, em teoria). Contudo, eram incapazes de enxergar a conclusão óbvia de que, portanto, fabricar imagens desses deuses não fazia sentido. Se você crê que esses deuses podem realizar coisas, a imagem deles é pura incoerência. A própria natureza de uma imagem estabelece esse ponto; ela possui todas as partes corporais corretas para sugerir a capacidade de agir. Contudo, nenhuma dessas partes funciona. O resultado de confiar em entidades que nada podem realizar é que a pessoa que nelas crê, igualmente, nada pode fazer — um resultado triste, de fato, pois é o oposto do objetivo primário que motivou a sua fabricação, isto é, o de controlar a própria vida e destino.

Yahweh possui boca, olhos, ouvidos, mãos, pés e cordas vocais que funcionam à perfeição. Não se deve usar de literalidade na compreensão desse ponto, mas também não devemos descartá-lo como simples metáfora. Fomos criados à imagem de Deus como seres dotados de boca, olhos, ouvidos, mãos, pés e cordas vocais, e, por Deus possuí-los, é que, como personificação do Pai, Jesus também os teve. Estar nos céus e, portanto, em uma posição de poder, e possuir a capacidade de realizar coisas, significa que *Yahweh* é o verdadeiro Deus capaz de agir neste mundo. Ele pode ser um socorro e um escudo, aquele que nos abençoa e capacita as mulheres a gerarem filhos. Em certo sentido, é mais difícil confiar o seu futuro a um Deus que você não pode ver, mas, na verdade, isso é mais sensível. Você não terá aquele sentimento de estar no controle, mas, na realidade, terá mais segurança.

A referência aos mortos surge como uma surpresa, mas, talvez, seja pelo fato de ser mais uma forma pelas qual as pessoas tentam controlar o futuro, pela consulta aos mortos, especialmente familiares já falecidos, pedindo-lhes sua mediação junto a Deus em favor delas. O salmo, portanto, fecha outra avenida, vista como alternativa a confiar diretamente em *Yahweh*. Os mortos são inúteis, tanto quanto as imagens; não podem adorar a *Yahweh* (isso só será possível, claro, no dia da ressurreição, mas essa é uma outra história). Você pode. Uma vez mais, o salmo força as pessoas a buscarem relações diretas com o verdadeiro Deus.

SALMO 116
RAZÃO PARA CRER

1. Entrego-me, pois *Yahweh* ouve a
    minha voz, as minhas orações por graça.
2. Porque ele inclina os seus ouvidos para mim,
    pelos meus dias eu clamarei.

3. As cordas da morte me envolveram,
    as restrições do Sheol me encontraram.
4. Quando encontro obstáculo e tristeza,
    clamo no nome de *Yahweh*:
    "Ó *Yahweh*, salva agora a minha vida!"

⁵ *Yahweh* é gracioso e fiel;
    o nosso Deus é compassivo.
⁶ *Yahweh* cuida das pessoas simples;
    eu afundei, e ele me libertou.
⁷ Volte, meu espírito, para o seu descanso,
    pois *Yahweh* tratou com você.
⁸ Porque tiraste a minha vida da morte,
    meus olhos das lágrimas, meu pé de ser empurrado para baixo,
⁹ posso andar diante de *Yahweh*
    na terra dos viventes.
¹⁰ Eu confiei, porque pude dizer:
    "Tornei-me muito fraco."
¹¹ Eu disse em minha trepidação:
    "Todo ser humano engana."

¹² O que devo devolver a *Yahweh*
    por todas as suas tratativas comigo?
¹³ Levantarei a taça da libertação
    e clamarei no nome de *Yahweh*.
¹⁴ Cumprirei as minhas promessas a *Yahweh*,
    sim, bem diante do seu povo.
¹⁵ Valiosa aos olhos de *Yahweh*
    é a morte das pessoas que são comprometidas com ele.
¹⁶ Ó *Yahweh*, agora, sou teu servo,
    sim, sou teu servo, filho da tua serva;
    soltaste as minhas amarras.
¹⁷ Oferecerei um sacrifício de ação de graças a ti,
    clamarei no nome de *Yahweh*.
¹⁸ Cumprirei as minhas promessas a *Yahweh*,
    sim, bem diante do seu povo,
¹⁹ nos átrios da casa de *Yahweh*,
    no meio de Jerusalém.
    Louvem a *Yah*!

Ontem à noite, jantei com um jovem rapaz que tem sido um fiel adorador por grande parte de sua vida. Todavia, ele não está muito seguro se a adoração da qual participa é real no sentido de corresponder à verdade. Segundo expressou, ele não está certo quanto à veracidade da história cristã. Ele foi criado como um cristão e, realmente, deseja que ela seja verdadeira, e está disposto a entregar a sua vida ao serviço de Deus. Contudo, não tem certeza de que Deus está lá para ser servido e não sabe como mover-se dessa incerteza para uma certeza maior, seja como for. Não me ocorreu grandes ideias de como ajudá-lo a se mover, exceto (em resposta aos seus questionamentos) dizer-lhe como e por que eu vivo com base na sua veracidade.

O salmo 116 aponta para uma resposta a essas perguntas, embora haja uma percepção de que ela não ajuda muito o meu amigo. Ela não lhe fornece um procedimento para ser seguido, como aqueles usados para resolver problemas matemáticos ou científicos, nem evoca um sinal semelhante aos que ele acha que os demais receberam. O que, em geral, convence as pessoas de que a história cristã e a israelita são verdadeiras é a forma com que Deus as alcança pessoalmente, mas o salmo 116 sugere que, se isso lhe ocorreu, então o seu trabalho é falar da sua experiência aos outros. Embora apenas ouvir sobre como Deus alcançou a humanidade pode não ser tão eficaz quanto o próprio Deus alcançá-lo, pelo menos é melhor do que nada.

Portanto, o salmo 116 constitui um exemplo de salmo que é, ao mesmo tempo, de ação de graças e de testemunho. Próximo ao fim, o salmista fala, especialmente de ação de graças e de ofertas de gratidão que as pessoas podem apresentar a Deus quando estão conscientes de que suas orações foram respondidas. Esse salmo, igualmente, pressupõe que, em meio a experiências que levam as pessoas a clamarem a Deus (como uma grave enfermidade ou a hostilidade de outros), elas possam declarar a Deus: "E esperarei ansiosamente para apresentar diante de ti uma oferta que expresse a minha gratidão." O salmista, então, alegra-se em ser capaz de adentrar os átrios da casa de Deus para fazer aquela oferta. E a experiência de **libertação** das pessoas é reforçada pela articulação de sua gratidão e por expressá-la por meio de algo concreto, como uma oferta. Igualmente, é intensificada por sua união à refeição festiva que acompanha esse tipo de sacrifício, que envolve familiares e amigos, participantes no consumo do animal que foi sacrificado como parte da adoração, e todos na presença de Deus.

A experiência de libertação é, ainda mais realçada pelo fato de a ação de graças também ser um testemunho — isto é, embora a última parte do salmo seja dirigida a Deus, grande parte dele direciona-se a outros adoradores, pessoas como aqueles familiares e amigos que acompanhavam um indivíduo ao templo para apresentar uma oferta e partilhar a alegria. Então, há outro aspecto para o indivíduo cumprir as suas promessas; ele assim faz ao "clamar no **nome** de *Yahweh*", enquanto expressa a sua gratidão e proclama a grandeza de *Yahweh*. A confiança das demais pessoas em Deus é edificada por ouvir o seu testemunho. Podemos nos preocupar com a possibilidade de outras pessoas se entristecerem por testemunharmos sobre a ação de Deus em nossa vida e Deus não agir na delas. Um amigo meu comentou que, às vezes, hesita em dar graças a Deus por não desejar que outras pessoas se sintam mal. Seria insensibilidade agradecer a Deus pela cura enquanto outras pessoas permanecem enfermas, apesar de suas orações? Posso responder que durante todos aqueles anos durante os quais oramos pela cura da minha primeira esposa, sem que jamais Deus a garantisse, os testemunhos foram uma bênção em vez de outra ferida. A minha confiança foi reforçada por ouvir o testemunho de outras pessoas.

O salmo inicia-se de um modo levemente abrupto. A palavra para "entrego-me" é também a palavra para "amor", mas, quando falamos em amar a Deus, com frequência nos referimos a ternos sentimentos por Deus, apesar de observarmos no comentário sobre o salmo 98 que "amor", na Bíblia, significa "ação". Jesus diz, em João 14:15: "Se vocês me amam, obedecerão aos meus mandamentos." Aqui também "amar" significa entregar-se a Deus; trata-se de outra forma de declarar a ele: "Sou teu servo." Eis por que Deus está ligado a mim e o motivo da minha entrega e da minha confiança — o verbo "confiar" também é utilizado no salmo de uma forma abrupta. O objeto da minha entrega e confiança é Deus, mas, nas duas vezes, o salmo deixa de lado o objeto e foca a atitude.

Estou orando a Deus para que alcance o meu amigo de modo pessoal, ou que outros lhe digam como Deus tem agido na vida deles, e que esse testemunho o leve a uma convicção de que tanto a história cristã quanto a israelita correspondem à realidade.

SALMO 117
COMO DIZER MUITO EM POUCAS PALAVRAS

1. Louvem a *Yahweh*, ó nações,
    exaltem-no, todos vocês, povos.
2. Pois o seu compromisso conosco tem sido poderoso;
    a veracidade de *Yahweh* é para sempre.
   Louvem a *Yah*.

Se você deseja saber como louvar a Deus, aqui está a resposta. Convoque as pessoas a fazer isso e, então, forneça os motivos.

SALMO 118
ESTE É O DIA QUE O SENHOR FEZ

1. Confessem *Yahweh*, porque ele é bom,
   porque o seu compromisso é para sempre.
2. Israel deve, de fato, dizer:
   "O seu compromisso é para sempre."
3. A casa de Arão deve, de fato, dizer:
   "O seu compromisso é para sempre."
4. As pessoas que estão no temor de *Yahweh* devem, de fato, dizer:
   "O seu compromisso é para sempre."

5. No obstáculo clamei a *Yah*;
   Yah respondeu-me com amplidão.
6. Porque *Yahweh* é meu, não temerei;
   o que os seres humanos podem me fazer?
7. *Yahweh* é meu como meu auxiliador,
   e olharei para as pessoas que estão contra mim.
8. É melhor confiar em *Yahweh*
   do que crer em seres humanos.
9. É melhor confiar em *Yahweh*
   do que crer nos líderes.
10. Todas as nações me cercaram;
    no nome de *Yahweh* eu posso, de fato, eliminá-las.
11. Cercaram-me, sim, elas me cercaram;
    no nome de *Yahweh* eu posso, de fato, eliminá-las.
12. Cercaram-me como abelhas;
    foram extinguidas como uma fogueira de espinhos —
    no nome de *Yahweh* eu posso, de fato, eliminá-las.
13. Vocês me empurraram forte, para me fazer cair,
    mas *Yahweh* me socorreu.
14. *Yah* foi a minha força e proteção,
    e ele se tornou a minha libertação.
15. O barulho de ressonância e de libertação estava nas tendas dos fiéis:
    a mão direita de *Yahweh* age com força,

SALMO 118 • ESTE É O DIA QUE O SENHOR FEZ

¹⁶ a mão direita de *Yahweh* se eleva alto,
 a mão direita de *Yahweh* age com força.
¹⁷ Não morrerei, mas viverei,
 e contarei os feitos de *Yah*.
¹⁸ *Yahweh* disciplinou-me severamente,
 mas não me entregou à morte.

¹⁹ Abram os portões fiéis para mim;
 quando eu passar por eles, confessarei *Yahweh*.
²⁰ Esse é o portão de *Yahweh*;
 as pessoas fiéis passam por ele.
²¹ Confessar-te-ei, porque me respondeste
 e te tornaste libertação para mim.
²² "A pedra que os construtores rejeitaram
 tornou-se a pedra angular."
²³ Isso veio de *Yahweh*;
 é maravilhoso aos nossos olhos.
²⁴ Este é o dia que *Yahweh* fez;
 celebraremos e nos alegraremos nele.
²⁵ Ó *Yahweh*, agora tu nos libertarás? —
 Ó *Yahweh*, agora capacita-nos a prosperar.

²⁶ Abençoado seja aquele que vem em nome de *Yahweh*;
 nós os abençoamos da casa de *Yahweh*.
²⁷ *Yahweh* é Deus; ele brilhou a luz sobre nós —
 amarrem a oferta festiva com cordas aos chifres do altar.
²⁸ Tu és o meu Deus, e eu te confessarei —
 meu Deus, eu te exaltarei.
²⁹ Confessem *Yahweh*, porque ele é bom,
 porque o seu compromisso é para sempre.

Passei a integrar o corpo docente do meu seminário na Inglaterra na época da mudança para um novo *campus*, em uma outra cidade, de maneira que o início do meu primeiro ano ocorreu em um grande momento para a instituição, não apenas para mim. Enquanto caminhava pelo *campus*, naquela primeira manhã, recordo-me de haver cantado *"This is the Day That the Lord Has Made"* [Este é o dia que o Senhor fez]. Ocorre que iremos cantá-lo como nosso hino de abertura na igreja amanhã, mas o organista está preocupado por ele ser muito curto. Provavelmente, ele está certo ao considerar que dificilmente haverá tempo para a procissão sair do fundo da nossa pequena igreja e ocupar os seus lugares antes de o hino terminar. Portanto, disse-lhe que a cantaremos duas vezes, ou três. A questão mais interessante é o que queremos expressar ao cantarmos esse hino. Será o domingo o dia que Deus fez? Ou ele se aplica a todos os dias? Ou o quê?

Na origem, no contexto do salmo 118, o título da canção refere-se ao dia em que **Yahweh** agiu de forma espetacular para **libertar** o seu povo de uma crise. É bem provável que a melhor tradução seja: "Este é o dia em que *Yahweh* agiu", mas eu não quero estragar a música. A exemplo do salmo 116, trata-se de um salmo de gratidão e de testemunho e envolve toda a congregação. Contudo, ele, particularmente, envolve a voz na primeira pessoa, de alguém como o rei, um líder como Neemias, durante um período no qual Israel não possuía reis ou um líder de adoração. Inicialmente, esse líder convoca a congregação como um todo a se unir em louvor, então conclama os sacerdotes em particular e, por fim, as pessoas tementes a *Yahweh* (nos séculos posteriores, aquela expressão denotava os estrangeiros que tinham se comprometido com *Yahweh*, e talvez essa ideia se aplique aqui).

Então, o líder fala e recorda alguma crise — as palavras são de escopo geral, talvez porque, como de costume, o salmo fosse designado a ser usado em qualquer ocasião, quando o povo se reunia para dar graças por uma libertação. Isso inclui recordar o passado com afirmações sobre a contínua importância do que ocorreu. Pelo fato de haver experimentado a ação de Deus em prol da minha libertação, essa experiência reforçou a minha confiança nele. Uma das implicações é que posso enfrentar a próxima crise com menos temor. Outra consequência é constatar que confiar em Deus é melhor do que depositar a confiança em recursos humanos — isto é, confiar em alianças com outros povos e seus líderes. No meio do caminho, o líder dirige-se a um oponente como se ele estivesse presente — talvez estivesse literalmente ali, posicionado diante do povo, mas pode ser apenas a imaginação do líder, enquanto ele recorda a crise. Tratou-se de uma experiência de severa disciplina, que colocou uma enorme pressão sobre ele para que aprendesse as lições sobre em quem confiar e sobre como experimentar essa confiança.

Ao nos aproximarmos da última seção do salmo, torna-se mais explícito que ele envolve alguma alternância entre a fala do líder e a do povo. Podemos imaginar o líder, de fato, posicionado à frente dos portões da cidade ou do templo. Eles são os "portões **fiéis**" porque conduzem ao que era considerado ser um lugar fiel e, portanto, um local para o qual as pessoas fiéis podiam ir. O líder e o povo apresentam uma oferta de ação de graças como uma expressão concreta de sua gratidão pelo que Deus fez. Portanto, essa oferta festiva deve ser amarrada com cordas e levada ao **altar** para o sacrifício. A súplica a Deus, agora, para libertar e assegurar o sucesso, reflete a consciência de que um ato particular de libertação jamais é a última ação divina da qual você necessitará, mas, em geral, constitui somente um estágio na confirmação de Deus por sua segurança real. As declarações anteriores quanto a confiar e não temer não são apenas uma teoria piedosa; essa atitude precisa ser implementada em novos contextos.

Quando Jesus entrou em Jerusalém no lombo de um jumentinho e as pessoas gritaram "Hosana", em Marcos 11, elas usaram uma expressão hebraica, que significa: "Tu nos libertarás?" Isso não é mera coincidência, pois, logo após, complementam: "Abençoado seja aquele que vem em **nome** de *Yahweh*." Então, em Marcos 12:10, Jesus cita o versículo sobre a pedra, que parece um provérbio, ilustrado pela maneira com que os atacantes da cidade tinham desconsiderado o povo e o seu líder, mas ele triunfou contra todas as probabilidades. De maneiras distintas, o povo e Jesus veem o salmo lançando luz sobre o que Jesus é.

SALMO 119:1-24
AS LEIS DE DEUS COMO O CAMINHO PARA A BÊNÇÃO

1. Abençoadas as pessoas de integridade em seu caminho de vida,
    que caminham pelo ensino de *Yahweh*!
2. Abençoadas as pessoas que observam as suas declarações,
    que o buscam de toda a sua mente!
3. Sim, elas não fizeram nenhum mal;
    andam em seus caminhos.
4. Tu ordenaste os teus preceitos
    para serem bem guardados.
5. Oh, que os meus caminhos sejam firmes
    em guardar as tuas leis!
6. Então, não serei envergonhado
    quando olhar para todos os teus mandamentos.
7. Confessar-te-ei com retidão de mente
    enquanto aprendo das tuas fiéis decisões.
8. Guardarei as tuas leis;
    não me abandones totalmente.

SALMO 119:1-24 • AS LEIS DE DEUS COMO O CAMINHO PARA A BÊNÇÃO

9 Como pode um jovem manter o seu caminho puro? —
   guardando-o de acordo com a tua palavra.
10 Eu te busco com toda a minha mente;
   não me deixes desviar dos teus mandamentos.
11 Entesourei as tuas palavras na minha mente
   para não te ofender.
12 Tu deves ser adorado, *Yahweh*;
   ensina-me as tuas leis.
13 Com os meus lábios tenho proclamado
   todas as decisões da tua boca.
14 No caminho das tuas declarações tenho me alegrado
   como sobre todas as riquezas.
15 Murmurarei sobre as tuas ordens
   e olharei as tuas veredas.
16 Em tuas leis terei prazer;
   não ignorarei as tuas palavras.

17 Trata com o teu servo enquanto eu viver,
   e guardarei a tua palavra.
18 Abre os meus olhos para que eu possa ver
   as maravilhas do teu ensino.
19 Sou um peregrino na terra;
   não escondas os teus mandamentos de mim.
20 O meu espírito fraqueja de anseio
   por tuas decisões todo o tempo.
21 Tens destruído os obstinados;
   malditas são as pessoas que se desviam dos teus
   mandamentos.
22 Retira de mim o insulto e a vergonha,
   pois tenho observado as tuas declarações.
23 Mesmo que os oficiais se assentem para falar contra mim,
   o teu servo murmura sobre as tuas leis.
24 Sim, as tuas declarações são o meu prazer,
   as minhas conselheiras.

Hoje, após o culto, um amigo questionou-me sobre um tema que surgiu durante uma conversa entre ele e seu colega de trabalho. O meu amigo ficou surpreso por seu colega se dispor a trabalhar nos sete dias da semana — e quanto ao mandamento sobre o descanso no sábado? O colega replicou que todas as leis do Antigo Testamento haviam sido abolidas por Jesus. A princípio, fiquei perplexo, pois o colega é uma testemunha de Jeová, e ouvimos que esse grupo religioso possui regras bem inflexíveis (como recusar transfusões de sangue), mas creio que essas normas sejam para gentios e cristãos. O colega do meu amigo estava certo em observar que a exigência quanto ao sábado não era requerida de gentios e havia cessado como uma obrigação para os judeus que vieram a crer em Jesus (como observado por Paulo, em Colossenses 2). Todavia, consideramos que os demais mandamentos ainda têm algo a nos ensinar, e esse parece ser o caso com a ordem sobre o sábado, algo sobre um tempo para dedicar a Deus e ao descanso. As regras no Antigo Testamento não eram tabus ou impedimentos meramente aleatórios, designados a evitar que você desfrute da sua vida, mas foram estabelecidas para nos ajudar a viver de maneira verdadeiramente humana.

O salmo 119 é repleto de entusiasmo por essas regras. O seu autor era tão apaixonado por elas que isso resultou em outro salmo alfabético — trata-se de uma expressão lírica da palavra de Deus de *A* a *Z*. Isso não significa meramente começar um versículo com cada letra do alfabeto hebraico; o salmo compreende 22 seções, cada qual constituída de oito versículos, iniciados com a mesma letra. Portanto, os oito primeiros versículos começam com a letra hebraica equivalente ao *A* em nosso alfabeto; os versículos 9-16, com a letra equivalente ao *B*, e assim por diante. Uma das consequências da adoção desse padrão é que não há muito sequenciamento no conteúdo dos versículos — o que eles possuem em comum é a letra inicial ("Bem, o que mais a letra *B* me faz pensar?"). Por outro lado, isso significa que podemos meditar em cada versículo, de modo independente de seu contexto. Não pretendo comentar cada versículo — você pode tornar qualquer versículo um objeto daquela meditação.

Primeiro, o salmo ensina que a obediência às regras de Deus é o caminho para a bênção. A sua vida irá bem; você poderá andar de cabeça erguida; poderá esperar que Deus esteja sempre com você e jamais o abandonar. Caso contrário, uma maldição repousa sobre aqueles que se desviam dos mandamentos divinos. A terceira seção indica que o salmista não anda de olhos fechados para as realidades da vida. A despeito da declaração na primeira seção de que a obediência às regras de Deus significa ser capaz de andar de cabeça erguida e não se envergonhar, a terceira seção articula o sentimento de alguém que está sendo envergonhado. As pessoas que deveriam ter maior conhecimento falam contra o salmista, mas isso não faz o salmista abrir mão do seu compromisso de seguir essas regras. Algumas vezes, é preciso viver à luz do caminho no qual se acredita que as coisas funcionarão no devido tempo. Se essas pessoas importantes mostram que as suas palavras não devem ser consideradas, tanto pior para elas que deveriam ser boas conselheiras. O comportamento delas reforçará a convicção do salmista quanto às declarações de Deus serem as melhores conselheiras.

Assim, as leis de Deus constituem um prazer. Essa palavra aparece duas vezes nessas seções inaugurais; é um termo que, em outras passagens, descreve a felicidade e o deleite que uma criança traz à sua mãe. Os filhos constituem uma alegria. Você percebe que, ainda que compreenda os seus filhos razoavelmente bem, sempre haverá mais a aprender com eles. Você dedica toda a sua energia em manter a sua mente centrada neles e, então, em viver para eles. O salmo pode falar de pessoas que não cometem falhas em relação a essas leis, que mostram que não estão seguindo um padrão elevado e impossível. Os Dez Mandamentos ilustram esse ponto. Não é muito complexo adorar somente a **Yahweh** e não cultuar outros deuses, evitar fabricar imagens, guardar o sábado, evitar o adultério, e assim por diante. Não é tão esotérico, embora possa ser de difícil obediência, considerando que outras pessoas cultuam diferentes deuses e imagens, trabalham sem descanso e se envolvem em relações extraconjugais. A questão é se desejamos agir assim. O salmo nos encoraja a lembrarmos continuamente de que desejar viver pelas leis divinas é algo valioso. Não é a única chave que nos capacita a fazer esse compromisso, mas é uma delas.

SALMO 119:25-48
FIRME NAS PROMESSAS

25 O meu espírito está apegado ao pó:
   traze-me à vida de acordo com a tua palavra.
26 Proclamei os meus caminhos, e tu me respondeste;
   ensina-me as tuas leis.
27 Auxilia-me a compreender o caminho das tuas ordens,
   para que eu murmure sobre as tuas maravilhas.
28 O meu espírito chora de tristeza;
   eleva-me de acordo com a tua palavra.
29 Remove o caminho da falsidade de mim;
   agracia-me com o teu ensino.
30 Escolhi o caminho da veracidade;
   estabeleci as tuas decisões [diante de mim].
31 Apeguei-me às tuas declarações;
   Yahweh, não me envergonhes.
32 Percorro o caminho dos teus mandamentos,
   pois amplias a minha mente.

SALMO 119:25-48 • FIRME NAS PROMESSAS

33 Ensina-me o caminho das tuas leis, *Yahweh*,
  para que eu possa observá-las ao máximo.
34 Auxilia-me a compreender, para que observe o teu ensino
  e o guarde de toda a minha mente.
35 Direciona-me na vereda dos teus mandamentos,
  pois me deleito nela.
36 Inclina a minha mente às tuas declarações,
  não ao lucro.
37 Auxilia os meus olhos a deixarem de ver o vazio;
  traze-me à vida pelo teu caminho.
38 Estabelece para o teu servo o que disseste,
  que era para as pessoas que estão no teu temor.
39 Faze a minha injúria, que temo, passar,
  pois as tuas decisões são boas.
40 Ora, anseio por tuas ordens;
  na tua fidelidade traze-me à vida.

41 Que o teu compromisso venha a mim, *Yahweh*,
  e a tua libertação, de acordo com o que disseste.
42 E responderei à pessoa que me insultar com uma palavra,
  pois confio na tua palavra.
43 Portanto, não retires imediatamente da minha boca a tua
    palavra verdadeira,
  pois tenho esperado por tuas decisões.
44 E guardarei o teu ensino,
  para todo o sempre.
45 Assim, caminharei em amplidão,
  pois tenho buscado as tuas ordens.
46 E falarei das tuas declarações diante de reis,
  e não serei envergonhado.
47 Assim, terei prazer nos teus mandamentos,
  aos quais me entrego.
48 E levantarei as minhas mãos aos teus mandamentos, aos
    quais me entrego,
  e murmurarei sobre as tuas leis.

Ontem, encorajei a nossa congregação a colocar no papel seus motivos de gratidão, suas incertezas e os compromissos para o próximo ano, em alinhamento ao plano que mencionei em meu comentário sobre o salmo 105. Pouco antes de propor isso, percebi que havia outra questão cuja inclusão seria muito positiva (mas me pareceu tarde para acrescentá-la): Pelo que eles poderiam orar durante o próximo ano? Seria interessante verificar as respostas a essa questão depois de um ano. Hoje, percebo que ainda há uma pergunta que pode subsidiar a anterior: Quais promessas feitas por Deus a nós poderiam formar a base para as nossas orações?

O salmo 119 estimulou esse pensamento, pois uma de suas notáveis características é a maneira em que entremeia o discurso sobre os mandamentos e as promessas de Deus. Isso sugere que não podemos, na verdade, esperar reivindicar as promessas divinas, caso não estejamos vivendo à luz dos mandamentos de Deus. Por outro lado, o salmista presume o contrário: que, se estiver vivendo à luz das leis de Deus, pode esperar reivindicar suas promessas. Isso não sugere uma teologia da máquina automática de vendas, questionada pelo salmo 115; a exemplo de inúmeros salmos, esse pressupõe e, com frequência, se refere ao fato de que a vida, em geral, não funciona dessa maneira. Há um lado positivo em relação a isso: quando ignoramos os mandamentos divinos, com frequência, Deus revira os olhos, mas, apesar disso, mantém as suas promessas. Mas o salmo não se detém na experiência contrária, nas ocasiões em que a aplicabilidade limitada do princípio opera em nosso desfavor e coisas ruins atingem pessoas boas. O salmo ainda considera que vale a pena viver com base na existência de uma ligação entre mandamento e promessa.

Embora o salmista persista falando sobre as promessas divinas, não encontramos a palavra "promessa" no salmo.

SALMO 119:25-48 • FIRME NAS PROMESSAS

O idioma hebraico não possui uma palavra para as promessas feitas por Deus — há um termo para as promessas humanas, mas ele implica um voto, e o salmo não usa essa expressão em relação às promessas divinas. Elas são apenas a sua "palavra"; Deus diz, e isso significa que ele fará. Portanto, essa parte do salmo começa com o fato de que caí e estou prostrado no pó. Talvez a ideia seja a de que sou tão bom quanto um morto, porque o ser humano veio do pó e a ele retornará. Assim, eu oro, Deus, traze-me (de volta) à vida, "de acordo com a tua palavra", isto é, a promessa de que garantes a vida aos que vivem de acordo com a tua palavra de comando. Ou, novamente, "O meu espírito chora de tristeza". Literalmente, o meu espírito se derrete, mas talvez o meio de isso ocorrer seja pelo pranto. Assim, oro para ser removido da minha tristeza, "de acordo com a tua palavra", a promessa divina de não abandonar a pessoa naquela posição.

Eu poderia ser tentado a olhar em outros lugares pela solução dos meus problemas, procurar outros meios de ser removido da minha tristeza; assim, oro para que Deus faça essas tentações irem embora, porque no âmago do meu coração sei que os demais recursos são vazios. No caso de um israelita, as coisas vazias podiam ser outras divindades — o leitor cristão pode preencher a lacuna em seu caso. Portanto, aqui, eu oro, Deus, dá-me vida pelo teu caminho — pelo meu caminhar na vereda de *Yahweh*. Peço a Deus, então, para estabelecer e confirmar e, portanto, cumprir e realizar o que ele disse ao prometer ser essa espécie de Deus; ele *é* essa espécie de Deus para os que o temem e, assim, obedecem à sua palavra de comando. É desse modo que o **compromisso** de Deus se tornará uma realidade, quando ele age para me **libertar** "de acordo com o que [Deus] disse", ao fazer as promessas. Posso ignorar as palavras de outras pessoas (aquelas que me insultam ao afirmar que Deus não está ao lado de pessoas como eu), pois eu confio nas palavras de Deus. E, se Deus mantiver a sua palavra, isso significa que terei uma chance de testificar a sua verdade; assim, pedir para Deus não retirar a sua palavra de verdade da minha boca é outra forma de pedir que cumpra as suas promessas, que implemente a decisão **autoritativa** da qual necessito, para me libertar da minha crise.

SALMO 119:49-72
ENSINA-ME

⁴⁹ Lembra-te da tua palavra ao teu servo,
   na qual me tens feito esperar.
⁵⁰ Esse é o meu consolo em minha humildade,
   que o que disseste trouxe-me à vida.
⁵¹ Embora o obstinado me insulte grandemente,
   não tenho me desviado do teu ensino.
⁵² Lembro-me das tuas decisões do passado, *Yahweh*,
   e encontrei consolo.
⁵³ A raiva tomou conta de mim por causa das pessoas infiéis,
   pessoas que abandonam o teu ensino.
⁵⁴ As tuas leis têm sido a minha proteção
   na casa em que permaneço.
⁵⁵ Lembro-me de noite do teu nome, *Yahweh*,
   e guardo o teu ensino.
⁵⁶ Eis como tem sido para mim,
   porque tenho observado as tuas ordens.

⁵⁷ *Yahweh*, tu és a minha partilha;
   eu disse que guardaria as tuas palavras.
⁵⁸ Suplico de todo o meu coração:
   sê gracioso comigo de acordo com o que disseste.
⁵⁹ Refleti sobre os meus caminhos
   e voltei os meus passos para as tuas declarações.
⁶⁰ Apressei-me e não demorei
   em guardar os teus mandamentos.

SALMO 119:49-72 • ENSINA-ME

⁶¹ Embora as cordas dos infiéis estivessem ao meu redor,
  não ignorei o teu ensino.
⁶² No meio da noite levanto-me para te confessar
  por tuas decisões fiéis.
⁶³ Sou amigo de todas as pessoas que estão no teu temor
  e das pessoas que guardam as tuas ordens.
⁶⁴ A terra está cheia do teu compromisso, *Yahweh*;
  ensina-me as tuas leis.

⁶⁵ Tens feito boas coisas ao teu servo, *Yahweh*,
  de acordo com a tua palavra.
⁶⁶ Ensina-me a bondade de discernimento e reconhecimento,
  pois confio em teus mandamentos.
⁶⁷ Antes de me tornar fraco, eu estava me desviando,
  mas agora tenho guardado o que disseste.
⁶⁸ Tu és bom e fazes o bem;
  ensina-me as tuas leis.
⁶⁹ Os obstinados têm espalhado falsidade sobre mim,
  mas observo as tuas ordens com toda a minha mente.
⁷⁰ A mente deles é grossa como gordura,
  mas deleito-me no teu ensino.
⁷¹ Foi bom para mim que fosse levado para baixo,
  para que aprendesse as tuas leis.
⁷² O ensino que vem da tua boca é melhor para mim
  do que milhares de peças de ouro e de prata.

Estou avaliando os trabalhos dos alunos, e um dos efeitos que isso causa em mim (além de me levar a pensar em suicídio) é me fazer refletir sobre o que capacita as pessoas a aprender. Há aqueles que leem as Escrituras com olhos arejados, que veem coisas que lhes eram invisíveis antes; algumas que nem mesmo eu havia visto (talvez estabelecendo ligações com o que viram antes ou com experiências anteriores) — motivo pelo qual obtêm um *A*. Outros insistem em escrever o que aprenderam com seus professores da escola dominical quanto ao que a Bíblia diz em vez de lerem por si mesmos o texto bíblico. Existem pessoas para as quais descobrir o que a Bíblia diz constitui uma aventura estimulante; enquanto outras desejam apenas uma confirmação do que já acham que sabem.

O narrador, no salmo 119, persiste pedindo para ser ensinado por Deus. Conforta-me saber que Deus também reflete sobre como capacitar as pessoas ao aprendizado e como poder levá-las a pensar de novas maneiras. A natureza do aprendizado não permite impô-lo às pessoas, ainda que você seja Deus. No entanto, pelo menos, você consegue chegar em algum lugar se as pessoas desejam aprender. Caso seja o aprendiz, não o professor, isso o introduz a outro paradoxo. Você quer aprender, mas sabe que pode não "apreender". Assim, uma das notáveis expressões recorrentes no salmo 119 é a súplica: "Ensina-me", que surge duas ou três vezes nessas três seções.

Quando o salmista roga: "Ensina-me as tuas leis", creio que a súplica não significa meramente: "Informe-me sobre o conteúdo das tuas leis." Os israelitas sabiam muito bem que deviam cultuar somente *Yahweh*, renunciar à fabricação de imagens, serem cuidadosos com o uso do **nome** de *Yahweh*, guardar o descanso sabático, e assim por diante. Eles precisavam ser ensinados sobre esses mandamentos. Se tivessem alguma dúvida sobre que animais poderiam consumir e quais não, por não memorizarem as listas presentes na **Torá**, eles podiam consultar um sacerdote. Não havia a necessidade de serem ensinados por *Yahweh* nesse sentido. O problema do ensino e aprendizado é quanto esses mandamentos estavam internalizados, seja sobre adorar apenas a *Yahweh* ou renunciar às imagens, e assim por diante. Os mandamentos de *Yahweh* vão contra a corrente; o mais natural é cultuar inúmeros deuses e, assim, aumentar as suas chances; é ter uma imagem para lhe ajudar na adoração, anexar o nome de

SALMO 119:49-72 • ENSINA-ME

Deus aos seus projetos favoritos, ou trabalhar sem descanso, 24 horas por dia, sete dias por semana, para assegurar o alimento suficiente para sua família.

Pelo menos, é algo que o salmista deseja aprender. Esse desejo é um pensamento necessário, não uma condição suficiente para o aprendizado. Mas podemos saber que desejamos aprender, mas sermos impedidos por uma força interior da qual quase sempre não temos consciência. Como Deus responde à oração para nos ensinar?

Uma das respostas indesejadas do salmista é que ser afligido pode nos ajudar. O salmo refere-se à humildade, tornar-se fraco, ser levado para baixo — em cada citação, há uma variação da mesma palavra. O salmista sabe o que é ser derrubado. "Quando você não tem nada, não tem nada a perder", diz uma canção de Dave Morrison, um dos meus compositores favoritos. Ou ainda: "Liberdade é apenas outra palavra para não ter nada a perder", como Janis Joplin costumava cantar. O salmista sabe que a humilhação pode levar a pessoa a ser mais confiante e aberta ao que Deus precisa lhe ensinar. Um auxílio mais bem-vindo é a consciência de fatos positivos que me conduzem à obediência. O salmo fala de *Yahweh* ser a minha "partilha", usando a mesma palavra que descreve a distribuição da terra para uma família israelita. Talvez seja significativo que a sua partilha não é exatamente propriedade sua. Legalmente falando, não é possível vendê-la, tampouco alguém pode tirá-la de você. Nesse sentido, a sua posse está segura. Termos um relacionamento com Deus com a mesma segurança constitui uma motivação à obediência (em lugar de nos encorajar a considerá-lo como garantido). Outra consciência que é quase uma inversão da primeira é poder ver a evidência do **compromisso** de Deus em todo o mundo, não apenas em meu pequeno pedaço de terra; ela também me leva a obedecer a esse gracioso Deus. No entanto, outra percepção é a da bondade de Deus, demonstrada a mim de maneira pessoal, e como Deus mantém as suas promessas.

Dependemos de Deus para nos ensinar, mas isso não significa que não necessitamos lançar mão das chaves ao aprendizado que estão ao nosso alcance.

SALMO **119:73-96**
SOBRE ELEVAR O TETO DA NOSSA ESPERANÇA

⁷³ Tuas mãos me fizeram, me estabeleceram;
  ajuda-me a compreender para que eu possa aprender os teus mandamentos.
⁷⁴ As pessoas que estão no teu temor verão e celebrarão,
  pois tenho esperado por tua palavra.
⁷⁵ Reconheço, *Yahweh*, que as tuas decisões são fiéis,
  e em veracidade me trouxeste para baixo.
⁷⁶ Permite que o teu compromisso se torne o meu consolo,
  de acordo com o que disseste ao teu servo.
⁷⁷ Que a tua compaixão venha a mim para que eu possa viver,
  pois o teu ensino é o meu deleite.
⁷⁸ Que os obstinados sejam envergonhados, pois eles me puseram no erro por meio da falsidade,
  mas eu murmuro sobre as tuas ordens.
⁷⁹ Que as pessoas que estão no teu temor retornem a mim,
  as pessoas que reconhecem as tuas declarações.
⁸⁰ Que a minha mente seja de integridade em tuas leis
  para que eu não seja envergonhado.

⁸¹ O meu espírito é consumido [aguardando] pela tua libertação;
  pela tua palavra tenho esperado.
⁸² Os meus olhos são consumidos [aguardando] pelo que disseste,
  em afirmar: "Quando me consolarás?"
⁸³ Quando me tornei como um odre na fumaça,
  não ignorei as tuas leis.

SALMO 119:73-96 • SOBRE ELEVAR O TETO DA NOSSA ESPERANÇA

⁸⁴ Quantos são os dias do teu servo —
  quando tomarás uma decisão sobre os meus
    perseguidores?
⁸⁵ Os obstinados cavaram poços para mim,
  o que não está de acordo com o teu ensino.
⁸⁶ Todos os teus mandamentos são verdadeiros;
  quando as pessoas me perseguirem com falsidade,
    socorre-me.
⁸⁷ Eles quase me consumiram na terra,
  mas não abandonei as tuas ordens.
⁸⁸ De acordo com o teu compromisso, traze-me à vida,
  para que eu possa guardar as declarações da tua boca.

⁸⁹ A tua palavra dura para sempre, *Yahweh*,
  firmada nos céus.
⁹⁰ A tua veracidade dura de geração em geração;
  estabeleceste a terra, e ela tem permanecido firme.
⁹¹ Quanto às tuas decisões, elas têm permanecido firmes hoje,
  pois todas as coisas são para te servir.
⁹² Não fosse o teu ensino o meu deleite,
  então teria perecido em minha inferioridade.
⁹³ Jamais ignorarei as tuas ordens,
  pois por meio delas trouxeste-me à vida.
⁹⁴ Sou teu, liberta-me,
  pois tenho buscado as tuas ordens.
⁹⁵ Embora pessoas infiéis esperem me fazer perecer,
  mostro compreensão das tuas declarações.
⁹⁶ Tenho constatado que toda perfeição tem limite;
  mas não há limite para o teu mandamento.

Ontem, após alguns meses, conversei com um amigo que perdeu o seu emprego no ramo da construção, alguns anos atrás, não muito tempo depois de se mudar com a esposa e o filho para outra cidade, na qual lograram comprar uma casa e a situação no mercado de trabalho parecia melhor. Mas, então, o negócio da construção despencou novamente. Tenho pensado em ligar para ele, há algum tempo, mas segui falhando em fazê-lo. Ele e a sua esposa tinham um plano de abrir um negócio para auxiliá-los até que o setor de construção se reerguesse, mas pareceu-me um plano implausível, e um dos motivos pelos quais relutei em ligar é com medo que tenho das possíveis notícias. Transpareceu que eles ainda aguardam pela recuperação da construção (embora o seu negócio os tenha amparado). Enquanto pensava nesse casal, dirigi-me à capela do seminário, e lá começamos com uma meditação que falava sobre elevar o teto da nossa esperança. É muito fácil estabelecer um teto para a nossa esperança, acima do qual a perdemos.

A parte central dessas três seções anteriores do salmo 119 trabalha com esse fato. A espera pode se mostrar muito difícil; ela pode consumir você. É como estar privado de alimento físico e o seu corpo começar a se autoconsumir. Aqui, a espera não é por alimento físico, mas pelo cumprimento das promessas divinas. É como se esforço pela espera e a vigília cansassem tanto os seus olhos a ponto de você não conseguir mais mantê-los abertos. Repetindo, a espera é por uma resposta à pergunta de quando Deus trará consolo. "Quando?", o salmo pergunta duas vezes. "Quantos dias ainda viverei sendo molestado pelas pessoas?" E, como de costume, perguntar "Quando?" não é, na verdade, um pedido por informação (não mais do que quando os filhos perguntam: "Falta muito para chegarmos?", quando a viagem ainda está na metade). Se Deus responder: "Cerca de quatro anos", aquele que questiona, provavelmente, não replicará: "Ah, então está bem. Obrigado." Perguntar "Quando?" é uma forma indireta de suplicar: "Que seja agora." Esse fato conecta-se a algo sobre a natureza de "consolo". No Antigo Testamento, às vezes, o consolo é uma questão de palavras (como no idioma inglês), mas, outras vezes, é uma questão de ação — Deus nos consola agindo. O segundo caso é o que o salmista tem em mente. O mesmo aplica-se à menção de consolo e também ao compromisso de Deus, no versículo 76. A compaixão divina não consiste apenas em Deus dizer: "Está tudo bem, não chore!", mas em ele fazer algo pela nossa aflição.

Outra maneira de expressar a necessidade pela ação divina é sugerida pela imagem de um odre na fumaça. Na verdade, não sabemos ao certo o significado dessa imagem, embora a suposição tradicional seja de que um odre iria murchar e enegrecer na atmosfera esfumaçada do pátio de uma família israelita. Contudo, é fácil compreender que essa imagem sugere uma experiência desagradável. Assim, o salmista diz, o meu espírito é consumido, os meus olhos são consumidos — na verdade, todo o meu ser está quase totalmente consumido.

Contra o cenário da demanda de vivermos à espera do cumprimento da palavra de Deus, a terceira seção apresenta declarações notáveis de fé na palavra divina. A seção sugere dois motivos pelos quais é possível manter essa fé. Um deles é ter provado a veracidade da palavra de Deus antes; eu a experimentei pela dádiva da vida, no sentido de que a minha obediência à palavra de Deus significa que ele a mantém por mim. O outro é sugerido pelo último versículo, embora esteja expresso de modo obscuro, mas o seu ponto está alinhado com este pensamento: "Tenho visto as limitações ou os limites de todas as coisas, como a espécie de prioridades e ações nas quais os meus perseguidores acreditam, mas sei que os mandamentos de Deus abrem panoramas mais amplos para a minha vida do que essas prioridades, crenças e ações." Com frequência, as pessoas pensam que os mandamentos de Deus estreitam o nosso pensamento e a nossa vida. O salmista sabe que eles agem de modo contrário.

Portanto (retornando ao início dessas três seções), o salmista sabe que a espera valerá a pena e que as demais pessoas reconhecerão esse fato. Na verdade, mesmo a obrigação da espera pode contribuir para a nossa edificação.

SALMO 119:97-120
POSSO SER MAIS SÁBIO QUE O MEU PROFESSOR

⁹⁷ Quanto me entrego ao teu ensino —
  o dia inteiro é o meu murmúrio.
⁹⁸ Os teus mandamentos me fazem discernir mais que os
    meus inimigos,
  pois eles são meus para sempre.
⁹⁹ Ganhei mais discernimento que todos os meus professores,
  porque as tuas declarações são o meu murmúrio.
¹⁰⁰ Mostro mais entendimento que os anciãos,
  pois tenho observado as tuas ordens.
¹⁰¹ Mantenho o meu pé longe de todo caminho mal,
  para poder guardar a tua palavra.
¹⁰² Não me afasto das tuas decisões,
  pois tu tens me instruído.
¹⁰³ Quão suaves são as coisas que dizes ao meu paladar,
  mais que o mel para a minha boca.
¹⁰⁴ Por meio das tuas ordens eu mostro entendimento;
  por isso, eu me oponho a toda vereda falsa.

¹⁰⁵ A tua palavra é uma lâmpada para os meus pés,
  uma luz para o meu caminho.
¹⁰⁶ Jurei e confirmei
  que guardaria as tuas fiéis decisões.
¹⁰⁷ Estou oprimido, muito oprimido, *Yahweh*;
  traze-me à vida de acordo com a tua palavra.
¹⁰⁸ Favorece as ofertas livres da minha boca, *Yahweh*,
  e ensina-me as tuas decisões.
¹⁰⁹ A minha vida está na palma da minha mão, continuamente,
  mas não ignoro o teu ensino.

110 Pessoas infiéis armam ciladas para mim,
mas não me desvio das tuas ordens.
111 Fiz as tuas declarações as minhas próprias para sempre,
pois elas são a alegria do meu coração.
112 Inclino a minha mente para fazer as tuas leis
para sempre, ao máximo.

113 Oponho-me a pessoas divididas
e me entrego ao teu ensino.
114 Por seres o meu abrigo e o meu escudo,
espero por tua palavra.
115 Afastem-se de mim os que praticam o mal,
para que eu possa observar os mandamentos do meu Deus.
116 Ampara-me de acordo com o que disseste, para que eu viva;
117 Sustenta-me, para que eu encontre libertação
e tenha respeito por tuas leis continuamente.
118 Lance fora todos os que se desviam das tuas leis
porque o engano deles é falso.
119 Elimina todas as pessoas infiéis na terra como escória;
por isso, entrego-me às tuas declarações.
120 A minha carne estremece em reverência a ti;
estou no temor das tuas decisões.

Após a minha aula sobre os profetas, na noite passada, convidei os alunos à minha casa para alguns petiscos e chá. Durante a nossa conversa, uma aluna me perguntou o que eu mais apreciava em minha função de professor. Respondi que amava instruir as pessoas a lerem um trecho do Antigo Testamento e vê-las retornando com os olhos arregalados (isso pode ser algo positivo ou negativo!). Depois, desejei chamar a atenção dela para um aspecto da aula daquela noite, quando pedi a alguns alunos que lessem um diálogo entre os profetas Naum e Jonas, que havia sido escrito por outro aluno na sala de aula. Uma das recompensas de lecionar é beneficiar-se com as percepções e a criatividade dos seus alunos. Os questionamentos deles são parte integrante da dinâmica, pois, com frequência, levam à reflexão de elementos que, caso contrário, seriam desconsiderados. Houve exemplos desse processo também na aula daquela noite.

Em certos pontos, pelo menos, estudar as Escrituras torna os estudantes mais sábios do que os seus próprios professores ou mentores, quanto mais os seus inimigos. Nos Estados Unidos, os meus alunos são propensos a pensar que possuo todas as respostas, como se eu tivesse acesso a um apêndice secreto do Antigo Testamento, contendo as soluções para questões suscitadas pelo texto principal. Trata-se de um aspecto da confiança que depositam nos especialistas, que é mais comum na cultura norte-americana do que na britânica, que glorifica o amador (uma atitude que também possui as suas fraquezas). Nos Estados Unidos, portanto, parte do meu trabalho é levar os alunos a compreender que diante da Bíblia todos nós estamos na mesma posição. Os comentaristas podem, às vezes, nos ajudar, mas o nosso papel não é ler a Bíblia por meio dos olhos de outra pessoa (incluindo os olhos do autor da série *O Antigo Testamento para todos*).

A Bíblia é fonte de sabedoria (não a única fonte, claro, mas é sobre ela que estamos debruçados no momento). Assim, vale a pena entregar todo o meu dia ao seu estudo. Por diferentes motivos, seria fácil imaginar que todas as pessoas dotadas de sabedoria no mundo sejam professores, anciãos e inimigos, mas a sabedoria no ensino de Deus coloca todas essas pessoas à sombra. Portanto, estudar a Escritura é como degustar algo doce; desliza pela nossa garganta como mel. É como uma lanterna que nos possibilita andar por um caminho que, sem ela, seria escuro e perigoso, no qual seríamos incapazes de ver cobras e outros obstáculos (quando a minha vida está na palma da minha mão, como expressa o salmista — i.e., em uma posição na qual qualquer um pode tomá-la). O seu estudo é algo que nos traz alegria, embora, paradoxalmente, seja algo que nos faz estremecer. Sabemos que os riscos são elevados quando estudamos esse ensino. Trata-se de uma questão de vida ou morte.

A palavra para "ensino" é *torah*, e não seria surpresa se o salmista tivesse em mente especialmente *a* **Torá**, ou seja, Gênesis a Deuteronômio, que, em sua capacidade como *o* Ensino, relata a Israel o início do relacionamento de Deus com o povo e estabelece as expectativas consequentes de Deus. O estudo do ensino de Deus, enfatizado pelo salmo, envolve "murmuração". O salmo utiliza essa palavra algumas vezes nessa conexão. Quando os judeus estudam a Torá, tradicionalmente eles a murmuram; fazem isso não apenas como declamação, mas para que se torne parte do próprio ser deles, do seu próprio corpo.

SALMO 119:121-144
O MESTRE FIEL

¹²¹ Tenho tomado decisões fiéis;
    não me abandones aos opressores.
¹²² Faze uma promessa ao teu servo por coisas boas;
    os obstinados não devem me oprimir.
¹²³ Os meus olhos são consumidos [aguardando] pela tua
        libertação,
    pelo que disseste sobre a tua fidelidade.
¹²⁴ Age com o teu servo de acordo com o teu compromisso
    e ensina-me as tuas leis.
¹²⁵ Como teu servo, ajuda-me a compreender,
    para que eu reconheça as tuas declarações.
¹²⁶ É tempo de *Yahweh* agir;
    as pessoas têm violado o teu ensino.
¹²⁷ Por isso, entrego-me aos teus mandamentos,
    mais do que o ouro e a prata.

¹²⁸ Por isso, trato como reta toda ordem relativa a tudo;
   oponho-me a todo o caminho de falsidade.

¹²⁹ As tuas declarações são maravilhosas;
   por isso, o meu espírito as observa.
¹³⁰ A abertura das tuas palavras dá luz,
   ajudando o símplice a compreender.
¹³¹ Abri amplamente a minha boca e ofeguei,
   pois ansiei por teus mandamentos.
¹³² Volta o teu rosto para mim e sê gracioso comigo,
   de acordo com a tua decisão pelas pessoas que se
      entregam ao teu nome.
¹³³ Estabelece os meus pés pelo que dizes,
   para que nenhuma maldade me domine.
¹³⁴ Resgata-me da opressão humana,
   para que eu guarde as tuas ordens.
¹³⁵ Faze resplandecer o teu rosto sobre o teu servo
   e ensina-me as tuas leis.
¹³⁶ Dos meus olhos correm riachos de água,
   porque as pessoas não guardam o teu ensino.

¹³⁷ Tu és fiel, *Yahweh*,
   e reto em tuas decisões.
¹³⁸ Ordenaste a fidelidade das tuas declarações,
   e a veracidade, extremamente.
¹³⁹ A minha paixão me devora,
   porque os meus inimigos ignoram as tuas palavras.
¹⁴⁰ O que dizes foi muito provado,
   e o teu servo entrega-se a isso.
¹⁴¹ Embora eu seja pequeno e desprezado,
   não ignoro as tuas ordens.
¹⁴² A tua fidelidade dura para sempre,
   e o teu ensino é a verdade.
¹⁴³ Embora a tribulação e a angústia tenham me encontrado,
   os teus mandamentos são o meu deleite.
¹⁴⁴ A fidelidade das tuas declarações dura para sempre;
   ajuda-me a compreender para que eu viva.

SALMO 119:121-144 • O MESTRE FIEL

Uma de minhas antigas colegas costumava se divertir ao falar de sua primeira reunião com o seu chefe. Suas primeiras palavras para ela foram: "Como posso servi-la?"; "O que posso fazer por você?"; "Como posso ajudá-la a fazer o seu trabalho?" De certa forma, as perguntas parecem bajuladoras (definição de *bajulador* no Dicionário Oxford: "insinuar e elogiar de uma forma que é percebida como insincera ou excessiva"). Todavia, conheço o chefe em questão, e sei o que ele pretendia dizer. Ocasionalmente, ele era obrigado a tomar ou recomendar decisões **autoritativas** que eram difíceis para os funcionários, o corpo docente e os alunos (nos períodos mais graves, isso podia resultar em dispensas), mas sei que ele apenas estava buscando ser servil quando fez isso. O chefe, o "senhor", possuía um coração de servo, e os funcionários conheciam a natureza do seu coração e sabiam que podiam apelar a ela.

O salmo faz essa suposição quanto ao coração de Deus. A relação de Deus conosco é a mesma de um senhor para com o seu servo, e podemos pensar que esse modelo de relacionamento nos coloca firmemente em nosso lugar. Essa premissa é encorajada pelo fato de a palavra para servo ser, em geral, traduzida por "escravo". No entanto, o Antigo Testamento descreve a relação entre um senhor e o seu servo em termos muito mais ternos do que está implícito na compreensão geral. Além disso, a Escritura não mostra, praticamente, nenhum reconhecimento de escravidão no sentido em que a conhecemos, de uma pessoa possuir a vida de outra e ser livre para fazer o que desejar com ela. A relação de mútua confiança entre Abraão e seu servo, a quem Abraão comissiona a missão de encontrar uma esposa para Isaque, seu filho (Gênesis 24), constitui mais uma reveladora indicação da relação entre senhor-servo, idealizada pelo Antigo Testamento. Seria quase possível afirmar que o senhor é também um servo.

À luz dessa compreensão é que essa seção do salmo 119 apela cinco vezes ao estado de servo do suplicante. A sua implicação é que o servo, de fato, possui obrigações em relação ao seu senhor, mas este também possui obrigações com respeito ao seu servo. Primeiro, isso significa que, quando o servo estiver em dificuldades, o senhor é obrigado a ficar do lado dele e esforçar-se para oferecer proteção e resgate quando necessário. Com certa ousadia, o salmista insta o senhor a fazer uma promessa ao seu servo; em geral, as promessas perpassam o caminho contrário. O servo prossegue (segundo) para conclamar o seu senhor a agir à luz do seu **compromisso**. Trata-se de outra imagem ousada. Você faz uma promessa a alguém quando está em débito com ele e precisa oferecer alguma garantia de que irá cumprir com as suas obrigações. No caso, a implicação é que o senhor assume obrigações das quais não pode escapar.

Ao mesmo tempo, o relacionamento implica que o servo tem obrigações a cumprir com seu senhor, embora mesmo aqui o servo possa colocar alguma responsabilidade sobre os ombros do seu senhor. Assim, em terceiro lugar, o servo diz: "O senhor precisa me dizer quais são as minhas obrigações. Estou disposto a cumpri-las, mas é preciso que o senhor as estabeleça e me ajude a compreendê-las." O servo de Abraão, de fato, se relaciona com o seu senhor dessa maneira, com respeito ao seu comissionamento. Há ainda mais retidão na maneira com que o servo prossegue. Ele me faz lembrar de mim mesmo, quando ainda era um professor novato e irritei-me pelo que considerei ser uma lentidão da administração na tratativa de um assunto. Invadi a sala do meu chefe para lhe dizer que era hora de ele se recompor, tomar as rédeas da situação e resolvê-la. É incrível que eu não tenha sido demitido. Na verdade, o servo age da mesma maneira que eu agi. É quase possível vê-lo se apresentar diante de seu senhor, aos gritos: "*Yahweh*, é tempo de agires! As pessoas estão violando o teu ensino e não estás fazendo nada a respeito."

Há um contraste com o seu quarto apelo ao fato de ser um servo: "Faze resplandecer o teu rosto sobre mim." Quando um suplicante se apresenta diante de um rei ou de um senhor, se o rei ou o senhor franzir a testa, o suplicante está em grandes apuros. Todavia, se o senhor sorrir, então, significa que o pedido do suplicante será concedido. O resultado final depende, em parte, da espécie de servo que ele tem sido. Por fim, nesses versículos, o servo declara que tem se entregado ao que o seu senhor diz, cuja comprovação é abundante. No passado, ele já teve a chance de descobrir que as palavras do seu senhor são sábias, confiáveis e eficazes — isso pode referir-se tanto aos seus mandamentos quanto às suas promessas. O servo já comprovou que elas assim são e, portanto, entrega-se a elas. O verbo, com frequência, é traduzido por "amar", mas, uma vez mais, o verbo não denota meramente um terno sentimento. Na verdade, não importa se nos sentimos entusiasmados ou confusos com respeito às palavras de Deus. A questão é se fundamentamos a nossa vida com base nelas, em plena confiança e obediência.

É revelador que essas seções do salmo, que abordam o relacionamento entre senhor e servo, também abordem a ideia de **fidelidade**; elas começam citando a fidelidade do servo, mas discorrem muito mais sobre a fidelidade do senhor.

SALMO 119:145–176
O APELO DA OVELHA PERDIDA

¹⁴⁵ Clamo de todo o meu coração; responde-me, *Yahweh*,
   para que eu observe as tuas leis.
¹⁴⁶ Clamo a ti — liberta-me,
   para que eu guarde as tuas declarações.
¹⁴⁷ Antecipo o crepúsculo e clamo por socorro,
   enquanto espero por tua palavra.

¹⁴⁸ Os meus olhos antecipam as vigílias,
para murmurar sobre o que disseste.
¹⁴⁹ Ouve a minha voz de acordo com o teu compromisso;
Yahweh, traze-me à vida de acordo com a tua decisão.
¹⁵⁰ As pessoas que perseguem esquemas estão próximas;
elas estão distantes do teu ensino.
¹⁵¹ Tu estás perto, *Yahweh*,
e todos os teus mandamentos são verdadeiros.
¹⁵² Há muito reconheci as tuas declarações,
que as fundaste para sempre.

¹⁵³ Vê a minha humildade, resgata-me,
pois não tenho ignorado o teu ensino.
¹⁵⁴ Defende a minha causa e restaura-me;
à luz do que disseste, traze-me à vida.
¹⁵⁵ A libertação está distante dos infiéis,
porque não buscam as tuas leis.
¹⁵⁶ A tua compaixão é grande, *Yahweh*;
traze-me à vida de acordo com as tuas decisões.
¹⁵⁷ Embora os meus perseguidores e inimigos sejam muitos,
não me desviei das tuas declarações.
¹⁵⁸ Tenho visto traidores e os tenho abominado,
pessoas que não guardaram o que disseste.
¹⁵⁹ Vê que tenho me entregado às tuas ordens;
Yahweh, traze-me à vida de acordo com o teu
compromisso.
¹⁶⁰ A veracidade é o primeiro princípio da tua palavra,
e cada decisão fiel tua permanece para sempre.

¹⁶¹ Os oficiais me perseguem sem razão,
mas o meu coração tem permanecido no temor da tua
palavra.
¹⁶² Alegro-me sobre o que disseste,
como alguém que encontra muito despojo.
¹⁶³ Enquanto me oponho e abomino a falsidade,
entrego-me ao teu ensino.

SALMO 119:145-176 • O APELO DA OVELHA PERDIDA

¹⁶⁴ Eu te louvo sete vezes por dia
   por tuas fiéis decisões.
¹⁶⁵ Há muito bem-estar para as pessoas que se entregam ao
      teu ensino,
   e não há nada que as faça cair.
¹⁶⁶ Aguardo a tua libertação, *Yahweh*,
   e faço as coisas que ordenas.
¹⁶⁷ Guardo as tuas declarações com todo o meu ser
   e entrego-me totalmente a elas.
¹⁶⁸ Guardo as tuas ordens e as tuas declarações,
   pois todos os meus caminhos estão diante de ti.

¹⁶⁹ Que o meu ressoar chegue perto do teu rosto, *Yahweh*;
   de acordo com a tua palavra, ajuda-me a compreender.
¹⁷⁰ Que a minha oração por graça chegue diante do teu rosto;
   de acordo com o que disseste, resgata-me.
¹⁷¹ Que os meus lábios derramem louvor,
   pois me ensinas as tuas leis.
¹⁷² Que a minha língua cante o que disseste,
   pois todos os teus mandamentos são fiéis.
¹⁷³ Que a tua mão venha em meu socorro,
   pois escolhi as tuas ordens.
¹⁷⁴ Anseio por tua libertação, *Yahweh*,
   e o teu ensino é o meu deleite.
¹⁷⁵ Que o meu espírito viva,
   para que eu te louve.
¹⁷⁶ Tenho vagado como uma ovelha perdida: busca o teu servo,
   pois não tenho ignorado os teus mandamentos.

Um pastor beduíno relatou como ele cuidava de um rebanho de cabras no deserto da Judeia, próximo ao mar Morto. Antes de dormir, os pastores contavam os animais dos seus respectivos rebanhos, mas, por algum motivo, aquele pastor deixou de fazer a contagem por dois dias. Na manhã do terceiro dia, ele o fez e descobriu que faltava uma cabra. Assim, ele contou aos demais pastores que iria deixar o restante de seu rebanho com eles e sair à procura da cabra perdida. Ele descreveu como precisou subir colinas e descer vales e, portanto, ir bem longe do seu rebanho e dos outros pastores. Depois de algum tempo de busca, ele chegou a uma caverna, cuja entrada ficava no topo, como se fosse uma cisterna. Ele pensou na possibilidade de a cabra ter caído dentro da caverna e, assim, jogou uma pedra para ver se assustava o animal. Mas o que ele conseguiu foi atingir um vaso, e ouviu o som de cerâmica quebrando. Essa busca pela cabra perdida resultou na descoberta dos manuscritos do mar Morto.

Esse salmo gigantesco termina com a súplica de uma ovelha perdida. O relato em questão sugere que a ovelha se perdeu mais pela negligência dos pastores do que por sua própria obstinação e vontade, e o salmo implica que podemos nos perder mesmo quando não vagamos obstinadamente. O longo versículo de encerramento afirma: "Não tenho ignorado os teus mandamentos." O salmo pressupõe um cuidadoso estudo da **Torá**, do que *Yahweh* disse. Por um lado, isso significa estudar as leis, as declarações, os mandamentos e as ordens de *Yahweh*. Por outro, significa estudar a palavra de promessa de *Yahweh* e as suas decisões **autoritativas** sobre o que irá acontecer, as quais são expressões do seu **compromisso** e da sua **fidelidade**. O salmo, implicitamente, reconhece a nossa contínua necessidade de nos acautelarmos quanto a meramente seguir os nossos instintos humanos naturais, ou nos moldarmos às atitudes vigentes em nossa cultura. Portanto, sempre será necessário prestar atenção a esse estudo. Isso se aplica tanto ao modelamento moral da nossa vida quanto à moldagem das nossas expectativas e esperanças. Esse cuidado na consideração da Torá não significa um mero estudo teórico que resulta no conhecimento do que a Escritura diz. Trata-se de um estudo que se preocupa em observar as expectativas da Bíblia, em guardá-las e amá-las, no sentido de dedicar-se a elas, permanecer no temor delas, de obedecer a elas. Isso também implica invocar, clamar por socorro, suplicar por graça e aguardar a ação de Deus — isto é, em uma oração que leve Deus a agir em conformidade com os compromissos que ele assumiu, a agir como o pastor que dá tudo o que possui para resgatar uma única ovelha perdida, quer o animal seja responsável pela sua situação errante quer não.

Portanto, o estudo da Torá é estabelecido no contexto de uma vida de oração, quando a vida de oração é inserida no contexto de uma vida de estudo. O ponto é expresso, de forma mais vívida, na conversa sobre antecipar o crepúsculo e as vigílias. O crepúsculo é o momento de transição do dia para a noite e, assim, constitui um daqueles momentos nos quais os sacrifícios eram apresentados a cada dia, no templo, e quando as orações eram proferidas e os louvores oferecidos. A alusão às vigílias parece uma referência complementar ao período de transição entre o dia e a noite, outro momento no qual os sacrifícios diários eram apresentados. É outro tempo natural de oração, ainda que o indivíduo não estivesse em Jerusalém e, portanto, impossibilitado de ir ao templo para orar nessas ocasiões. Dessa maneira, o salmista fala de não ser capaz de aguardar pelo momento "oficial" de oração. As duas antecipações relacionam-se tanto à oração quanto à murmuração, ou à leitura da Torá em voz alta. A hipérbole envolvida no uso do verbo "antecipar" é complementada pela fala de louvar a Deus sete vezes por dia, cinco vezes mais do que as duas ocasiões oficiais que faziam parte da regra de vida da comunidade.

Parte da genialidade do salmo 119 reside em sua natureza unificada. Talvez o fato de ser um salmo alfabético ajude; ele cobre a vida com Deus de *A* a *Z*. As quatro seções finais, portanto, abrangem oito versículos cada, principiando com as quatro últimas letras do alfabeto hebraico, correspondentes a *q*, *r*, *s* e *t* (se tiver curiosidade quanto às letras posteriores do nosso alfabeto, então a resposta é que o *u* não está presente, porque o hebraico inclui apenas consoantes; *v*, *w*, *y* e *z* aparecem antes no alfabeto; e quem precisa do *x*, quando se tem *k* e *s*?). Isso expressa, mais consistentemente do que qualquer outra coisa, a suposição que perpassa o Saltério: que as pessoas de Deus tanto devem como podem se comprometer a obedecer ao que Deus diz. Isso desencoraja qualquer ideia de podermos oferecer desculpas por falharmos em viver uma vida que seja consistente com a Torá.

SALMO 120—121
PACIFICIDADE E PAZ

CAPÍTULO 120
Um cântico de peregrinação

1. A *Yahweh* clamei em minha tribulação,
    e ele respondeu.
2. *Yahweh*, salva a minha vida dos lábios mentirosos,
    de uma língua enganosa.

3. O que isso te dará, o que isso te acrescentará,
    língua enganosa?
4. As flechas de um guerreiro, afiadas,
    com brasas de arbustos de giesta.
5. Oh, quanto a mim, que eu permaneça em Meseque,
    habite com as tendas de Quedar.
6. Por longo tempo tenho habitado
    com alguém que se opõe à paz.
7. Eu sou pela paz,
    Mas, quando falo,
    eles são pela guerra.

CAPÍTULO 121
Um cântico de peregrinação

1. Elevo os meus olhos para as montanhas:
   de onde o meu socorro vem?
2. O meu socorro vem de *Yahweh*,
   criador dos céus e da terra.
3. Ele não permite que o seu pé vacile;
   o seu guarda não cochila.
4. Eis que ele não cochila nem dorme,
   o guarda de Israel.
5. *Yahweh* é o seu guarda,
   Yahweh é a sua sombra, à sua mão direita.
6. De dia o sol não o ferirá,
   nem a lua, de noite.
7. *Yahweh* o guarda de todo o mal;
   ele guarda a sua vida.
8. *Yahweh* guarda a sua saída e a sua chegada,
   desde agora e para sempre.

Após uma jornada de 24 horas, alguns amigos chegaram ontem à capital de um dos países mais difíceis e pobres do continente africano, o qual visitam, periodicamente, procurando auxiliar refugiados ali e fazer suas vozes serem ouvidas no Ocidente. O trabalho dos meus amigos não é, exatamente, admirado pelo governo local, que os transformou em refugiados, submetidos a perigos constantes, do mesmo modo que aqueles que buscam ajudá-los. Nós, que apoiamos as pessoas que fazem essas viagens, vivemos com certa ansiedade, durante as semanas em que elas permanecem na África, e respiramos aliviados após completarem a missão, serem transportadas à capital e embarcarem no voo que as levará de volta ao país de origem, na Europa.

SALMO 120-121 • PACIFICIDADE E PAZ

Durante o período dessa missão, pelo menos, eu expresso esses dois **cânticos de peregrinação** em favor deles. Eles vão a esse contexto pela **paz**, mas as pessoas a quem os nossos amigos buscam auxiliar são vítimas daqueles que se opõem à paz e buscam a guerra, mesmo reivindicando o contrário. O governo alega que os refugiados são rebeldes e desejam a guerra, enquanto ele, governo, deseja a paz; assim, usam essa alegação como desculpa para ações militares violentas. Trata-se de um contexto no qual não se pode assegurar a confiabilidade das palavras e das intenções do governo de origem dos refugiados. Ser pela paz e viver em paz não exclui a ideia de alguém estar furioso pelos enganos e agressões dessas pessoas.

O primeiro salmo segue um padrão comum, cujo início é recordar a maneira em que Deus respondeu à oração no passado. Essa recordação renova a confiança para orar pedindo a Deus para agir novamente. Com esse fundamento, o salmo declara que o engano não alcançará o seu objetivo; pelo contrário, recairá sobre os próprios enganadores. O salmo fala para alguém que não tem alternativa no momento, mas apenas viver longe de casa. Meseque fica na Turquia, e Quedar na Arábia; assim, elas são expressões metafóricas do viver em algum lugar muito distante de Jerusalém.

Enquanto a frustração e a raiva são mais dominantes que a tranquilidade, no salmo 120, a proporção, no salmo 121, se inverte. As montanhas cercam Jerusalém, e o salmo 125 indica como elas fornecem uma metáfora para o cerco de Deus àquela cidade. Desse modo, olhar para as montanhas não é causa de preocupação, como se o inimigo pudesse surgir diante dos seus olhos a qualquer instante (o inimigo, provavelmente, viria pelas planícies). Ao contrário, são motivo de encorajamento, não porque as montanhas em si fossem uma proteção, mas pelo que elas simbolizam. Olhar na direção delas providencia a resposta à questão sobre de onde o socorro virá, a resposta explicitada na declaração de que o socorro vem de **Yahweh**. Afinal, ele é o criador e, portanto, aquele capaz de proteger você.

Nesse ponto, igualmente, o salmo 121 complementa o salmo anterior. Uma base para a confiança é a resposta de *Yahweh* à oração no passado; outra é quem *Yahweh* é. Ele tem o mundo todo em suas mãos; portanto, ele tem você e eu, irmã, você e eu, irmão, nas mãos. *Yahweh* não é o tipo de vigia que cai no sono no meio da noite, quando tudo parece calmo, mas, na realidade, o inimigo está avançando na direção da cidade ou do acampamento. Ele está alerta o tempo todo, dia e noite (a referência à lua é uma espécie de equilíbrio poético pela menção ao sol, não uma indicação de que as pessoas pensavam que a lua era tão perigosa quanto o sol do meio-dia). Ele o guarda quando você deixa a cidade para ir à batalha ou cuidar dos campos; ou retornar de um lugar distante como Meseque ou Quedar, após a sua peregrinação, ou quando vai para o **exílio**; ele o guarda quando você volta da batalha, do dia de trabalho no campo, do exílio, ou quando faz a sua peregrinação, novamente, no ano seguinte, e por todo o tempo entre as duas jornadas.

SALMO 122—123
ORANDO POR JERUSALÉM, ORANDO POR GRAÇA

CAPÍTULO 122

Um cântico de peregrinação. De Davi.

1. Alegrei-me quando as pessoas me disseram:
    "Vamos à casa de *Yahweh*."
2. Nossos pés estão posicionados
    em teus portões, Jerusalém,

SALMO 122-123 • ORANDO POR JERUSALÉM, ORANDO POR GRAÇA

³ Jerusalém, que é construída como uma cidade
  que está unida em si mesma,
⁴ para a qual os clãs subiram,
  os clãs de *Yah*,
  (uma declaração para Israel),
  para confessar o nome de *Yahweh*,
⁵ pois os tronos para a tomada de decisões se assentam lá,
  tronos para a casa de Davi.
⁶ Peçam pelo bem-estar de Jerusalém;
  que as pessoas que se dedicam a ela estejam seguras.
⁷ Que haja bem-estar em sua muralha,
  segurança em suas cidadelas.
⁸ Pelo bem dos meus parentes e dos meus amigos,
  de fato falarei de bem-estar por vocês.
⁹ Pelo bem da casa de *Yahweh*, nosso Deus,
  buscarei boas coisas para vocês.

CAPÍTULO 123

Um cântico de peregrinação

¹ Elevarei os meus olhos a ti,
  que te assentas nos céus.
² Como os olhos dos servos
  na direção da mão dos seus senhores,
  como os olhos de uma serva
  na direção da mão da sua senhora,
  assim estão os meus olhos na direção de *Yahweh*, nosso Deus,
  até que seja gracioso conosco.

³ Sê gracioso conosco, *Yahweh*, sê gracioso,
  pois nos tornamos cheios de vergonha.
⁴ O nosso espírito tornou-se cheio
  do escárnio em relação a pessoas complacentes,
  da vergonha em relação às pessoas importantes.

SALMO 122-123 • ORANDO POR JERUSALÉM, ORANDO POR GRAÇA

Quando as pessoas me perguntavam do que esperava sentir falta ao deixar a Inglaterra e me mudar para os Estados Unidos, eu dizia que uma das principais coisas seria da proximidade de Israel. Partindo de Londres, eu poderia chegar lá em cerca de quatro horas, e costumava desfrutar das viagens em que levava um grupo de estudantes para ver a Bíblia surgir bem diante dos nossos olhos. No entanto, em outro sentido, não me importei pelo fato de essas viagens se tornarem menos práticas. Embora a situação em Jerusalém sempre tenha sido turbulenta e preocupante, ela se agravou cada vez mais. Não era a cidade da paz, sugerida por seu nome. Além disso, a exemplo dos países ocidentais, Israel como um todo tornou-se um lugar que conheceu grande prosperidade, mas cuja distribuição acabou sendo cada vez mais desigual.

O salmo 122 nos conclama a orar pelo *shalom* de Jerusalém. Para os israelitas, a importância da cidade como o local central de adoração e de administração da justiça, a transformou em um lugar pelo qual era natural orar, quer vivêssemos lá quer não. O termo *shalom* possui duas conotações: orar por *shalom* implica orar pela paz, como o discurso paralelo sobre segurança indica. Igualmente, implica orar por um **bem-estar** mais amplo, do mesmo modo que a conversa paralela sobre boas coisas sugere. As pessoas oram por Jerusalém dessa maneira, tanto pelo bem dos parentes e dos amigos, porque a capital importa a todos os que vivem em vilarejos distantes, e pelo bem da casa de *Yahweh*. A coisa mais importante sobre Jerusalém era o fato de o templo estar lá. *Yahweh* vivia ali.

A exemplo do salmo 84, esse fala aos que tinham tido a oportunidade de ir a Jerusalém para um festival anual, para a Páscoa, na primavera, Pentecostes, no início do verão, ou **Sucote**, no outono, e que, agora, retornavam às suas casas para retomar a sua rotina. Talvez isso indique que eles não podiam participar de todos os três festivais anuais, ainda que a **Torá** fale nesses termos; era necessário que priorizassem as tarefas da vida na fazenda. Todavia, naquele ano eles assumiram um compromisso coletivo de ir, e tiveram a experiência de realmente estarem junto aos portões de Jerusalém, a cidade que é tão impressionante e solidamente construída. Uniram-se a outras pessoas de todos os clãs de Israel, na adoração a *Yahweh*. Os tronos para o rei davídico e outras pessoas da capital, envolvidas na tomada de decisões **autoritativas**, relacionavam-se à importância política da cidade, ou podiam, mais imediatamente, estar relacionados ao fato de a administração real ser a suprema corte do povo. Se os anciãos da sua vila não fossem capazes de lidar e com uma situação de conflito local e decidir quanto a ela, então a decisão sobre o caso caberia à administração real, e o caso seria levado a Jerusalém, quando você peregrinaria até lá.

Deus, ultimamente, não tem respondido às orações pela paz de Jerusalém. Talvez devêssemos orar mais e à maneira do salmo 123. A forma pela qual os cristãos discutem com os judeus e muçulmanos sobre Jerusalém, e como esses diferentes grupos conflitam entre si, constitui um bom motivo para os descrentes escarnecerem de nós e para nos sentirmos envergonhados. O que podemos fazer é ir envergonhadamente diante de Deus, como jovens servos e servas. Os servos não detêm nenhum poder ou prestígio, mas possuem um senhor ou uma senhora que tem poder e prestígio e pode intervir em favor do seu servo ou da sua serva. A exemplo das falhas de nossa relação com Jerusalém e em outros aspectos da nossa vida, tudo o que podemos fazer é rogar a Deus por graça, a exemplo do que o salmista faz em três ocasiões.

SALMO 124—125
MONTANHAS AO REDOR DE JERUSALÉM, E YAHWEH AO REDOR DO SEU POVO

CAPÍTULO 124

Um cântico de peregrinação. De Davi.

1. Não fosse *Yahweh* ser nosso,
   Israel deve, de fato, dizer,
2. não fosse *Yahweh* ser nosso
   quando as pessoas se levantaram contra nós,
3. então elas teriam nos engolido vivos
   em sua ira ardente contra nós;
4. então, as águas nos teriam carregado,
   a torrente teria passado sobre nós;
5. então, teriam passado sobre nós
   as águas turbulentas.
6. *Yahweh* seja adorado,
   pois não nos entregou por presa aos seus dentes.
7. A nossa vida é como um pássaro que escapou da armadilha
      dos caçadores.
   A armadilha quebrou, e nós escapamos.
8. O nosso socorro é o próprio nome de *Yahweh*,
   criador dos céus e da terra.

CAPÍTULO 125

Um cântico de peregrinação.

1. As pessoas que confiam em *Yahweh* são como o monte
      Sião,
   que não cairá — que permanecerá para sempre.
2. Jerusalém — as montanhas estão ao redor dela;
   Yahweh — ele está ao redor do seu povo, agora e para
      sempre.
3. Pois o bastão dos infiéis não repousará
   sobre a alocação dos fiéis,

> para que os fiéis não coloquem
> as suas mãos na transgressão.
> ⁴ Faze o bem, *Yahweh*, às pessoas que são boas,
> sim, aos retos de mente.
> ⁵ Mas as pessoas que se desviam por caminhos tortuosos,
> as pessoas que agem perversamente, que *Yahweh* as faça
> ir [embora].
> Que o bem-estar [esteja] sobre Israel!

No fim de semana passada, ouvimos uma conversa, enquanto estávamos no metrô de San Francisco, na qual o pai de duas crianças pequenas, a caminho do aeroporto com outras pessoas de diferentes partes do país, relatava uma história. A família vive em Illinois, e os filhos tinham se impressionado com os arranha-céus quando visitaram Chicago. Então, ao viajarem de férias para o Parque Nacional de Yosemite, as crianças maravilharam-se com o El Capitan, o imponente monólito de granito. Um dos filhos comentou: "Puxa, Deus é um construtor muito mais incrível que os seres humanos, não é mesmo?"

Quando as traduções apresentam os salmos comparando Deus a uma montanha, a palavra hebraica, em geral, denota algo mais do que um simples rochedo. Os salmos 94 e 95, por exemplo, descrevem Deus como o rochedo que nos providencia refúgio e que nos **liberta**. O salmo 121 fala sobre olhar para as montanhas com um sentido mais simbólico da força e da proteção de Deus. O salmo 125, igualmente, começa com o fato de que, de Jerusalém, pode-se avistar as elevações maiores, como o monte das Oliveiras. A imagem se tornaria mais forte à medida que retrocedêssemos aos tempos do Antigo Testamento, porque a Jerusalém de Davi situava-se na região mais baixa da cidade e, com o passar do tempo, a cidade desenvolveu-se em direção a áreas mais elevadas (embora, desde o início, esteja cercada por colinas íngremes que fornecem proteção contra os ataques dos inimigos): "Jerusalém — as montanhas estão ao redor dela", como se fossem os braços de uma mãe envolvendo o seu bebê. Assim, essa expressão forneceu ao povo uma imagem encorajadora: "*Yahweh* — ele está ao redor do seu povo" também.

As montanhas também são um símbolo de estabilidade e permanência. Quando ocorre um terremoto, há mudanças no solo, mas elas não são comparáveis em espetáculo ou perigo ao colapso que os abalos sísmicos causam aos arranha-céus construídos pelo ser humano. De modo geral, pode-se concluir que as montanhas em torno de Jerusalém sempre estarão lá, e a mesma suposição pode ser feita em relação à cidade. O salmo também incorpora outra elevação nessa imagem. O monte **Sião** possui uma força e uma invulnerabilidade derivadas do fato de ser não apenas um monte como os demais, mas o pico com o qual *Yahweh* se comprometeu. Portanto, do mesmo modo que *Yahweh* é forte e permanece firme, o monte Sião é forte e firme, e assim também o são as pessoas que confiam em *Yahweh*. Dado o nosso modo de pensar ser psicologicamente influenciado, somos propensos a inferir que essa firmeza reside em uma força interior que as pessoas desenvolvem pela confiança em *Yahweh* e que há veracidade nessa suposição, mas esse não é o ponto do salmista. A segurança das pessoas reside não em uma força interna, mas no fato de a confiança delas em *Yahweh* significar a constante vigília e proteção divina sobre elas. *Yahweh* não lhes dá meramente força interior, mas, em uma situação na qual elas estão objetiva e externamente vulneráveis, ele as protege de sucumbirem diante da autoridade de algum poder estrangeiro que agite o seu bastão sobre a terra que lhes foi dada por Deus. É bom que Deus assim os proteja, pois um evento desses pode pressioná-los a buscar os caminhos **infiéis** de seus conquistadores — a adorar os deuses deles ou seguir os seus caminhos em outros aspectos.

A convicção expressa na primeira parte do salmo não dispensa a necessidade de orar a Deus por proteção. Pelo contrário, a encoraja. A espécie de testemunho manifestada no salmo 124 também possibilita isso. A segurança com a qual o salmo 125 se expressa não descarta crises e ameaças. Houve, de fato, ocasiões nas quais Jerusalém esteve sob ataque e quase caiu. Nos dias de Isaías, Senaqueribe, rei da **Assíria**, relata ter sitiado o rei Ezequias em Jerusalém, a sua própria capital, "como um pássaro em uma gaiola". No entanto, a gaiola estava fechada pelo lado de dentro, e também do lado externo, e a cidade não caiu na mão dos assírios (claro que isso ocorreu quando *Yahweh* decidiu retirar a sua proteção como um ato de punição). Na verdade, a proteção da cidade era o próprio *Yahweh*. A cidade subsiste até hoje.

SALMO 126—127
LAMENTO E INSÔNIA

CAPÍTULO 126

Um cântico de peregrinação.

1. Quando *Yahweh* renovou a sorte de Sião,
   tornamo-nos como pessoas que sonhavam.
2. Então, nossa boca encheu-se de risos,
   e a nossa língua com retumbância.
   Então, disseram entre as nações:
   "*Yahweh* mostrou grandeza ao agir com eles."
3. *Yahweh* mostrou grandeza ao agir conosco;
   tornamo-nos pessoas celebrando.

4. Renova a nossa sorte, *Yahweh*,
   como os canais no Neguebe.

SALMO 126–127 • LAMENTO E INSÔNIA

⁵ Que as pessoas que semeiam em lágrimas
  colham com retumbância.
⁶ A pessoa que sai pranteando,
  carregando um saco de sementes,
voltará com retumbância,
  carregando os seus feixes.

CAPÍTULO 127

Um cântico de peregrinação. De Salomão.

¹ Se *Yahweh* não edificar a casa,
  em vão trabalham os seus construtores.
Se *Yahweh* não guardar a cidade,
  em vão o guarda permanece acordado.
² Inútil é para vocês serem pessoas que levantam cedo,
  pessoas tardias em se sentar,
pessoas que comem o pão da labuta —
  sim, ele concede o sono aos seus amados.
³ Ora, os filhos são a sua possessão de *Yahweh*;
  o fruto do ventre é uma recompensa.
⁴ Como flechas na mão de um guerreiro,
  assim são os filhos da juventude.
⁵ Abençoado o homem que
  enche a sua aljava com eles!
Deles não terá vergonha
  quando falarem com oponentes no portão.

A exemplo de todo mundo, quando estou aflito, ansioso ou preocupado, não consigo pegar no sono. Em certas ocasiões, nem mesmo sei o que está me preocupando. Embora tenha tido problemas para dormir, logo após o falecimento da minha primeira esposa, em geral, enfrento menos dificuldades agora do que quando era mais jovem. Lembro-me, em particular, de ter noites de insônia na época da minha primeira ordenação e envolvimento no ministério paroquial, creio que por toda a ansiedade desse início. Devo ter contado esse problema ao meu reitor, pois recordo-me de ele ter citado o salmo 127 para mim: "Ele concede o sono aos seus amados." Creio que sua intenção foi no sentido de eu me apropriar dessa promessa. Esse comentário sobre o sono, na verdade, relaciona-se a uma questão que jaz por trás do nosso problema com a insônia. Li em algum lugar que os países campeões mundiais no quesito insônia são os Estados Unidos, a Alemanha e o Reino Unido, apesar de os dois primeiros constituírem as maiores economias do mundo e da Europa. Um dos motivos desse sucesso econômico é o fato de os seus cidadãos trabalharem duro. A mensagem do salmo é, portanto: "Alto lá! Recuem! O que vocês pensam que estão fazendo e por quê?" Você pode investir o máximo de energia na busca por realização e proteção, mas, no longo prazo, ou mesmo no curto, isso pode levar a lugar nenhum. O salmista não está sugerindo que as pessoas não devem construir casas ou proteger as suas cidades do ataque inimigo. Isso nos adverte de que não temos tanto controle assim sobre o nosso destino e o nosso futuro como imaginamos. A implicação paradoxal é: "Relaxe. Deus ama você. E, de qualquer forma, é a atividade construtora de Deus que importa."

Um amigo meu costuma reclamar que o seu pai gastou tanto tempo trabalhando para salvaguardar o futuro da família que não tem tempo para ela no presente. Seria bom se a segunda parte do salmo 127 fizesse essa ligação, mas o que estabelece é um ponto distinto. O salmo não faz uma desvalorização implícita das filhas, mas comenta sobre o aspecto particular do valor dos filhos. Quando envelhecemos, não temos mais a força que outrora tivemos e, claro, é de grande auxílio ter um punhado de jovens grandes e fortes para nos acompanhar quando há algum conflito que precisa ser resolvido e que sozinhos não conseguimos solucionar (ou quando há todo um campo para ser semeado e os bois sejam difíceis de manejar).

Não seria surpresa se a insônia também estivesse por trás do salmo 126. A cada outono e inverno, é possível que a pessoa sinta alguma ansiedade enquanto sai do seu vilarejo para arar os campos e semear as suas sementes. É possível que tenha chorado enquanto fazia isso, afinal nunca se sabe se haverá chuva suficiente e na época certa, durante os próximos meses, para produzir uma boa colheita. O salmo começa encorajando as pessoas a recordarem como, anteriormente, já haviam substituído o silencioso pranto pelo ruidoso regozijo. Foi algo que não passou despercebido pelas demais pessoas, levando-as a reconhecer quão grandioso é Deus. Numa situação na qual a comunidade, uma vez mais, necessita de restauração, o salmista relembra a si mesmo e a Deus do evento anterior. Talvez semear em lágrimas e colher em júbilo seja uma metáfora para outra e mais ampla restauração da comunidade, a exemplo da ocorrida após o **exílio**. Seria como a época na qual, chegando o verão, os fazendeiros foram capazes de voltar para casa carregando muitos feixes de grãos. Todavia, a experiência anual de ser capaz de fazer isso seria indescritivelmente jubilosa, quando as pessoas constatassem que haveria alimento suficiente até a próxima colheita. O salmo é, com frequência, usado no Dia de Ação de Graças, e isso nos faz refletir sobre as lágrimas vertidas pelos colonos ingleses originais, espalhados nas colônias, em seu primeiro ano, quando praticamente não havia quase alimento, e o júbilo que devem ter experimentado ao verem a sua primeira colheita.

SALMO 128—129
BÊNÇÃOS E ATROCIDADES

CAPÍTULO 128

Um cântico de peregrinação.

1. Abençoado todo aquele que está no temor de *Yahweh*,
    que anda em seus caminhos!
2. Pois comerá do fruto das suas mãos;
    as bênçãos e as boas coisas serão suas:
3. sua esposa será como uma videira frutífera nos aposentos
        internos da sua casa,
    seus filhos serão como brotos de oliveira ao redor
        da sua mesa.
4. Certamente, portanto, assim alguém será abençoado,
    um homem que está no temor de *Yahweh*.
5. Que *Yahweh* o abençoe desde Sião;
    que veja todas as boas coisas de Jerusalém,
        todos os dias da sua vida,
6. que olhe para os seus netos.
    O bem-estar [esteja] sobre Israel!

CAPÍTULO 129

Um cântico de peregrinação.

1. As pessoas têm me atacado desde a minha juventude,
    Israel deve, de fato, dizer,
2. as pessoas me atacaram muito,
    embora não tenham prevalecido sobre mim.
3. Sobre as minhas costas os lavradores araram;
    fizeram longos sulcos.
4. *Yahweh* é fiel;
    ele cortou as cordas das pessoas infiéis.
5. Que sejam envergonhadas e voltem atrás
    todas as pessoas que estão contra Sião.

SALMO 128-129 • BÊNÇÃOS E ATROCIDADES

> ⁶ Que se tornem como a grama nos telhados
> que murcha antes que alguém a arranque,
> ⁷ com a qual um ceifeiro não enche a sua mão,
> ou um coletor o seu braço,
> ⁸ e os transeuntes não digam:
> "A bênção de *Yahweh* esteja sobre você —
> nós os abençoamos em nome de *Yahweh*."

No jornal eletrônico satírico *The Onion* [A Cebola], uma das manchetes mais recentes anunciava: "A falta de interesse da mídia torna desnecessário o acobertamento de genocídios." A "matéria" explicava que um senhor da guerra africano havia declarado que o global desinteresse sobre o assassinato em massa de um dos grupos étnicos daquele país o havia levado a se arrepender dos esforços investidos no ocultamento das atrocidades — o sepultamento dos corpos em covas coletivas secretas, o incêndio de vilas inteiras para destruir evidências, e assim por diante. Ele esperava que houvesse o escrutínio da mídia ou uma missão investigativa da ONU. "Na próxima vez, deixarei os corpos exatamente onde caíram, com os facões ainda cravados na cabeça." Esse jornal especializou-se em matérias de péssimo gosto, mas a reportagem nos leva a exclamar: "Misericórdia!" O genocídio no Sudão suscita um interesse inexpressivo na mídia do Ocidente.

É como se uma milícia estivesse deitando as pessoas no solo e passando o arado sobre elas, abrindo a espécie de sulcos que o agricultor abre no solo com essa ferramenta. O salmo 129 usa essa imagem para descrever a experiência de Israel. O povo conta a sua história nacional como se fosse um indivíduo submetido a esse tratamento bárbaro e vê esse abuso como característico de toda a sua história, de toda a sua vida como nação. Tudo começou com o ataque unilateral dos amalequitas, quando os israelitas eram uma multidão fatigada, sedenta e faminta de servos, que tinham fugido do **Egito** (Êxodo 17). Foi um ataque do qual escaparam com vida somente por causa de um milagre. Quando consideramos a subsequente experiência do povo judeu, ao longo dos séculos, o milênio que o salmista desconhece, é, de fato, miraculoso que as nações não tenham "prevalecido" sobre eles.

Os ocidentais são propensos a desconsiderar uma oração como a expressa pelo salmo, porém a oração é o único recurso de uma pessoa indefesa, sem metralhadoras ou drones à sua disposição. O salmista considera correto que as vítimas indefesas de uma pretensa limpeza étnica olhem para Deus não apenas por proteção, mas também pela derrota dos perpetradores de atrocidades. Implicitamente, o *site* que mencionei no início adota essa mesma visão quando satiriza a tolerância do Ocidente aos crimes de guerra.

A justaposição dos salmos 128 e 129 sobrepõe, perfeitamente, conjuntos de convicções e experiências que se tensionam, embora façam parte da experiência do povo de Deus. Israel não permite que a experiência descrita no salmo 129 o faça desaparecer das promessas do salmo 128. Na realidade, a esperança de que os opressores podem ser derrubados é, praticamente, impossível sem a convicção de que as bênçãos vêm sobre os que temem **Yahweh**. Israel não nega a realidade de sua experiência de abuso, tampouco permite que essa realidade os faça cessar de crer que Deus é aquele que abençoa. Talvez seja significativo que o salmo 128 fale da vida familiar, enquanto o salmo posterior discorra sobre a vida da nação. Os crimes de guerra, presentes no salmo 129, certamente afetam as famílias, e as promessas do salmo 128 são feitas à nação. No entanto, a possibilidade de fechar o portão ao mundo exterior e alegrar-se na vida da família é, em geral, um recurso do mundo ocidental, e talvez fosse assim para o chefe de uma família israelita, da qual o salmo 128 fala diretamente. Você cumpre com as suas responsabilidades na liderança da sua família e no desempenho de seu papel junto aos líderes da vila, segundo os caminhos de *Yahweh*, não dos **cananeus** do outro lado do vale, e aprecia os frutos na vida da sua família. A referência à bênção/coisas boas vindas de **Sião**/Jerusalém sugere que o salmo pertence ao contexto de um festival como Páscoa, Pentecostes ou **Sucote**, quando as pessoas celebravam os feitos de *Yahweh* em benefício do povo e oravam para que ocorressem novamente. Seria a celebração do festival, com suas recordações dos feitos de *Yahweh*, que encorajavam o povo a crer que a visão no salmo 128 era mais importante que as atrocidades descritas no salmo seguinte.

SALMO **130—131**
DESEJANDO E ESPERANDO

CAPÍTULO 130

Um cântico de peregrinação.

1. Das profundezas clamo a ti, *Yahweh*:
2. Senhor, ouve a minha voz.
   Que os teus ouvidos estejam atentos
      ao som das minhas orações por graça.
3. Se guardas os atos rebeldes, *Yah*,
      meu Senhor, quem pode suportar?
4. Pois contigo há anistia,
      para que sejas considerado em temor.
5. Tenho esperado por *Yahweh*, o meu espírito tem esperado,
      e por sua palavra tenho aguardado.
6. O meu espírito [tem esperado] pelo meu Senhor
      mais do que os guardas pela manhã.
7. Israel, espere por *Yahweh*,
      pois com *Yahweh* há compromisso.

Com ele a redenção será grande,
^8 quando ele redimir Israel de todos os seus atos rebeldes.

CAPÍTULO 131

Um cântico de peregrinação. De Davi.

¹ *Yahweh*, a minha mente não é elevada,
  os meus olhos não são altivos.
Não saio por aí com grandes ideias
  ou maravilhas além de mim.
² Se não tenho me conformado
  e aquietado o meu espírito...
Como alguém amamentado por sua mãe,
  assim o meu espírito é cuidado por mim.
³ Israel, espere por *Yahweh*,
  agora e para todo o sempre.

Estamos no início do Advento, quando começamos a pensar sobre a primeira vinda de Jesus, mas também em sua segunda vinda. No domingo, o sermão versou sobre a importância da sua segunda vinda e o motivo de crermos que ela ocorrerá. Ela importa porque Jesus ainda tem um trabalho a ser finalizado; o fundamento para crer que a segunda vinda ocorrerá é por Jesus, na realidade, já a ter iniciado. Lembrei-me de uma conversa que tive na semana passada sobre o jantar de Ação de Graças, com uma enfermeira que havia ido diretamente ao jantar após um dia de trabalho na emergência do hospital. Perguntei-lhe: "Que tipo de coisas levam as pessoas ao pronto-socorro no Dia de Ação de Graças?" "Bem, houve o adolescente que foi baleado durante o jantar e, então, claro, há as costumeiras tentativas de suicídio que ocorrem nos feriados." Sim, há um trabalho a ser finalizado por Jesus. Felizmente, o fato de Jesus trazer harmonia a muitas famílias e dar a inúmeras pessoas um motivo para persistirem vivendo constitui um dos elementos que fornecem a evidência de que ele já iniciou o trabalho que, com certeza, concluirá.

Os salmos 130 e 131 usam os verbos "esperar" e "aguardar" cinco vezes, e, próximo ao fim, ambos incluem exortações para "esperar por *Yahweh*". Algumas traduções usam a palavra "esperança", que é boa, embora possa ser incompreendida. Podemos falar sobre ter esperança ou ser esperançoso sem implicar nada a respeito do objeto da nossa esperança. Esse termo sugere uma atitude. Todavia, as palavras "esperar" e "aguardar" precisam de um objeto — esperamos por algo ou aguardamos alguém. Assim, os cristãos não são meramente pessoas esperançosas, mas que esperam que Cristo venha e aguardam pela sua vinda. O salmo, portanto, discorre sobre esperar por *Yahweh* ou por sua palavra e sobre aguardá-lo.

O verbo "aguardar" pode, igualmente, ter uma implicação equivocada. Ele pode sugerir uma atitude de paciência e de maturidade. No Antigo Testamento, ela é de impaciência e implica urgência. No entanto, o salmo 131 também sugere que há um lado paciente nessa expectativa. Tudo estando bem, um bebê amamentado por sua mãe está contente e tranquilo; ele sabe que não há nada com que se preocupar. Os israelitas podem estar em uma posição similar; não precisam ter grandes ideias sobre a própria importância; não precisam se sentir responsáveis por seu próprio destino e o do mundo; não é trabalho deles converter o mundo, mas de Deus. Assim, eles podem relaxar. Contudo, ao mesmo tempo, podem e devem aguardar, em expectativa, pela conclusão do trabalho por parte de Deus.

A combinação do relaxamento tranquilo e a expectativa urgente é mais exigente, importante e complexa quando o indivíduo está "nas profundezas". Regularmente, os salmos são orados nessas situações, mas o salmo 130 detalha a natureza do abismo. "Das profundezas" sugere um lugar no qual estamos sobrecarregados pelo sofrimento e pela opressão — não apenas emocional, mas física e material (duas vezes o salmo 69 usa a expressão com respeito a estar sendo oprimido pelos inimigos). A exemplo do que Steve Smith escreveu em um poema sobre um homem que, metaforicamente, havia mergulhado em águas profundas na sua vida, não estamos acenando, mas nos afogando. O salmo 130 pressupõe essas profundezas. Sua distinção reside na maneira pela qual associa essa experiência com a nossa transgressão. Com frequência, o fato de você estar se afogando não é por sua culpa; no caso desse salmo, a culpa *é* sua. Em certas circunstâncias, não se pode dizer a Deus: "Você tem que me resgatar — não mereço essa experiência." Tudo o que se pode fazer é apelar para a graça e a misericórdia de Deus, para a capacidade divina de anistiar.

Então, uma vez mais, você precisa aguardar. A exemplo do salmo 103, o salmo 130 usa o verbo "anistiar" em lugar de "perdoar". "Perdão" é uma palavra pertencente a um contexto de relações familiares e de amizade, enquanto "anistia" diz respeito a relações com pessoas no poder. Quem apela por anistia ou indulto é alguém que cometeu um crime e se apresenta diante de um rei ou presidente esperando encontrar misericórdia, sem ter a certeza de que o seu pedido será concedido. O rei ou presidente precisa equilibrar a importância da misericórdia com a importância de preservar os padrões e deve fazê-lo a fim de atrair a atenção para essa importância. Portanto, o criminoso aguarda esperançosamente, sem considerar nada como garantido. Será que a palavra de anistia sairá da boca do rei? O indivíduo aguarda por aquela decisão com um senso de urgência maior do que o de um vigia noturno que espera a chegada da alvorada e, assim, pela certeza de que a cidade não corre o risco de sofrer um ataque secreto e/ou pelo momento de poder ir para sua casa e dormir. Ou, ainda, pode aguardar com mais antecipação do que os serviçais do templo observando a chegada do amanhecer, pelo momento de proferir as orações matinais e de oferecer os sacrifícios.

Um aspecto claro da analogia é que não há dúvidas de que alvorada virá, ainda que, às vezes, seja difícil acreditar nisso. Em certo sentido, não se pode considerar como garantido que *Yahweh* concederá anistia, porém a analogia com um rei ou presidente é incompleta. Você sabe que *Yahweh* é grande em **compromisso** e em redenção; sabe que deve pagar por sua transgressão, mas que, na verdade, *Yahweh* o fará. Ele pagará o preço para que você não fique preso nas profundezas para sempre.

SALMO 132
SE VOCÊ CONSTRUIR, ELE VIRÁ

Um cântico de peregrinação.

1. *Yahweh*, lembra-te de Davi,
    do quanto ele foi pesado,
2. de que ele jurou a *Yahweh*,
    prometeu ao Poderoso de Jacó:
3. "Se eu entrar em minha tenda, minha casa,
    se subir em minha cama, em meu sofá,
4. se der sono aos meus olhos,
    repouso às minhas pálpebras,
5. antes de encontrar o lugar pertencente a *Yahweh*,
    a habitação pertencente ao Poderoso de Jacó..."
6. Assim, ouvimos dela em Efrata,
    a encontramos na região de Floresta.
7. Vamos à sua habitação,
    curvemo-nos diante do seu estrado.
8. Levanta-te, *Yahweh*, para a tua residência,
    tu e o teu poderoso baú.
9. Os teus sacerdotes vistam-se de fidelidade,
    as pessoas comprometidas contigo ressoem.

¹⁰ Pelo bem de Davi, teu servo,
　　não rejeites o rosto do teu ungido.

¹¹ *Yahweh* jurou a Davi em fidelidade;
　　ele não se afastará disso.
　"Um do fruto do teu corpo
　　colocarei no seu trono.
¹² Se os seus filhos guardarem a minha aliança,
　　as minhas declarações que ensinarei a eles,
　para sempre os filhos deles
　　também se assentarão no seu trono."
¹³ Pois *Yahweh* escolheu Sião,
　　a qual desejou como um assento para si mesmo.
¹⁴ "Para sempre será a minha residência,
　　onde me assentarei, pois eu a quis.
¹⁵ Seus suprimentos abençoarei grandemente;
　　suas pessoas necessitadas saciarei com pão.
¹⁶ Seus sacerdotes vestirei com libertação,
　　suas pessoas comprometidas ressoarão bem alto.
¹⁷ Ali farei o chifre de Davi florescer;
　　acendi uma chama para o meu ungido.
¹⁸ Os seus inimigos eu vestirei de vergonha,
　　mas sobre ele a sua coroa brilhará."

Em uma hora, sairei para a nossa convenção diocesana, na qual clérigos e leigos tomarão decisões sobre as políticas e iniciativas para o próximo ano. Iniciaremos pedindo pela orientação e pela sabedoria de Deus em nossas discussões e decisões, mas, então, não esperaremos por intervenções divinas para nos dizer o que devemos decidir. Creio que, teologicamente, presumimos, esperamos ou confiamos que a sabedoria de Deus opera por meio do exercício de nossa sabedoria humana. Nas Escrituras, há indicações de outra forma

SALMO 132 • SE VOCÊ CONSTRUIR, ELE VIRÁ

de enxergar esse processo. Deus se relaciona conosco como um pai se relaciona com seus filhos (adultos), dizendo-nos para irmos e tomarmos as nossas decisões e, então, arcarmos com as consequências delas. Pode-se dizer que é um aspecto assustador da maneira divina de governar o mundo; deixar as decisões para nós dessa forma.

O salmo 132 aponta para um exemplo espetacular; ele oferece outra perspectiva sobre a história quanto à origem do templo de Jerusalém, relatada em 2Samuel 6 e 7. Naquele relato, a ideia de levar o **baú da declaração** a Jerusalém e de construir um templo na cidade é de Davi. Deus não aprecia muito a ideia de um templo. "Gosto de ser capaz de me mover por aí, de não estar fixo em um só lugar", Deus diz, "e, de qualquer maneira, essa iniciativa sua contraria o relacionamento apropriado entre mim e você. Eu é que irei construir uma casa para você" (nesse caso, o sentido de "casa" é uma linha de sucessão). "Essa construção precisa vir primeiro."

No relato de 2Samuel 6 e 7, não há indicações de *Yahweh* haver escolhido **Sião** (como o salmista afirma). Todo aquele empreendimento foi ideia de Davi, e é fácil ver o pragmático pensamento político subjacente a ela. A nova nação necessita de um centro, de preferência em um lugar que seja tanto seguro quanto neutro, ao qual nenhum dos clãs esteja especialmente associado. Pelo fato de Jerusalém ainda ser ocupada pelos jebuseus, localizar o templo na capital de Davi reforça a sua posição como um centro para os clãs israelitas. Não se pode criticar *Yahweh* por reagir negativamente ao fato de estar sendo usado para impulsionar a administração de Davi. Não obstante, *Yahweh* faz mais do que concordar com relutância ao plano de Davi. *Yahweh* coloca um selo de aprovação retroativo sobre a escolha de Sião como um local de habitação. Sua posição é similar à sua atitude com relação a ter reis, que também foi uma ideia do povo de Israel, não sua, além de ser algo que colidia com o próprio pensamento de *Yahweh*. Todavia, ele abraçou a ideia com entusiasmo — o que é corroborado pelo salmista.

A primeira metade do salmo incorpora uma espécie de reconstituição dos eventos que levaram à construção do templo. De fato, inicia-se com a ação de Davi e, portanto, aponta para aquela inter-relação entre a iniciativa humana e o desejo divino. Começa com a carga que Davi impôs sobre si mesmo e fez uma promessa solene, referente à localização do **baú da declaração**. Primeiro Samuel 4—6 relata como os israelitas levaram o baú à batalha, resultando na sua captura pelos **filisteus**, os quais descobriram que o baú se tornava muito quente ao ser transportado por eles, e, por fim, o baú acabou sendo deixado na Cidade de Florestas [Quiriate-Jearim], situada abaixo das montanhas de Jerusalém, dentro do território **judaíta**. Ali, o baú permaneceu por décadas. Nos dias de Davi, aparentemente, ninguém na liderança de Israel conhecia a localização certa do seu paradeiro, mas Davi decidiu-se a encontrá-la, sendo bem-sucedido, e determina ir até lá e prostrar-se diante desse símbolo da presença de *Yahweh* em Israel. De lá, Davi convida *Yahweh* a subir a Jerusalém, cidade na qual o rei determinou providenciar uma habitação digna de *Yahweh*. Assim, os sacerdotes e o povo como um todo (as pessoas **comprometidas** com *Yahweh*) unem-se em **fidelidade** e celebração durante o translado do baú a Jerusalém. Seguindo a reconstituição desse ato por parte de Davi, e à luz disso, o salmo suplica a Deus para que dê atenção às orações do rei ungido atual.

Em sua metade inicial, portanto, o salmo fala da congregação para Deus, na maneira regular de um salmo. Todavia, às vezes, o salmo torna-se uma conversação na qual Deus responde, e o salmo 132 é um exemplo. Na segunda metade,

Deus fala — ou melhor, a reconstituição prossegue, quando o salmo também apela ao compromisso de Deus com Davi, de volta ao início de seu reinado e à sua inciativa de construir um templo. Deus fez a promessa de que sempre haveria um descendente de Davi assentado no trono. A reafirmação conecta-se ao pedido para Deus dar ouvidos às orações de seu ungido, pois essa expressão denota o rei davídico atual. Portanto, isso oferece a segurança de que a oração será respondida. De Sião, Deus abençoará todo o povo. Além disso, o salmo aponta para outro aspecto da relação bilateral entre Deus e Davi. A promessa quanto aos sucessores davídicos pressupõe a fidelidade deles com respeito à sua parte da **aliança**. Talvez Deus, em sua graça, venha a ser misericordioso quando eles forem infiéis, mas eles não podem presumir que Deus irá manter a sua parte na aliança, caso falhem em cumprir a parte que lhes cabe. Na realidade, após 587 a.C., nenhum rei davídico se assentou no trono em Jerusalém.

SALMO 133—134
COMO TERMINAR O DIA

CAPÍTULO 133

Um cântico de peregrinação. De Davi.

1. Quão bom e agradável
    é a parentela viver como uma só.
2. É como bom óleo sobre a cabeça,
    que desce pela barba,
   a barba de Arão,
    até a gola das suas roupas.
3. É como o orvalho do Hermom,
    que desce sobre as montanhas de Sião.
   Pois ali *Yahweh* ordenou bênção,
    vida para sempre.

CAPÍTULO 134

Um cântico de peregrinação.

1. Adorem a *Yahweh* todos vocês, servos de *Yahweh*,
   vocês que assistem na casa de *Yahweh* a cada noite.
2. Elevem as mãos para o santuário
   e adorem a *Yahweh*.
3. Que *Yahweh* os abençoe de Sião —
   aquele que é o criador dos céus e da terra.

Quando minha esposa e eu nos casamos, quase um ano atrás, descobrimos as "Devoções diárias para indivíduos e famílias" [*Daily Devotions for Individuals and Families*], do Livro de Oração Episcopal, quatro conjuntos de uma página de salmos, leituras bíblicas e orações para serem usadas ao acordar, almoçar, jantar e antes de dormir. Trata-se de uma versão da *Liturgia das horas*, que remonta aos séculos iniciais do cristianismo, apresentada em inúmeras formas, em diferentes confissões cristãs. Descobrimos nessa versão uma excelente maneira de enquadrar a nossa vida — é possível, invariavelmente, começar e terminar o dia com essas devoções, e usamos as formas do meio-dia e do começo da noite quando estamos em casa, no almoço e no jantar. Assim, redefinimos a nossa mente em Deus durante o dia.

O salmo 134 dá início às orações no formato "para encerrar o dia". Imagino que, na sua origem, o salmo pertencia ao término do dia no sentido do pôr do sol, quando os sacrifícios da noite eram oferecidos e as orações proferidas no templo; quando, em certo sentido, o dia terminava. O corpo de Israel como um todo não se apresentava na casa de **Yahweh** a cada noite; assim, aqui, os servos de *Yahweh* talvez sejam os sacerdotes e os levitas, cujo serviço era oferecer os sacrifícios e as orações em favor de todo o povo. Mas pode-se imaginar que os israelitas, em geral, espalhados por todo o território, se lembrassem, ao cair da noite, de que aquele era o momento dos sacrifícios e orações e, em espírito, uniam-se àqueles no templo. Há um paralelo com a maneira pela qual o pároco, ao tocar o sino, avisa aos trabalhadores no campo que ele está prestes a fazer as orações na igreja, convidando-os, assim, a estarem com ele em espírito.

Embora as linhas de abertura sejam dirigidas aos servos de Deus como um grupo, a linha final é endereçada a um indivíduo; talvez seja a resposta dos ministros ao seu líder. A palavra para "adorar" é, tradicionalmente, traduzida por "abençoar", embora a ideia de "abençoar a Deus" seja um pouco estranha, de maneira que "adorar" talvez transmita melhor o conceito. A palavra em questão é similar ao termo para "joelhos"; assim, sugere nos ajoelharmos diante de Deus. Contudo, o uso duplo do salmista por palavras que, pelo menos, parecem ser iguais ("adorar" e "abençoar") aponta para a natureza recíproca da relação entre adorar e abençoar. Nós adoramos; Deus abençoa. Deus abençoa; nós adoramos.

O salmo 133 termina com uma nota similar à sua menção de bênção. Não seria surpreendente se houvesse uma ligação entre a bênção e a unidade ou harmonia da família estendida, o tema inicialmente abordado pelo salmo. Essa harmonia familiar é uma grande bênção. A ligação entre os **cânticos de peregrinação** e a viagem realizada pelas famílias por ocasião dos festivais anuais em Jerusalém podia fazer as pessoas se alegrarem no sentimento de unidade que marcava tais ocasiões. Isso também podia conscientizá-los da necessidade de preservar aquela harmonia. No Ocidente, sabemos que eventos como o Dia de Ação de Graças e o Natal são ocasiões nas quais as famílias passam por grande tensão, e não seria surpreendente se o mesmo fosse verdadeiro em relação aos festivais de peregrinação de Israel — como sugere a história da jornada de José e Maria para a Páscoa em Jerusalém (Lucas 2), e a história de Elcana, Ana e Penina (1Samuel 1).

Contudo, no Antigo Testamento a "bênção" é concreta e prática; ela sugere a fecundidade dos seres humanos e dos animais, além da produtividade das colheitas. Portanto, é fácil compreender que a ausência de unidade e de harmonia poderia colocar em risco o trabalho da família e, por consequência, ameaçar a sua própria subsistência. Por motivos práticos, então, além de seu valor inerente, a unidade e a harmonia são passíveis de certa poesia, a exemplo do que o salmo faz. Essa harmonia, como a maquiagem, faz o rosto brilhar, e a referência à unção abundante também expressa o compromisso de Deus com os sacerdotes e com a festividade inerente ao ministério deles. O "orvalho" do Hermom é, presumidamente, uma metáfora. Uma montanha nativa como Hermom dificilmente seria conhecida por seu orvalho, mas pela neve em seus picos, que derrete e escoa para alimentar os rios que nascem dela, mesmo durante a aridez do verão. O orvalho metafórico do Hermom, portanto, desempenha um papel-chave no suprimento de água para Israel e constitui um meio divino de abençoar a região.

SALMO 135
VENTO SANTO

1. Louvem a *Yah*!
    Louvem o nome de *Yahweh*;
    louvem, servos de *Yahweh*,
2. vocês que assistem na casa de *Yahweh*,
    nos átrios da casa do nosso Deus.
3. Louvem a *Yah*, pois *Yahweh* é bom;
    façam música ao seu nome, porque ele é amável.
4. Porque *Yahweh* escolheu Sião para si,
    Israel como sua possessão especial.
5. Porque eu mesmo reconheço que *Yahweh* é grande;
    nosso Senhor [é grande] acima de todos os deuses.
6. Qualquer coisa que deseja, ele faz
    nos céus e na terra,

SALMO 135 • VENTO SANTO

nos mares e em todas as profundezas,
⁷ fazendo subir as nuvens desde os confins da terra.
Ele faz os relâmpagos para a chuva,
faz sair os ventos dos seus depósitos,
⁸ aquele que atingiu os primogênitos do Egito,
dos seres humanos e do gado.
⁹ Enviou sinais e portentos no meio do Egito
contra o faraó e contra todos os seus servos,
¹⁰ aquele que atingiu muitas nações
e matou poderosos reis,
¹¹ Seom, o rei dos amorreus,
Ogue, rei de Basã,
e todos os reinos de Canaã,
¹² e deu a terra deles como uma possessão,
uma possessão para Israel, seu povo.

¹³ *Yahweh*, o teu nome é para sempre;
Yahweh, a tua fama passa de geração em geração.
¹⁴ Pois *Yahweh* governa o seu povo e concede alívio
em relação aos seus servos.
¹⁵ As imagens das nações são prata e ouro,
o trabalho de mãos humanas.
¹⁶ Têm boca, mas não falam,
têm olhos, mas não veem.
¹⁷ Têm ouvidos, mas não escutam;
não, não há respiração em sua boca.
¹⁸ Seus criadores se tornarão como elas,
qualquer um que confie nelas.
¹⁹ Casa de Israel, adore a *Yahweh*;
casa de Arão, adore a *Yahweh*.
²⁰ Casa de Levi, adore a *Yahweh*;
vocês que estão no temor de *Yahweh*, adorem a *Yahweh*.
²¹ *Yahweh* seja adorado desde Sião,
aquele que habita em Jerusalém.
Louvem a *Yah*!

SALMO 135 • VENTO SANTO

Duas noites atrás, houve uma enorme tempestade de vento em nossa cidade, com rajadas de mais de 150 km/h. O fenômeno derrubou centenas de árvores, incluindo carvalhos centenários e palmeiras altíssimas. Centenas de milhares de pessoas ficaram sem energia elétrica, e muitas ainda estão às escuras. Escolas e restaurantes tiveram as suas portas fechadas. A queda de árvores sobre edifícios levou à evacuação de um bloco de apartamentos e o abandono de, pelo menos, quarenta prédios que, simplesmente, precisarão ser demolidos. Em outros lugares, caminhões foram arrastados nas rodovias. Não sei quanto tempo será necessário para remover todos os detritos das ruas.

Eis o que acontece (o salmo 135 diz) quando Deus faz sair os ventos de seus depósitos. Coincidentemente, hoje é o segundo domingo do Advento, o domingo de João Batista, ocasião na qual recordamos a sua declaração de que Jesus batizará com o Espírito Santo e com fogo — com vento santo e fogo, pode-se facilmente usar essa tradução. A tempestade de vento forneceu uma atemorizante ilustração de como seria ser atingido pelo Vento Santo. O salmo considera que essa experiência poderia ser, igualmente, assustadora.

Embora tenhamos sido afortunados pela tempestade de vento não ter sido acompanhada por chuva ou fogo, o salmo observa que os relâmpagos e a chuva são fenômenos que naturalmente acompanham os fortes ventos, quando as nuvens se levantam no horizonte distante e enchem o céu. O salmista segue citando mais alguns aspectos aterradores da atividade divina no mundo, associados com o escape dos israelitas de seus opressores no **Egito**, e de seus agressores na fronteira de **Canaã**, e com a própria entrada deles na terra prometida. A Bíblia não implica que os massacres e desastres naturais, em geral, surjam do propósito deliberado de Deus; normalmente, constituem "mais uma daquelas coisas que acontecem no mundo". Após o forte vendaval, perguntamo-nos se a queda de uma grande árvore sobre a nossa propriedade ou o nosso carro na rua nos tornaria financeiramente responsáveis pelo conserto dos danos ou poderíamos lançar a conta "na ação de Deus"? A minha esposa comentou que talvez a tempestade seja mais um daqueles resultados do aquecimento global. Se assim for, é possível que conte tanto como algo pelo qual somos corporativamente responsáveis quanto como um evento que significa o juízo de Deus sobre nós.

Para o pequeno e impotente povo israelita, o poder de Deus, personificado nos eventos naturais e políticos, não foi assustador, mas tranquilizador. Eles facilmente se sentiam oprimidos pelo poder das nações poderosas em derredor e se impressionavam com o poder dos deuses que os povos vizinhos cultuavam. O salmo lembra os israelitas do poder manifestado por Deus em sua história e da importância que esse insignificante povo recebeu por Deus os ter escolhido como sua possessão especial. Ainda, o salmista os faz recordar a impotência das imagens que representavam outros deuses. Essas imagens parecem impressionantes e possuem as características físicas dos seres vivos, responsivos, sensíveis e falantes, mas essas características não funcionam. Embora os israelitas possam até ser tentados a pensar que esses deuses são poderosos, as suas imagens fornecem um retrato da real inutilidade e impotência deles. Em contraste, **Yahweh** governa o seu povo e os lidera segundo o que tem em mente para eles. *Yahweh* concede alívio em relação a eles — isto é, ele vê a opressão que eles sofrem de povos como os egípcios ou os amorreus e abomina o que vê. Assim, move-se para pôr um fim à aflição deles, para expressar o zelo que sente. Ao contrário, as pessoas que confiam nos deuses representados pelas imagens, ou nas próprias imagens, terminam tão desamparadas, débeis e vulneráveis quanto as imagens que fizeram.

SALMO 136
O SEU COMPROMISSO É PARA SEMPRE

1. Confessem *Yahweh*, porque ele é bom
   (porque o seu compromisso é para sempre).
2. Confessem o Deus dos deuses
   (porque o seu compromisso é para sempre).
3. Confessem o Senhor dos senhores
   (porque o seu compromisso é para sempre),
4. aquele que fez grandes maravilhas sozinho
   (porque o seu compromisso é para sempre),
5. que fez os céus com discernimento
   (porque o seu compromisso é para sempre),
6. que espalhou a terra sobre as águas
   (porque o seu compromisso é para sempre),
7. que fez as grandes luzes
   (porque o seu compromisso é para sempre),
8. o sol para governar o dia
   (porque o seu compromisso é para sempre),
9. a lua e as estrelas para governarem a noite
   (porque o seu compromisso é para sempre),
10. que feriu o Egito em seus primogênitos
    (porque o seu compromisso é para sempre),
11. e tirou Israel do meio deles
    (porque o seu compromisso é para sempre),
12. com mão forte e braço estendido
    (porque o seu compromisso é para sempre),
13. que dividiu o mar de Juncos em dois
    (porque o seu compromisso é para sempre),
14. que deixou Israel passar pelo meio dele
    (porque o seu compromisso é para sempre),
15. mas abalou o faraó e sua força no mar de Juncos
    (porque o seu compromisso é para sempre),
16. que levou o seu povo pelo deserto
    (porque o seu compromisso é para sempre),

¹⁷ que feriu grandes reis
   (porque o seu compromisso é para sempre),
¹⁸ que matou poderosos reis
   (porque o seu compromisso é para sempre),
¹⁹ Seom, rei dos amorreus
   (porque o seu compromisso é para sempre),
²⁰ Ogue, rei de Basã
   (porque o seu compromisso é para sempre),
²¹ e deu a terra deles como possessão
   (porque o seu compromisso é para sempre),
²² uma possessão para Israel, seu servo
   (porque o seu compromisso é para sempre),
²³ que se lembrou de nós em nossa humildade
   (porque o seu compromisso é para sempre),
²⁴ e nos separou dos nossos inimigos
   (porque o seu compromisso é para sempre),
²⁵ que deu comida a toda a carne
   (porque o seu compromisso é para sempre).
²⁶ Confessem o Deus dos céus
   (porque o seu compromisso é para sempre).

Um dos meus ex-alunos serviu como capelão das Forças Armadas no Iraque por dois anos, após se formar no seminário. Certo dia, ele me ligou de lá, pois se sentiu compelido a pregar sobre o amor inabalável de Deus. Lembrou-se da noite em que expliquei sobre o termo hebraico que representa esse amor, ou seja, *hesed*. Acrescentou que, ao mesmo tempo em que falava sobre essa ideia, eu servia a Ann, a minha esposa com deficiência, a sua fórmula pelo tubo de alimentação, e ele foi impactado por não estarmos apenas "falando" sobre o amor inabalável ou de aliança; ele viu esse amor sendo manifestado na prática. (Peço desculpas por essa ser uma história a meu respeito, embora a considere mais como uma história sobre Ann e sobre o que Deus operou por meio de sua enfermidade, e rogo que pense como eu.) Ele contou esse episódio em seu sermão. Alguns dias mais tarde, um dos soldados que ouviu o sermão foi morto em um ataque de morteiro, e o capelão orou com o soldado, pouco antes de ele morrer. O capelão consolou-se com a ideia de que o último sermão que aquele soldado ouviu foi sobre o amor inabalável de Deus. No domingo seguinte, o salmo determinado para o nosso culto na igreja era o 51, e em meu sermão sobre a abertura do salmo, que apela para o amor inabalável de Deus, contei essa história. Após o culto, uma mulher me procurou em lágrimas porque desde a sua infância ela havia sido ensinada que Deus era cheio de ira. Ela não era capaz de internalizar a ideia de Deus ser caracterizado pela graça, pelo amor inabalável e pela compaixão.

É essa palavra para amor inabalável que se repete na segunda linha de cada versículo do salmo 136. Creio que a palavra "**compromisso**" é a que melhor representa a ideia do termo hebraico em nosso idioma. Deve haver mais de um motivo para a recorrência dessa palavra. Um deles é que se trata de uma espécie de refrão — pode ser que o coro do templo cantasse a primeira linha e o povo, em uníssono, respondesse com a segunda linha. No entanto, outro motivo talvez seja o de estimular, pelo efeito da repetição, o processo pelo qual as pessoas internalizam o fato de o compromisso ser uma das características divinas básicas. Na descrição fundamental do caráter de *Yahweh*, que é transmitida a Israel no Sinai, em Êxodo 34, ao lado de palavras como "compassivo", "gracioso" e "longânimo", essa palavra é a única citada mais de uma vez.

As declarações sobre Deus, que acompanham esse testemunho sobre o compromisso divino, são comparáveis àquelas no salmo 135. Pode-se dizer que elas são resumidas nos dois primeiros versículos. Por um lado, Deus é bom.

Essa bondade encontra expressão no fato de Deus não ter ficado sentado, de braços cruzados, alheio à opressão dos israelitas pelos **egípcios**, ou quando eles estão vagando pelo deserto, ou sendo atacados por reis poderosos como Seom e Ogue. Deus está atento à humilhação imposta aos israelitas. Israel é um povo inexpressivo e impotente, e Deus leva esse fato em consideração. Mas de nada valeria essa atenção se Deus fosse incapaz de fazer algo para mudar a situação deles. Assim, a outra verdade-chave sobre Deus é que ele é o Deus dos deuses, Senhor dos senhores, o criador que possui um braço forte para estender contra os opressores e agressores de Israel. Como o salmo vividamente afirma, ele pode separar Israel dos seus inimigos, como um ladrão arrebata a bolsa da senhora incauta, ou como o vento pode dividir uma montanha (é a mesma palavra usada quando esse evento ocorreu diante de Elias, em 1Reis 19). Ele pode fornecer alimento a todos.

Durante grande parte de sua existência no Antigo Testamento, Israel não viu Deus agir assim. Por quase toda a sua história, os israelitas viveram sob a autoridade de superpotências como **Assíria**, **Babilônia**, **Pérsia** e **Grécia**, sem condições de determinar o próprio destino e submetidos a toda sorte de ataques, perseguições, negligências e impostos opressivos. A despeito de, às vezes, merecerem essa experiência, nem sempre foi assim. Israel viveu na perpétua necessidade de internalizar a verdade de que o amor inabalável de Deus dura para sempre, porque, decerto, a realidade não parecia confirmá-lo. A exemplo da adoração cristã, a adoração israelita envolvia o povo indo ao santuário e declarando como verdadeiras coisas que a realidade fora do templo parecia desmentir. Os adoradores recordavam os fatos da história do seu povo, com o fim de providenciar evidências da veracidade da sua fé, a fim de prosseguirem vivendo, mesmo em uma situação na qual aquelas verdades pareciam estar suspensas.

SALMO 137
RECORDAÇÃO, DE DEUS E NOSSA

1. Junto aos rios da Babilônia, ali nos assentávamos;
    sim, chorávamos quando nos lembrávamos de Sião.
2. No meio dos álamos pendurávamos as nossas harpas;
3.   porque os nossos captores ali nos pediam pelas palavras
        de uma canção,
    os nossos escarnecedores [nos pediam] celebração:
    "Cantem para nós uma das canções de Sião!"
4. Como podemos cantar a canção de *Yahweh*
    em solo estrangeiro?
5. Se eu te tirar da mente, Jerusalém,
    que a minha mão direita seja esquecida —
6. que a minha língua grude em meu palato
    se eu não me lembrar de ti,
    se não exaltar Jerusalém
    como a minha maior alegria.
7. *Yahweh*, lembra-te dos edomitas,
    do dia de Jerusalém,
    das pessoas que estavam dizendo:
    "Arrasem-na, arrasem-na, até a sua fundação."
8. Sra. Babilônia, você que deve ser destruída —
    abençoada a pessoa que a recompensar
    pelas tratativas que teve conosco!
9. Abençoada a pessoa que agarrar os seus bebês
    e lançá-los sobre o rochedo!

A canção *"Rivers of Babylon"* [Rios da Babilônia], gravada pelo grupo Boney M, tornou-se um dos compactos mais vendidos de todos os tempos na Grã-Bretanha. Em minha inocência, levei alguns anos para perceber o seu significado. Em sua origem, trata-se de uma canção rastafári, uma de uma série de músicas baseadas nos salmos, que forneceram aos cantores caribenhos matéria-prima para expressarem o seu protesto e lamento sobre o colonialismo e a opressão relacionada a ele, além do anseio pela liberdade. Os rastafáris não estavam em campanha por uma revolução violenta, mas conclamando o seu povo a simplesmente parar de aceitar a dominação da **Babilônia** e os seus valores culturais. Assim, articularam uma voz diferente e uma determinação para não meramente se entregarem à autopiedade e à desesperança. A ironia da inocência dos britânicos como eu, que amaram a canção, é que éramos a Babilônia referida por eles.

Saber o que o salmo 137 significou para o povo caribenho, que ansiava pela libertação dos seus dominadores imperiais, nos ajuda a entender o significado do salmo para aqueles que originariamente o entoaram. A exemplo de muitos outros salmos, ele pode parecer ofensivo aos leitores ocidentais, e é correto que nos sintamos assim, pois o salmista fala sobre pessoas como nós, o povo da Babilônia. Podemos sentir um leve alívio pelo fato de o salmo, como de hábito, não oferecer qualquer indício de que as pessoas que o entoam irão se levantar em uma rebelião militar contra seus dominadores. O povo israelita jamais fez isso, do mesmo modo que os povos caribenhos. O que fizeram foi algo mais perigoso; eles oraram, disseram a Deus o que ansiavam ver e, então, deixaram a cargo de Deus o cumprimento do que pediram.

Parte da confiança em fazer isso seria pelo fato de saberem que estavam simplesmente pedindo a Deus para cumprir o que ele havia prometido. Livros proféticos, como Isaías, Jeremias, Ezequiel e Obadias, contêm promessas de que Deus irá punir Edom por sua transgressão e, especialmente, por seu tratamento a **Judá** por ocasião da queda de Jerusalém. Eles, igualmente, contêm promessas quanto a Deus derrubar a Babilônia, e a chocante declaração de bênção com a qual o salmista termina retoma os detalhes da descrição, em Isaías 13, quanto ao que

SALMO 137 • RECORDAÇÃO, DE DEUS E NOSSA

Deus levará o medo a fazer aos babilônios. Reconhecidamente, não devemos considerar de modo muito literal a compreensão da profecia ou do salmo, pois ambos lançam mão da liberdade poética. Comparam-se às imagens do Novo Testamento sobre pessoas chorando e rangendo os dentes no inferno. A mensagem subjacente às promessas de que Deus punirá os inimigos de Israel é que ele não abandona permanentemente o seu povo ao jugo de uma superpotência que usa Israel apenas como um meio de atingir os seus próprios objetivos e que Deus julga. Presume-se que uma oração como a contida no salmo 137 é apropriada para lembrar Deus de suas promessas.

A recordação é um tema-chave no salmo. É possível a um grupo de **exilados** esquecer de onde eles vieram e abandonarem qualquer esperança ou intenção de retornar. A vida, de fato, tornou-se muito confortável para inúmeros judaítas exilados na Babilônia, o que levou muitos a não retornarem quando tiveram chance. Embora a lembrança possa ser uma questão de acaso, a recordação consciente é um ato deliberado. As pessoas assentadas às margens dos canais, que transportavam água do rio Eufrates para as regiões vizinhas, possibilitando o cultivo das terras, estavam envolvidas em um ato de adoração, quando recordavam de maneira deliberada e intencional. Elas também se envolviam em um ato de ensino, ao instruírem os seus filhos (que jamais tinham pisado em Jerusalém) quanto à importância daquela cidade. Elas resistirão à repressão dos babilônios que os fazem lembrar da destruição de Jerusalém e, zombeteiramente, os convidam a cantarem salmos que falam da imponência da cidade, que não parece tão imponente agora. A recusa por cantarem a canção de *Yahweh* em solo estrangeiro não resulta da convicção de que *Yahweh* não pode estar com eles ali, pois eles oram a *Yahweh* na parte final do salmo. A recusa pode resultar da consciência de que cantar a canção de *Yahweh* envolve cantar sobre o que ele fez, e eles sabem que *Yahweh* os abandonou e não está agindo mais em favor deles. Assim, eles podem orar, mas não podem cantar em gratidão pelo que Deus fez e está fazendo por eles. O compromisso de seguir lembrando de Jerusalém é encorajado por uma maldição autoimposta: a de perderem a capacidade de tocar a harpa ou de cantar caso tirem Jerusalém da mente. A natureza essencial da relação de Deus com Jerusalém significa que esse esquecimento seria o fim da fé.

SALMO 138
COMO SER DESAFIADOR NO ESPÍRITO
De Davi.

1 Confessar-te-ei de todo o meu coração,
   diante dos deuses farei música para ti.
2 Prostrar-me-ei voltado para o teu palácio santo
   e confessarei o teu nome por causa do teu compromisso
   e da tua veracidade.
  Pois, acima de tudo, fizeste grande
   o teu nome, a tua palavra.
3 No dia em que clamei, tu me respondeste;
   tu me fazes desafiador em espírito, com força.
4 Todos os reis da terra te confessarão, *Yahweh*,
   pois terão ouvido as palavras da tua boca.
5 Cantarão dos caminhos de *Yahweh*,
   pois a honra de *Yahweh* será grande.
6 Pois *Yahweh* está nas alturas, mas ele vê os humildes;
   os arrogantes, ele reconhece de longe.
7 Se eu andar no meio da aflição, tu me darás vida;
   por conta da ira dos meus inimigos, estenderás a tua mão.
  A tua mão direita me libertará;
8   *Yahweh*, levará isso a um fim para mim.
  Yahweh, o teu compromisso é para sempre;
   não abandones as obras das tuas mãos.

Hoje, pela manhã, recebi a mensagem de uma mulher que, um ano atrás, foi atacada e esfaqueada por um homem, enquanto ela e uma amiga caminhavam em uma floresta; a amiga foi morta, mas ela sobreviveu porque o homem erroneamente achou que ela já estivesse morta. Recentemente, ela compareceu à corte para testemunhar sobre os eventos; o homem foi considerado culpado dos ataques e sentenciado à prisão perpétua. As pessoas têm expressado a ela a esperança de que essa condenação lhe traga solução à trágica experiência, mas ela mesma nutre dúvidas. A ocorrência foi tão selvagem e sem sentido que é impossível apagá-la. Sua antiga vida não existe mais e, agora, ela já não sabe mais quem é. Aquela mulher não está descontente pelo fato de o assassino não ter recebido a pena de morte, mas feliz porque "Deus é um juiz justo, um Deus que manifesta cada dia o seu furor" (Salmos 7:11, NVI). Ela não pensa em iniciar uma nova vida em outro lugar, distante da área na qual sofreu o ataque. Há, portanto, algo desafiador a seu respeito.

Ao lado do salmo 7, o salmo 138 é um salmo que essa vítima poderia ecoar. No dia em que ela clamou, Deus lhe respondeu e a tornou desafiadora em espírito, com força. Deus não agiu dessa maneira em relação a todo israelita que clamou a ele, mas o salmo sugere que as ocasiões nas quais Deus respondeu são muito mais importantes do que as vezes nas quais ele silenciou. Elas, naturalmente, significam que as pessoas às quais Deus responde confessam Deus de todo o coração, e o fazem diante de deuses, diante dos reis da terra e na presença dos seus inimigos (não seria surpreendente se o salmo fosse, especialmente, usado por reis ou líderes, como Neemias).

O salmista vê todo o caráter de Deus expresso na espécie de **libertação** ocorrida no passado e na espécie de libertação que agora busca. Há o **compromisso** e a veracidade de Deus. Talvez as duas características estejam expressas no versículo paralelo. A veracidade de Deus significa que ele mantém sua palavra, suas promessas. O **nome** ou o caráter de Deus é manifestado mais centralmente no compromisso que ele exibe em relação ao seu povo. Os atos que demonstram o compromisso e a veracidade de Deus são motivos para ele ser honrado pelo povo que, diretamente, experimenta essas caraterísticas divinas e pelos demais aos quais essas histórias são contadas. Elas são a ligação entre Deus ser exaltado e estar nas alturas, mas ainda ser capaz de ver e reconhecer os humildes. Isso significa que ele está em posição de intervir nos assuntos da terra em favor dos símplices, para preservar a vida deles quando a aflição os assaltar, para estender a sua mão quando forem atacados por seus adversários. O fato de Deus ser compromissado e verdadeiro lhe confere o caráter moral para intervir daquela forma, para dar um fim à aflição, para persistir nas obras das suas mãos. O fato de o seu palácio estar nos céus significa haver um sentido no qual ele está "distante", mas isso não o leva a permanecer distante. Ele faz coisas para nós, ou para pessoas que conhecemos, e elas, então, nos contam o que Deus lhes fez.

Portanto, é possível orar o tipo de oração com a qual o salmo termina.

SALMO 139
SOBRE TRANSPARÊNCIA

Ao líder. Uma composição de Davi.

1. *Yahweh*, tu me sondas
    e me conheces:
2. tu mesmo reconheces o meu assentar e o meu levantar,
    discernes a minha intenção de muito longe.
3. Medes o meu caminhar e o meu reclinar;
    todos os meus caminhos te são familiares.
4. Porque não há uma única palavra na minha boca —
    Yahweh, tu as conheces todas.

SALMO 139 • SOBRE TRANSPARÊNCIA

⁵ Por trás e pela frente me cercas
 e colocas a tua mão sobre mim.
⁶ O teu conhecimento é extraordinário demais para mim;
 ele se eleva alto, não posso prevalecer sobre ele.

⁷ Para onde poderia ir do teu espírito,
 para onde poderia fugir do teu rosto?
⁸ Se subisse às nuvens, tu estarias lá;
 se fizesse do Sheol a minha cama, lá estarias.
⁹ Se tomasse as asas da alvorada,
 habitasse no lado extremo do mar,
¹⁰ ali também a tua mão poderia me guiar,
 a tua mão direita poderia me suster.
¹¹ Se dissesse: "As trevas podem certamente me agarrar,
 a luz pode ser noite ao meu redor",
¹² as trevas também não seriam tão escuras para ti,
 e a noite seria iluminada como o dia;
 trevas e luz são o mesmo.

¹³ Pois tu és aquele que criaste o meu coração,
 quando me teceste no ventre da minha mãe.
¹⁴ Confessar-te-ei, porque fui separado de uma forma admirável;
 os teus atos foram extraordinários.
 Eu mesmo te reconheço plenamente;
¹⁵ a minha estrutura não te foi oculta,
 quando fui feito em segredo,
 quando fui bordado nas profundezas da terra.
¹⁶ Os teus olhos me viram como um embrião,
 e no teu rolo foram escritos, todos eles,
 os dias que foram moldados,
 quando não havia nenhum deles.
¹⁷ Assim, para mim, quão imponentes são as suas intenções,
  Deus,
 quão grande é a soma delas!
¹⁸ Se pudesse contá-las, elas seriam mais do que a areia;
 quando chegar ao fim, ainda estarei contigo.

SALMO 139 • SOBRE TRANSPARÊNCIA

¹⁹ Se apenas matasses as pessoas infiéis, Deus,
  e as pessoas assassinas se afastassem de mim,
²⁰ pessoas que falam de ti para enganar,
  Teus adversários que se rebelam em vão.
²¹ Não me oponho a pessoas que se opõem a ti, *Yahweh*,
  e repudio pessoas que se levantam contra ti?
²² Com oposição completa eu me oponho a elas;
  elas se tornam inimigas para mim.
²³ Examina-me, Deus, e conhece a minha mente;
  testa-me e conhece as minhas preocupações.
²⁴ Vê se há um caminho idólatra em mim
  e guia-me no caminho antigo.

Em sua bolsa, a minha esposa carrega uma fotografia de sua futura neta, uma imagem do ultrassom do bebê da sua filha. É extraordinário ter esse lembrete vívido do firme desenvolvimento de um bebê no útero da sua mãe. Quando a futura mãe adoece, como ocorreu com a minha enteada, todos nós nos preocupamos com o efeito da enfermidade na gestação do bebê. Em certas culturas, mãe e avó estariam tricotando roupas para o futuro bebê, de maneira que o entretecimento dos membros daquele novo ser no ventre da sua mãe encontra paralelo na criatividade que ocorre fora dele. Não estou certo se o encantamento por esse processo seja intensificado pelo nosso conhecimento de como o bebê se desenvolve, estágio por estágio, ou se seria ainda maior, caso não fôssemos capazes de acompanhar a evolução do feto no ventre, sendo confrontados com um bebê perfeitamente formado no parto.

O salmo 139 expressa a maravilha por esse processo e pelo envolvimento divino nele. Os israelitas sabiam que a concepção e o nascimento constituíam processos naturais, em certo nível, embora igualmente soubessem que Deus operava por meio de processos naturais. Do mesmo modo, os israelitas evidentemente sabiam, como nós, que há um sentido no qual tudo o que seremos e faremos é moldado antes de nascermos — que tipo de pessoas seremos, qual será a natureza de nossas forças e fraquezas, que realizações nos serão possíveis e que enfermidades nos afetarão e limitarão a duração da nossa vida. Não significa que tudo esteja predeterminado, mas as possibilidades e as restrições já estão definidas. E o fato de Deus estar envolvido na formação da pessoa significa que ele também conhece esses dados e possui a informação em seus arquivos. O volume de dados é espantoso, tão numerosos quanto a quantidade de grãos na areia da praia. Eles abrangem toda a minha vida, e isso significa que ainda estarei dentro do conhecimento de Deus quando chegar ao fim.

O salmo manifesta maravilha não apenas pelo envolvimento divino, mas pelo próprio processo. É muito comum, mas também é extraordinário, tanto quanto foi o processo por meio do qual Deus trouxe o mundo à existência, do mesmo modo que a Israel. Falar em termos de ser bordado "nas profundezas da terra" evoca a imagem da "mãe terra" e vira a ideia do avesso — é como se a nossa mãe fosse a terra. O salmo constitui uma peça poética e, dificilmente, oferece um texto favorável à convicção de que o aborto é errado. Contudo, o maravilhoso processo que leva ao nascimento de um bebê, e o envolvimento divino nesse processo, certamente torna mais difícil ver a decisão sobre o aborto como uma simples decisão relativa ao corpo da mulher. Envolve a decisão de interromper um processo no qual Deus está envolvido e para a qual seriam necessários motivos imperativos.

Leituras ocidentais do salmo apresentam, pelo menos, dois outros ângulos de interesse. Um deles diz respeito às implicações quanto ao conhecimento e à soberania de Deus sobre todas as coisas. Parece óbvio ao pensamento ocidental a onisciência

SALMO 139 • SOBRE TRANSPARÊNCIA

de Deus — isto é, que Deus conhece todas as coisas. O salmo sugere uma interessante abordagem a esse raciocínio; isso implica que Deus, de fato, pode descobrir qualquer coisa, embora não que ele conheça tudo "automaticamente", apenas pela virtude de ser Deus. O salmo retrata Deus descobrindo a nosso respeito por meio de nos examinar, de olhar para nós, de olhar o processo pelo qual viemos a existir. Ainda, retrata Deus como plenamente capacitado a realizar o que desejar conosco, embora isso não implique que tudo o que fazemos ou experimentamos ocorra porque Deus assim deseja. A soberania divina é seletiva, mas Deus escolhe o que saber e o que fazer à luz das iniciativas que deseja realizar ou das orações que fazemos.

A outra perspectiva a partir da qual a leitura ocidental olha para o salmo diz respeito à sua importância para a nossa espiritualidade. Pode ser extremamente encorajador saber que jamais poderemos ir além do domínio do cuidado de Deus por nós. Todavia, existe um outro lado para o significado de Deus poder nos alcançar em qualquer lugar. Amós 9 usa a mesma linguagem e imagens ao falar de pessoas descendo ao **Sheol**, ou subindo aos céus, e de a mão de Deus ser capaz de nos alcançar lá, mas o profeta faz isso para lembrar Israel de que não é possível escapar do juízo divino. A cada respiração que der, a cada passo que der, Deus observa você. A capacidade divina de saber tudo sobre nós e de nos alcançar onde estivermos pode tanto ser positiva quanto negativa. Na verdade, a maior parte do salmo pode ter as duas leituras. É quase como se o salmo fosse sistematicamente ambíguo, cuidadoso ao afirmar os fatos sobre Deus ter acesso a nós, deixando-o neutro, quer esse acesso constitua boas notícias quer más notícias. Como se o salmista estivesse nos desafiando a decidir. Sua técnica é um aspecto da maneira pela qual o Saltério (e outras partes do Antigo Testamento) estão nos lendo, tanto quanto os lemos, ou nos levam a uma autoleitura. Quer o acesso de

Deus a nós seja positivo quer negativo, para o autor do salmo não é nem uma coisa nem outra. A questão é a de que modo as pessoas que usam o salmo necessitam lê-lo.

A ambiguidade prossegue nos versículos 1-18, embora as seções finais do salmo possam resolvê-la. O salmo é outro daqueles que os cristãos, normalmente, usam de modo seletivo — lemos apenas as três primeiras seções e nos sentimos perturbados com a derradeira. Os dois últimos versículos são indicações de que o salmo reconhece quão questionável é o desejo de que Deus mate os malfeitores? Como uma pessoa tão sensível espiritualmente, como a que escreveu a primeira parte, poderia chegar à severidade da última parte?

Essa dramática transição ocorre fácil e naturalmente à luz do lado sinistro sobre Deus ter o tipo de acesso a nós, que é descrito pelo salmo. Não apenas é impossível andarmos além de algum reino que esteja oculto a Deus; mas igualmente impossível é fugirmos para algum domínio no qual Deus não possa nos alcançar e saber tudo a nosso respeito. Somos incapazes de prevalecer sobre a capacidade da onisciência divina. Deus pode ouvir mesmo as palavras que pronunciamos em segredo. À luz da parte final do salmo, podemos ver a lógica pela qual o salmo como um todo funciona. Trata-se de uma expressão de compromisso com os caminhos de **Yahweh**. O salmista sabe tudo sobre pessoas **infiéis** e assassinas, que ostentam o **nome** de *Yahweh* em seus lábios, em juramentos e em seu testemunho no tribunal, mas o fazem em conexão com a inverdade, o "vazio". Há membros assim na comunidade. Talvez o salmista tenha sido acusado de ser assim e, portanto, prefere declarar que, na realidade, é totalmente contra tais pessoas e contra tudo o que elas representam. Não há nenhuma relação entre eles. O salmista as trata como inimigos em vez de amigos (o comentário de Agostinho sobre sermos chamados a amar os nossos inimigos, mas não a amar os inimigos de Deus, está de acordo com a posição do salmista). Como um sinal de que não é essa pessoa, o salmista clama a Deus para lidar com os infiéis. Seria uma oração muito perigosa caso ele, na realidade, pertencesse à companhia dos infiéis.

O convite de encerramento do salmista para Deus examiná-lo é, então, uma entrega de si mesmo à sondagem divina, para ver se o seu compromisso é real. As seções anteriores é que acrescentam peso a essa autoexposição. Ali, ele deixou claro que compreende a seriedade dessa sondagem. Não há como enganar Deus quanto à natureza do nosso compromisso com os seus caminhos. Não há como escapar de Deus se fingirmos ser algo que não somos.

SALMO 140
A ALTERNATIVA A UM COLETE À PROVA DE BALAS

Ao líder. Uma composição de Davi.

1. Resgata-me, *Yahweh*, do malfeitor,
    salva-me das pessoas violentas,
2. que pensam coisas más em sua mente,
    que agitam a guerra todos os dias.
3. Elas afiam a língua como uma cobra;
    o veneno de uma aranha está debaixo de seus lábios.
    (*Pausa*)
4. Guarda-me da mão das pessoas infiéis, *Yahweh*,
    salva-me das pessoas violentas,
   que pensam em como me fazer tropeçar,
5.   pessoas importantes que escondem uma armadilha para mim.
   Elas estenderam uma rede ao lado da trilha,
    colocaram iscas para mim.(*Pausa*)
6. Eu disse a *Yahweh*: "Tu és o meu Deus";
    dá ouvidos, *Yahweh*, ao som da minha oração por graça.

SALMO 140 • A ALTERNATIVA A UM COLETE À PROVA DE BALAS

> ⁷ *Yahweh*, meu Senhor, a força que me liberta,
> protegeste a minha cabeça no dia em que as pessoas
> pegaram o seu armamento.
> ⁸ *Yahweh*, não concedas os desejos da pessoa infiel;
> não permitas que o seu plano dê certo para que as
> pessoas [infiéis] triunfem. (*Pausa*)
> ⁹ A cabeça daqueles que me cercam —
> que a aflição causada por seus lábios os cubra.
> ¹⁰ Que brasas ardentes caiam sobre eles com fogo;
> que isso os faça cair em poços para que não se levantem.
> ¹¹ Que a pessoa com uma língua [venenosa] não fique firme
> na terra;
> a pessoa de violência, que o mal a cace em currais.
> ¹² Reconheci que *Yahweh* faz um julgamento para o humilde,
> uma decisão para o necessitado.
> ¹³ Sim, os fiéis confessarão o teu nome;
> os retos viverão na tua presença.

Não surpreendentemente (li em uma revista), o melhor lugar para se comprar um colete à prova de balas é Bogotá, na Colômbia, país no qual dois estudantes da Universidade dos Andes notaram que os guarda-costas não vestiam o seu colete à prova de balas por ser incômodo e pesado. Assim, decidiram desenvolver algo mais "vestível". A empresa deles, hoje, confecciona uma armadura corporal, de acordo com a moda vigente, para policiais, artistas de *hip-hop* e executivos de negócios, além de vestimentas para religiosos, que correm o risco de serem assassinados caso falem algo contra o tráfico de drogas ou a corrupção. Igualmente, produzem uma Bíblia de grandes dimensões, à prova de balas, que os religiosos podem usar como escudo protetor.

No entanto, a aquisição de um desses produtos requer alguns milhares de dólares, e a maioria daqueles sob risco de violência não tem dinheiro suficiente. O salmo 140 existe para essas pessoas. Do Saltério, pode-se, às vezes, ter a impressão de que Jerusalém ou alguma vila israelita era quase tão perigosa quanto a cidade de Bogotá. As armas desses malfeitores israelitas eram, com frequência, não tangíveis, mas legais, e a referência a cobras e aranhas venenosas mostra que eram também ameaçadoras. A história sobre Nabote e a sua vinha, em 1Reis 21, ilustra a vulnerabilidade de um israelita comum, quando cruzava o caminho de pessoas "importantes" com recursos para perverter o sistema legal e obter lucro às custas da vida de um cidadão comum.

Quando as pessoas possuem propósitos que envolvem a sua vida, então a oração é o que lhe resta. Tudo o que podem fazer é orar pedindo que Deus lhes mostre graça. Uma vez mais, o salmista lembra Deus da sua própria natureza como aquele que possui força para proteger e recorda as ocasiões do passado, nas quais *Yahweh* providenciou proteção. Uma vez mais, o salmo declara a convicção de que Deus está ao lado dos humildes e dos necessitados, quando eles são **fiéis** e retos. De novo, o salmo insta Deus a tornar os pretensos assassinos em vítimas de seus próprios planos. Não seria surpresa caso os conspiradores participassem dos mesmos cultos do templo que a pessoa que ora esse salmo e a possibilidade de a resposta de Deus à oração movê-los a reconsiderar os seus planos.

SALMO 141
SOBRE MANTER A BOCA FECHADA

Uma composição de Davi.

1. *Yahweh*, quando eu te clamo, vem depressa!
    Dá ouvidos à minha voz quando clamo a ti.
2. Que o meu apelo permaneça como incenso diante de ti,
    e o levantar das minhas mãos, como a oferta vespertina.

SALMO 141 • SOBRE MANTER A BOCA FECHADA

³ Estabelece uma vigilância à minha boca, *Yahweh*,
  mantém uma guarda na porta dos meus lábios.
⁴ Não permitas que a minha mente se volte para algo maligno,
  para ter tratativas em infidelidade com pessoas que
    agem perversamente.
  Assim, não me alimentarei dos seus deleites;
⁵   que a pessoa fiel me fira em compromisso e me reprove.
  Que o óleo escolhido não adorne a minha cabeça,
    pois a minha oração ainda é contra os seus malfeitos.
⁶ Quando os seus líderes caírem ao lado de um penhasco,
    ouvirão as minhas palavras, porque elas serão agradáveis.
⁷ Como alguém lavrando e sulcando a terra,
    os nossos ossos são espalhados na boca do Sheol.
⁸ Pois os meus olhos estão direcionados a ti, *Yahweh*, meu
    Senhor;
  em ti tenho confiado, não exponha a minha vida.
⁹ Guarda-me dos lados da armadilha que instalaram para mim
  e das ciladas das pessoas que agem perversamente.
¹⁰ Que os infiéis caiam em suas próprias redes, todos de uma
    vez,
    enquanto eu mesmo passo ileso.

Às vezes, a minha esposa, coloca a sua mão sobre a minha boca para me impedir de dizer algo ou para me calar. Isso funciona. Certa feita, um amigo me disse, com um pequeno sorriso: "Você precisa aprender a autocensura." Não sou muito bom em pensar nos possíveis efeitos das minhas palavras antes de proferi-las. Às vezes, descubro isso somente quando as expresso verbalmente e ouço o que digo, mas, então, pode ser muito tarde. Posso magoar pessoas ou causar problemas que não pretendia. Reconheço que há outras ocasiões nas quais falo para causar algum impacto e fico satisfeito por fazê-lo. Isso significa que alguma questão ali precisa ser considerada e discutida.

SALMO 141 • SOBRE MANTER A BOCA FECHADA

O salmo pede a Deus por alguma forma de autocensura e denota um senso de urgência nesse apelo. O uso duplo do verbo "clamar" é que implica o ponto, especialmente a primeira e taxativa ocorrência do verbo quando expressa não meramente "clamo a ti", mas "eu te clamo", mais como um senhor chamando o seu servo do que um servo falando a um senhor. O imaginário também estabelece o ponto. Quando se oferece o sacrifício com a sua oferta de incenso associada, pode-se ver o sacrifício queimar e o incenso subir. A verbalização de uma súplica ou o levantar de mãos em uma oração, especialmente em um local da vida cotidiana que seja distante do templo, pode parecer menos contundente quando desacompanhados desses símbolos de louvor e de oração. Assim, o salmista pede a Deus para tratar as suas súplicas com a mesma seriedade que elas receberiam caso fossem complementadas pelos acompanhamentos naturais de oração no culto.

Metaforicamente, o salmo pede para Deus colocar a sua mão sobre a minha boca. Claro que, por trás do que verbalizamos regularmente, está o que pensamos, e, desse modo, o salmo prossegue pedindo a Deus para exercer algum controle também sobre a minha mente. Como Deus faz isso na prática? Presumo que não seja assumindo o controle do meu pensamento, ao diretamente determinar como a minha mente deve funcionar, a exemplo de uma agência política que impede o acesso a certos arquivos. Decerto a nossa vida seria mais fácil, caso Deus assim procedesse, mas não me parece alinhado com o objetivo divino de que devemos aprender a viver de forma adulta e responsável. Considero que Deus opera influenciando-nos por meio dos pais, pela maneira com que buscam influenciar os seus filhos adolescentes ou recém-chegados à vida adulta, enfatizando fatos, argumentando, mostrando exemplos e persuadindo, em vez da opressão que, às vezes, os pais ou responsáveis exercem sobre os seus filhos mais jovens.

O salmista sabe que necessitamos dessa influência porque somos submetidos a pressões que nos forçam em outras direções, rumo à **infidelidade** e a seus (aparentes) deleites; o salmo deixa lacunas em branco para preenchermos, para identificarmos a forma de infidelidade que mais nos atrairia. Longe de permitir que sejamos tragados por essa infidelidade, o salmo nos convida a nos apegarmos à ideia de sermos disciplinados por pessoas nas quais confiamos verdadeiramente e à autodisciplina. Se somos sinceros em nosso apelo a Deus para que nos proteja de cedermos à pressão dos prazeres e deleites das outras pessoas, talvez seja necessário nos engajarmos, com seriedade, em alguma autonegação.

Como de costume, os ocidentais podem se sentir ofendidos pela súplica para que os infiéis caiam em suas próprias ciladas. Um dos seus significados é tratar-se de uma oração arriscada, possível de ser feita apenas por pessoas que realmente tenham se afastado de caminhos infiéis e permanecido longe deles.

SALMO 142
COMO FAZER A ORAÇÃO FUNCIONAR

Uma instrução de Davi. Quando ele estava na caverna. Uma súplica.

1. Com a minha voz clamarei a *Yahweh*,
    com a minha voz orarei por graça a *Yahweh*.
2. Derramarei o meu murmurar diante dele,
    a minha aflição diante dele eu declararei.
3. Quando o meu espírito desfalece dentro de mim,
    tu és aquele que conhece a minha vereda.
  No caminho em que ando
    eles esconderam uma cilada para mim.
4. Olha para a minha mão direita e vê —
    não há ninguém que presta atenção em mim.

SALMO 142 • COMO FAZER A ORAÇÃO FUNCIONAR

> O refúgio tem falhado para mim;
> não há ninguém que se interesse pela minha vida.
> ⁵ Clamo a ti, *Yahweh*; eu digo: "Tu és o meu refúgio,
> a minha alocação na terra dos viventes."
> ⁶ Dá atenção ao meu ressoar,
> pois estou muito abatido.
> Resgata-me dos meus perseguidores,
> pois eles são muito fortes para mim.
> ⁷ Tira-me da minha prisão,
> para confessar o teu nome.
> Ao meu redor os fiéis se reunirão,
> pois lidas comigo.

Em meu comentário sobre os salmos 120 e 121, mencionei a viagem que um grupo de amigos estava realizando a um dos países mais pobres e perigosos do continente africano, com o objetivo de permitir que as vozes dos refugiados ali fossem ouvidas no Ocidente. Nesta semana, eles retornaram em segurança para casa. Não existe educação formal nos campos de refugiados, e um dos financiadores dessa aventura tem a visão de levar um punhado de adolescentes desses acampamentos para um internato em outro país africano, para que possam, eventualmente, retornar como professores para o seu próprio povo. Todavia, os obstáculos ao cumprimento dessa visão são monumentais. Dinheiro é o menor deles. Como refugiados de um país *A*, vivendo no país *B*, obtêm os documentos para viajarem ao país *C*? Como fazer Deus possibilitar que impossibilidades se tornem realidades?

O salmo 142 sugere quatro percepções sobre como obter respostas às orações. Primeira, deixe Deus ouvir o que você está dizendo e pensando. Com frequência, há um bom motivo para temermos que Deus ouça o que proferimos, mas também sabemos que quando ouvimos alguém dizer algo que não é dirigido a nós, mas se refere a nós, isso pode ter um efeito imediato em nossa atenção. Assim, o salmo começa falando sobre Deus. Segunda, fale diretamente a Deus sobre as suas necessidades ou as carências das pessoas com as quais você se preocupa. O salmo discorre sobre o meu murmurar, a minha aflição, o meu espírito desfalecer. O salmista explicita o nosso reconhecimento de que não revelamos nada que Deus já não saiba ("Tu és aquele que conhece a minha vereda", a experiência pela qual estou passando). Deus tem ciência de todos esses fatos, não obstante as orações bíblicas jamais se privam de contar a Deus coisas que ele já sabe, ao contrário de um adolescente que evita dizer à sua mãe coisas que ela sabe. Um dos pontos sobre não ocultar nada é que isso nos faz sentir melhor; o outro é mover o agir de Deus, tornar impossível o silêncio de Deus em relação às nossas orações.

Terceira, fale com Deus sobre não ter mais a quem recorrer. "Ninguém me dá atenção; então tu deves me ouvir. Ninguém em cargos de poder se importa com a situação desses jovens nos campos de refugiados. Eles têm o melhor refúgio que o UNHCR [Alto-Comissariado das Nações Unidas para os Refugiados] pode lhes proporcionar, mas, por outro lado, mesmo esse refúgio não os protege o suficiente. Ninguém se importa com eles. A não ser que tu intervenhas, Senhor, nada mudará." Quarta, instigue Deus a fazer o que é necessário e indique como isso trará honra a Deus.

Primeiro Samuel 22 descreve a ocasião em que Davi foi obrigado a se esconder em uma caverna, e podemos imaginá-lo orando dessa maneira. As introduções a muitos salmos referem-se a incidentes na vida de Davi, relatados em 1 e 2 Samuel. A leitura da narrativa desses incidentes, normalmente, produz dois resultados. Um deles é a possibilidade de imaginar Davi orando o salmo no interior da caverna. No entanto, também é possível vislumbrar, no salmo, outros elementos que não se encaixam no relato. O salmo 51 fornece um bom exemplo. A possível implicação é que as referências às introduções não significam que Davi, de fato, orou o salmo naquela situação; antes, que talvez seja esclarecedor considerar o salmo e a história em conjunto, por haver essa sobreposição.

SALMO 143
A FIDELIDADE DE DEUS, NÃO A MINHA

Uma composição de Davi.

1. *Yahweh*, ouve a minha súplica,
    dê ouvidos à minha oração por graça em tua veracidade,
 responde-me em tua fidelidade.
2. Não entres em julgamento com o teu servo,
    pois nenhuma pessoa viva conta como fiel diante de ti.
3. Porque o meu inimigo me tem perseguido,
    me esmagado contra a terra,
 me feito viver em trevas,
    como pessoas mortas há muito tempo.
4. O meu espírito desfalece dentro de mim;
    a minha mente está desolada em meu interior.
5. Lembro-me dos dias de outrora, tenho falado sobre tudo o
        que fizeste,
    murmuro sobre a ação das tuas mãos.
6. Estendo as minhas mãos a ti;
    o meu coração está como terra seca em relação a ti.
        (*Pausa*)

7. Sê rápido, responde-me, *Yahweh*;
    o meu espírito está consumido.
 Não escondas o teu rosto de mim,
    para que não seja como a pessoa que desce ao poço.
8. Permite-me ouvir do teu compromisso pela manhã,
    pois em ti confio.

SALMO 143 • A FIDELIDADE DE DEUS, NÃO A MINHA

> ⁹ Permite-me conhecer o caminho no qual devo andar,
>   pois a ti é que elevo o meu coração.
> ¹⁰ Ensina-me a fazer o que te agrada,
>   pois tu és o meu Deus.
> ¹¹ Pelo bem do teu nome, *Yahweh*, dá-me vida;
>   em tua fidelidade, tira-me da minha aflição.
> ¹² Em teu compromisso, põe um fim aos meus inimigos,
>   destrua todas as pessoas que estão me atacando,
>   pois sou teu servo.

Ao contrário da decisão que ela anunciou, alguns dias atrás, a primeira coisa que a minha esposa fez, nesta manhã, foi sentar-se à frente do seu computador e verificar as notícias. Depois de algum tempo, perguntei-lhe o que havia acontecido com a decisão de iniciar o dia com um período de devoção e, com horror, ela admitiu que havia se esquecido. A minha esposa, então, correu a preparar o café da manhã. (Ela tem feito as suas devocionais desde que escrevi esse comentário e, como você pode deduzir dos meus agradecimentos, eu jamais incluiria essa informação sem a concordância dela, portanto ela não me percebe como sendo passivo-agressivo.) Ainda bem que a relação entre Deus e nós não depende da nossa **fidelidade** quanto depende da fidelidade divina; a minha esposa sabe desse fato e confia nele, de uma forma positiva. Somos propensos a contar com a certeza da fidelidade de Deus e não nos obrigarmos a cumprir a nossa. No cristianismo ocidental contemporâneo, segundo a minha experiência, o maior risco que corremos é a presunção de que a nossa fidelidade determina a fidelidade de Deus, que ele se relaciona conosco em resposta ao nosso relacionamento com ele.

Os versículos inaugurais do salmo 143 expõem a questão de como a fidelidade divina e a nossa própria se relacionam e apontam para o fato de a fidelidade de Deus ser a determinante. O argumento deles é o mesmo abordado por Paulo em Romanos 3, a fim de mostrar como as Escrituras deixam claro que somos todos transgressores, judeus e gentios. O apóstolo, explicitamente, menciona uma sequência de passagens oriundas, principalmente, do Saltério e, então, no versículo 10, resume o ponto do início do salmo 143: "Não há nenhum justo, nem um sequer" (NVI). A ênfase de Paulo é a mesma do salmista: estabelecer que a relação entre Deus e nós depende, fundamentalmente, mais da fidelidade divina do que da nossa. Com efeito, quando Paulo fala sobre "justiça", ele usa a palavra no sentido do Antigo Testamento, expressando que Deus está fazendo a coisa certa e sendo fiel. A suprema manifestação da fidelidade divina é o envio de Jesus para nos redimir; a única contribuição que fazemos para a nossa salvação é a nossa disposição de confiar em Jesus.

O evangelho, portanto, está em conformidade com o salmo. Ao reconhecer que nenhum de nós é contado como fiel ou faz a coisa certa quando Deus olha para nós (alguns podem se sentir satisfeitos apenas comparando-se a outras pessoas), o salmista pode encarar esse fato, pois já apelou à veracidade e à fidelidade de Deus. O tema é, então, é retomado nos dois últimos versículos do salmo, com o apelo ao **compromisso** e à fidelidade de Deus.

Na seção intermediária, o salmo também deixa claro que reconhecer que ninguém pode alegar ser totalmente fiel e, assim, ter o direito e, portanto, uma reivindicação sobre Deus, não implica que todos somos igualmente pecaminosos. Ambos os Testamentos reconhecem que há pessoas boas e más; a maioria de nós situa-se entre os dois extremos. O salmista admite que o fato de não ser, em última análise, fiel não me serve de desculpa para eu não ser tão compromissado quanto posso ser, e, sem nenhuma contradição, esse compromisso é parte da base para suplicar a Deus que tome o meu lado contra os que me perseguem. Por implicação, se não posso alegar ter um grau razoável de comprometimento, é melhor considerar essa questão com Deus antes de tentar pedir a sua intervenção.

Talvez o mais surpreendente seja o fato de que a alegação quanto ao comprometimento no passado não ser incompatível com o pedido para que Deus me guie pelo caminho certo no futuro. Quando os cristãos me falam da orientação ou liderança de Deus, de modo característico eles desejam saber se devem namorar com uma pessoa em particular ou se devem aceitar determinado emprego. Deus é propenso a deixar essas questões para a nossa decisão, como um bom pai ou uma boa mãe. Quando a Bíblia fala sobre a orientação e a liderança de Deus, caracteristicamente refere-se a reconhecermos o caminho moralmente correto. O salmo implica que andar no caminho certo no passado não exclui a possibilidade de nos desviarmos no futuro.

SALMO **144**
UM MERO SOPRO

De Davi.

1. *Yahweh*, meu rochedo, sê adorado,
   aquele que treina as minhas mãos para o encontro, os
   meus dedos para a guerra,
2. aquele comprometido comigo, minha solidez, meu abrigo,
   aquele que me capacita a escapar,
   meu escudo, aquele em quem confio,
   que subjuga o meu povo debaixo de mim.
3. *Yahweh*, o que é um ser humano para que o reconheça,
   um mortal para que penses nele?
4. O ser humano é como um sopro;
   os seus dias, como sombra passageira.

SALMO 144 • UM MERO SOPRO

⁵ *Yahweh*, estende os teus céus e desce,
 toca as montanhas para que fumeguem.
⁶ Faze relâmpagos e os disperse,
 envia as tuas flechas e os derrote.
⁷ Envia as tuas mãos do alto, arrebata-me, resgata-me,
 das grandes águas, da mão dos estrangeiros,
⁸ cuja boca fala coisas vãs
 e cuja mão direita é enganosa.

⁹ Deus, cantarei uma nova canção para ti;
 em uma lira de dez cordas farei música para ti,
¹⁰ como aquele que dá libertação a reis,
 que arrebata Davi, seu servo.
¹¹ Da espada mortal arrebata-me;
 resgata-me da mão dos estrangeiros,
 cuja boca fala coisas vãs
 e cuja mão direita é enganosa.

¹² Que os nossos filhos sejam como brotos,
 nutridos em sua juventude;
 as nossas filhas sejam como pilares de esquina,
 esculpidas no padrão de um palácio;
¹³ os nossos depósitos estejam cheios de provisões de todos
 os tipos;
 os nossos rebanhos somem milhares, miríades em
 nossos campos;
¹⁴ o nosso gado dê suas crias; não haja brecha,
 nem saída, nem choro em nossas praças:
¹⁵ abençoado o povo que possui isso,
 abençoado o povo cujo Deus é *Yahweh*!

Anos atrás, realizei uma pequena pesquisa no rastreio de meus ancestrais. Eram tempos anteriores à Internet, a investigação envolveu debruçar-me sobre volumes antigos no arquivo desses registros, em Londres. Às vezes, deparava-me com outro "John Goldingay", que vivera havia mais de um século. Em outras, estava lendo o registro de casamento de um ancestral analfabeto, cuja assinatura era um mero X, o que me fazia refletir sobre quão privilegiado eu sou, por nascer e crescer em uma época na qual, alguém oriundo de um cenário tão comum, tivesse a oportunidade de receber a mesma educação de uma pessoa de uma classe muito superior. Algumas vezes, surpreendia-me por encontrar um ancestral do século XIX que viveu além dos noventa anos, quando a expectativa de vida era bem menor que a dos dias atuais.

Há muita diferença quando nos comparamos com pessoas de um século ou dois atrás, mas existe também muita similaridade, não apenas o fato de todos nós morrermos. O salmo 144 comenta que o ser humano é um mero sopro; seus dias são como uma sombra passageira. A pergunta para a qual essa definição é uma resposta: "O que é um ser humano?", vem do salmo 8, mas o salmo 144 leva essa questão a uma direção distinta. O salmo 8 maravilha-se pelo fato de Deus colocar meros seres humanos no controle do mundo; o salmo 144 maravilha-se pelo fato de Deus colocar um ser humano em particular, o rei ou o governador, a cargo de Israel. Ironicamente, outro aspecto da resposta à pergunta sobre o motivo de Deus designar um mero ser humano a cargo de Israel é: "Bem, fiz isso porque Israel me pediu." Primeiro Samuel 8 relata como Deus designou um rei sobre Israel por causa do desejo dos israelitas, não de Deus. É assustador pensar que o que é ligado na terra possa ser ligado no céu (Mateus 16:19).

Essa disposição da parte de Deus torna-se tanto uma maldição quanto uma bênção para Israel e para os seus reis. O salmo 144 convida o líder a se alegrar no extraordinário apoio e proteção de Deus. O **compromisso** assumido por Deus em relação a Davi é para o encorajamento de cada Davi subsequente. Esse suporte é a base para o sentimento de admiração pelo fato de Deus prestar atenção nele, apesar de ser um mero ser humano. A última parte do salmo pode, igualmente, reforçar o comentário sobre os seus dias serem semelhantes a uma sombra efêmera. Embora o líder disponha de um plano de saúde melhor do que os israelitas comuns, quando chega a batalha ele passa a ser o principal alvo daqueles que fingem ser aliados, mas cujas palavras são vazias e cuja aliança não é digna de confiança. Ele, de fato, precisa apelar para que Deus o resgate da mão direita que se propõe a oferecer tratados, mas, na verdade, oculta uma espada. É alguém cujos dias são como uma sombra passageira, provavelmente, uma que passa rapidamente. Ele precisa que Deus esteja preparado para separar a aparentemente firme e contínua vastidão do céu e intervir no mundo, e viver de acordo com a descrição das linhas inaugurais do salmo.

A derradeira seção olha para além de qualquer crise que possa confrontar o líder, para a bênção que Deus trará, e personifica o lembrete de que o envolvimento de Deus com ele não é para o seu próprio bem, mas para o bem de seu povo. Em última análise, Deus escolheu o povo como um todo, não Davi e seus sucessores.

SALMO 145

TEU É O REINO, O PODER E A GLÓRIA

Um ato de louvor de Davi.

1. Exaltar-te-ei, meu Deus e Rei;
    adorarei o teu nome para todo o sempre.
2. Todos os dias eu te adorarei;
    louvarei o teu nome para todo o sempre.
3. *Yahweh* é grande e digno de ser louvado;
    não há como sondar sua grandeza.
4. Uma geração louvará as tuas obras a outra geração
    e contará dos teus atos poderosos.

5 Do teu majestoso, glorioso esplendor,
    e dos teus admiráveis atos, eu murmurarei.
6 As pessoas falarão do poder dos teus atos assombrosos;
    a tua grandeza, eu a declararei.
7 Derramarão a comemoração da tua grande
    bondade e ressoarão a tua fidelidade.
8 *Yahweh* é gracioso e compassivo,
    longânimo e grande em compromisso.
9 *Yahweh* é bom para com todos;
    sua compaixão está sobre todas as suas obras.
10 Todas as suas obras te confessarão, *Yahweh*;
    as pessoas comprometidas contigo te adorarão.
11 Falarão da glória do teu reino,
    contarão do teu poder,
12 para fazer conhecidos os teus atos poderosos aos seres
        humanos,
    o esplendor glorioso do teu reino.
13 O teu reino é sobre todas as eras,
    e o teu governo sobre todas as gerações.

14 *Yahweh* sustém todos os que estão caindo
    e levanta todos os que são derrubados.
15 Os olhos de todos olham para ti,
    e lhes dá alimento a seu tempo.
16 Abres a tua mão
    e enches todo ser vivente com o teu favor.
17 *Yahweh* é fiel em todos os seus caminhos,
    comprometido em todas as suas obras.
18 *Yahweh* está perto de todos os que o invocam,
    de todos os que o invocam em verdade.
19 Ele age com favor às pessoas que estão no seu temor;
    ouve o seu clamor por socorro e as liberta.
20 *Yahweh* cuida de todos os que se entregam a ele,
    mas destrói todos os infiéis.
21 A minha boca falará do louvor de *Yahweh*;
    toda a carne bendirá o nome do santo, para todo o sempre.

Certa feita, um aluno perguntou-me porque a Oração do Senhor, conhecida como Pai-nosso, tão diferente das orações presentes no Saltério que, caracteristicamente, clamam e lançam protestos a Deus por causa das necessidades prementes das pessoas. Eu não sabia ao certo o que responder naquele momento, mas durante um tempo elaborei o que imaginei ser uma resposta notável com relação ao contexto da Oração do Senhor no ministério de Jesus. Contudo, não irei incomodar você com isso, pois percebo agora muitos equívocos. A oração é, de fato, diferente dos salmos de protesto, mas é similar a outros salmos que focam mais o louvor.

O salmo 145 ilustra esse ponto de variadas formas, e o faz por seu foco no reino de Deus. A diferença na Oração do Senhor é a sua expressão do desejo: "Venha o teu reino." O salmo fala do reino de Deus como uma realidade presente. Há certa adequação nas duas abordagens. Deus é soberano; o mundo não está fora do controle divino; e ele mostra esse poder real com a provisão para o mundo e para seu povo. Mas o reino de Deus não é, de modo algum, uma realidade completa no mundo ou na igreja.

Na Oração do Senhor, esse anseio, "Venha o teu reino", está presente no contexto de outros anseios: "Santificado seja o teu **nome**" e "Seja feita a tua vontade". Tais anseios significam mais do que um compromisso de nossa parte em relação a cada uma dessas prioridades em nossa vida. Caso fossem apenas atos disfarçados de autocompromisso, eles perderiam o seu significado como orações. Contudo, igualmente perderiam a sua validade como orações se não implicassem atos de compromisso da nossa parte. O salmo 145 foca o aspecto de compromisso em relação ao nosso reconhecimento de Deus.

Uma terceira comparação e contraste aparece na fala sobre alimento e temas associados. O salmo observa que Deus concede aos seres humanos e aos animais o alimento no tempo devido. A Oração do Senhor, portanto, pode pedir que nos seja dado o nosso pão de cada dia. É possível fazer uma ligação adicional entre as declarações sobre a proximidade de *Yahweh* com as pessoas que clamam a ele, especialmente quando estão sob pressão, e a súplica para Deus nos livrar do mal e não nos deixar cair em tentação. No entanto, outra ligação reside no mesmo contexto, no pedido de perdão que aparece na Oração do Senhor, cujo fundamento teológico está no fato observado pelo salmista de que *Yahweh* é gracioso e compassivo, longânimo e grande em **compromisso**.

Há um significado adicional na última parte do histórico. O salmo possui todas aquelas conexões com o futuro, no fato de Jesus retomar os seus temas na Oração do Senhor. Ainda há uma importante conexão com o passado, inserindo-o no cenário da revelação anterior de Deus. Ao declarar que *Yahweh* é gracioso e compassivo, longânimo e grande em compromisso, o salmo retoma aspectos da autodescrição de *Yahweh* no Sinai, em Êxodo 34. Quando Deus deseja que saibamos as coisas básicas sobre ele, essas são elas. A descrição é retomada inúmeras vezes nos Salmos e em outras passagens.

Além disso, o fato de ser outro salmo alfabético, a exemplo dos salmos 111 e 119, adequa-se às ligações passadas e futuras do salmo. Em outras palavras, cada versículo do salmo é iniciado com uma das letras do alfabeto hebraico (exceto o *N*, por algum motivo — daí o fato de, na realidade, o salmo possuir 21 versículos). Se deseja saber como é o louvor de *A* a *Z*, o salmo 145 pode lhe dar a resposta. Pergunto-me como seria uma oração ou ato de louvor com base nas 26 letras do nosso alfabeto!

SALMO 146
NÃO CONFIE EM LÍDERES

1. Louvem a *Yah*!
    Louve a *Yahweh*, ó minha alma.
2. Louvarei a *Yahweh* por toda a minha vida;
    farei música para o meu Deus enquanto existir.

SALMO 146 • NÃO CONFIE EM LÍDERES

³ Não confie em líderes,
  em um ser humano no qual não há libertação.
⁴ O seu sopro se vai, ele retorna ao seu solo;
  naquele dia, suas deliberações perecem.
⁵ Abençoado aquele que tem o Deus de Jacó como seu socorro,
  cuja esperança está em *Yahweh*, seu Deus,
⁶ criador dos céus e da terra,
  do mar e de tudo o que neles há;
  aquele que guarda a fé para sempre,
⁷   exercendo autoridade pelos oprimidos,
  dando alimento aos famintos —
  Yahweh liberta os cativos;
⁸ *Yahweh* abre [os olhos] dos cegos;
  Yahweh levanta as pessoas que são derrubadas;
  Yahweh entrega-se aos fiéis;
⁹ *Yahweh* guarda os estrangeiros.
  Ele alivia o órfão e a viúva,
  mas subverte o caminho dos infiéis.
¹⁰ *Yahweh* reinará para sempre —
  o teu Deus, Sião, por todas as gerações.
  Louvem a *Yah*!

Lembro-me daquele dia de inverno, quando anunciei na faculdade teológica em Londres, da qual era o diretor, que iria sair no próximo verão. Para minha surpresa, o anúncio gerou um sentimento de ansiedade entre inúmeros estudantes. Talvez estivesse enganando a mim mesmo ao avaliar que a mudança não faria muita diferença para eles; o corpo diretivo, certamente, indicaria outra pessoa, cujas visões, atitudes e aspirações não seriam muito divergentes das minhas. É possível que eu estivesse equivocado quanto à diferença que um indivíduo faz na liderança de uma instituição, tal como um seminário ou igreja. Ainda, não há dúvidas de que muitas pessoas confiam nos líderes de uma instituição por apreciarem a maneira com que ela está sendo administrada. A liderança é um ídolo.

Portanto, é positivo e importante para a igreja do Ocidente que o salmo 146 advirta a congregação de não confiar em líderes. O salmo aponta três dos muitos motivos pelos quais essa é uma relevante exortação. Primeiro, os líderes não são capazes de **libertar** ou socorrer o seu povo. Essa pode ser uma afirmação surpreendente, mas os dois verbos possuem um grande peso no Saltério. "Libertação" é, por definição, algo que somente Deus pode realizar. "Socorrer" não está longe de ter a mesma implicação; o verbo não denota assistir pessoas com algo que elas não podem fazer por conta própria, mas, em vez disso, expressa resgatar alguém que, de outra forma, afundaria.

O segundo fundamento para afirmar que não devemos confiar em líderes aponta para o particular motivo de eles não serem capazes de libertar ou socorrer; eles morrem. Ou, pelo menos, vão embora. Os planos que eles têm em mente se tornam irrelevantes; o tempo deles chega. O corpo docente do meu seminário atual sabe que o presidente não pode permanecer em seu cargo indefinidamente; cedo ou tarde, ele irá se aposentar. E, quando pensamos nisso, esse fato suscita certa ansiedade em nós. Quem será o próximo presidente? Seremos capazes de confiar nele(a) e amá-lo(a) como o presidente atual? Quando pastores de igrejas vão embora ou morrem, as congregações, com frequência, são impactadas. Por que isso ocorre?

Desvie o seu olhar dessas questões, diz o salmo, e lembre-se de quem realmente está no cargo. Aquele a quem as expressões "para sempre" e "por todas as gerações" podem ser anexadas, acerca do qual pode-se ter expectativas de que não irá falhar por causa da sua morte, aposentadoria ou partida.

O salmo implica um terceiro motivo para não confiarmos em líderes. Com frequência, nos sentimos chocados e surpresos por ver como os líderes usam a sua posição em benefício próprio e/ou erram moralmente, mas isso não deveria nos surpreender ou chocar, pois o desejo de estar em uma posição de poder, em geral, sugere que há algo questionável quanto ao caráter dessa pessoa. Estou escrevendo no dia da morte do escritor Christopher Hitchens, que foi muito criticado por defender a visão de que os políticos fazem coisas más porque, na verdade, são homens maus. Ainda que não haja algo questionável sobre o caráter de um candidato a líder, a posição de poder irá impor enormes pressões sobre o seu caráter. Muito provavelmente, os líderes não serão o tipo de pessoa que guarda a fé ou exercita **autoridade** em favor dos oprimidos, concede alimento aos famintos, cuida dos estrangeiros ou alivia órfãos e viúvas. Portanto, é melhor confiarmos em Deus, porque ele é essa espécie de líder.

Aos próprios líderes, então, o salmo diz: "Lembrem-se de que vocês não conseguem libertar; lembrem-se de que morrerão; e lembrem-se de serem como Deus na maneira de agir em relação às pessoas."

SALMO 147
A CRIAÇÃO COMO MOTIVO DE ESPERANÇA

1 Louvem a *Yah*!
    Porque fazer música ao nosso Deus é bom,
        porque glorificar [aquele que é o nosso] louvor é belo.
2 *Yahweh* é o construtor de Jerusalém;
    ele reúne os exilados de Israel.
3 Ele é aquele que cura os quebrantados de espírito
    e enfaixa as suas feridas.
4 Ele calcula o número das estrelas
    e pronuncia os nomes de todas elas.
5 O nosso Senhor é grande e tremendo em poder;
    de seu entendimento não há cálculo.

⁶ *Yahweh* restaura os humildes
    e derruba os infiéis ao chão.

⁷ Cantem a *Yahweh* com confissão,
    façam música a *Yahweh* com a harpa.
⁸ Ele é aquele que cobre os céus com nuvens,
    provê chuva para a terra, faz a grama crescer nas montanhas.
⁹ Ele dá alimento ao gado
    e aos filhotes do corvo quando clamam.
¹⁰ Não se deleita na força de um cavalo;
    não tem prazer nas coxas de uma pessoa.
¹¹ *Yahweh* tem prazer em pessoas que estão no seu temor,
    pessoas que colocam a esperança em seu compromisso.

¹² Jerusalém, glorifique a *Yahweh*,
    louve ao seu Deus, Sião,
¹³ pois ele fez fortes as barras dos seus portões,
    abençoou os seus filhos dentro de você.
¹⁴ Ele torna o seu território pacífico
    e a supre com o melhor do trigo.
¹⁵ Envia a sua palavra à terra;
    o seu mandamento corre rapidamente.
¹⁶ Ele dá a neve como lã;
    espalha a geada como cinza.
¹⁷ Lança o seu granizo como migalhas;
    quem pode resistir diante do seu gelo?
¹⁸ Envia a sua palavra e os derrete;
    quando sopra o seu sopro, as águas fluem.
¹⁹ Ele declara as suas palavras a Jacó,
    os seus mandamentos e decisões a Israel.
²⁰ Ele não fez isso por nenhuma nação;
    suas decisões, elas não as conhecem.
    Louvem a *Yah*!

SALMO 147 • A CRIAÇÃO COMO MOTIVO DE ESPERANÇA

Seiscentos anos antes de Cristo, a cidade de Jerusalém foi destruída, e grande parte de seu povo foi levado para o **exílio** na **Babilônia**. Não surpreendentemente, com o tempo, eles se tornaram desmoralizados e acharam difícil crer que Deus iria se envolver com eles novamente. As profecias em Isaías 40—55 são dirigidas aos judaítas nesse estado de descrença e desmoralização, e uma das maneiras pelas quais as profecias buscam restaurar a fé do povo é pela lembrança de que o Deus deles é o grande Criador. Aquele que, no princípio, criou o mundo, é capaz de agir, no presente, com criativo poder na vida deles.

O salmo 147, igualmente, mescla o discurso de Deus como criador e como construtor de Jerusalém, e talvez o faça pelo mesmo motivo. As três seções funcionam segundo o modelo clássico de um hino de louvor no Saltério. Por três vezes o salmo conclama o povo e a cidade a louvarem a Deus, e por três vezes o salmo prossegue dando motivos para eles louvarem, indicando o conteúdo de louvor sugerido. Em cada vez, o conteúdo desse louvor mescla afirmações sobre o relacionamento de Deus com o povo e sobre a criação.

A primeira seção implica o contexto do exílio. A cidade foi devastada e privada dos seus habitantes, e, contrariando todas as evidências, o salmo declara que **Yahweh** é o construtor de Jerusalém e aquele que reúne os exilados, o curador dos espíritos quebrantados, o enfermeiro que enfaixa as feridas, aquele que levanta os humildes e derruba as superpotências. Como acreditar nessas declarações? Pode-se crer nelas com base no fato de que o Deus de quem o salmista fala é aquele que controla as estrelas e que não pode ser controlado. Os babilônios acreditavam que as estrelas controlavam o que acontecia na terra; o salmo não discute essa crença, mas indica que há alguém que controla as próprias estrelas. Em teoria, os israelitas criam nisso; eles precisavam ver as implicações em seu próprio destino. No mundo ocidental, somos propensos a crer que controlamos o nosso destino.

A seção intermediária traz o trabalho do criador mais próximo de casa. Teoricamente, os israelitas acreditam que *Yahweh* é aquele que faz a natureza funcionar e, portanto, que assegura alimento suficiente a todas as criaturas da terra. Em teoria, creem que *Yahweh* não se preocupa com o poderio militar de uma nação; essa consideração não é o que decide o destino de um povo. A questão é: Que atitude um povo humilde adota diante de Deus? Imagina que o próprio destino depende de si mesmo?

A terceira pergunta faz parecer como se a restauração da cidade já tivesse ocorrido, embora possa estar se referindo ao passado, quando Deus guardava a cidade em seu apogeu, antes do exílio. Seja como for, uma vez mais, o salmo entrelaça a obra de Deus como senhor da natureza e como senhor do destino da cidade. Então, no encerramento, passa a falar sobre a marcante revelação que Deus fez da sua vontade a Israel. Outros povos não sabiam sobre adorar apenas a *Yahweh*, ou sobre a proibição de usar imagens, ou sobre a guarda do sábado. Quão privilegiados os israelitas são por conhecerem essas expectativas divinas. Quão irônico é falharem frequentemente em cumpri-las. Essa falha é o motivo de a cidade ter sido destruída e de eles terem sido levados para o exílio.

SALMO 148–149
DANÇA E MATANÇA

CAPÍTULO 148

1. Louvem a *Yah*!
   Louvem a *Yahweh* desde os céus,
     louvem-no nas alturas.
2. Louvem-no todos os seus ajudantes,
     louvem-no todos os seus exércitos.

SALMO 148–149 • DANÇA E MATANÇA

³ Louvem-no sol e lua,
   louvem-no todas as estrelas brilhantes.
⁴ Louvem-no os mais altos céus,
   e vocês, águas, que estão acima dos céus.
⁵ Eles devem louvar o nome de *Yahweh*,
   pois foi ele quem ordenou para que eles fossem criados.
⁶ Ele os estabeleceu para todo o sempre,
   fez uma lei, e ela não passará.
⁷ Louvem a *Yahweh* desde a terra,
   monstros marinhos e todas as profundezas,
⁸ fogo e granizo, neve e neblina,
   vento de tempestade fazendo a sua palavra,
⁹ montanhas e todas as colinas,
   árvores frutíferas e todos os cedros,
¹⁰ animais e todo o gado,
   coisas que se movem e aves aladas,
¹¹ reis da terra e todos os povos,
   líderes e todas as autoridades na terra,
¹² moços e moças também,
   velhos e jovens também.
¹³ Eles devem louvar o nome de *Yahweh*,
   pois somente o seu nome é exaltado.
Sua majestade está acima da terra e dos céus,
¹⁴ mas ele levantou um chifre para o seu povo,
[um motivo para] louvar por parte de todos os que são
      comprometidos com ele,
   por parte dos israelitas, o povo que é próximo a ele.
Louvem a *Yah*!

CAPÍTULO 149

¹ Louvem a *Yah*!
Cantem a *Yahweh* uma nova canção,
   o seu louvor na congregação das pessoas
      comprometidas.
² Israel deve celebrar o seu criador,
   os filhos de Sião devem alegrar-se em seu Rei.

SALMO 148–149 • DANÇA E MATANÇA

³ Devem louvar o seu nome com danças;
    tamborim e harpa devem fazer música para ele.
⁴ Pois *Yahweh* favorece o seu povo;
    ele adorna os humildes com libertação.
⁵ As pessoas comprometidas devem exultar em sua honra,
    devem ressoar em seus leitos,
⁶ aclamações de Deus em sua garganta
    e uma espada de dois gumes em sua mão,
⁷ para executar reparação sobre as nações,
    repreensões sobre os povos,
⁸ para prender os seus reis com algemas,
    os seus nobres com correntes de ferro,
⁹ para executar sobre eles a decisão que está escrita —
    isso será glória para todas as pessoas comprometidas
        com ele.
Louvem a *Yah*!

Na adolescência, não aprendi a dançar ou atirar com uma arma por diferentes motivos. A dança por ser considerada uma atividade "mundana"; não era adequada aos jovens realmente comprometidos com Deus. Não aprendi a atirar porque optei por não me unir à "força de cadetes" no colégio, o equivalente britânico ao ROTC [Corpo de Treinamento dos Oficiais da Reserva], que treinava os jovens alunos nas disciplinas e habilidades que seriam úteis (entre outras coisas) caso, no devido tempo, eles entrassem para o Exército. Creio que não tinha motivos profundos para recusar essa "força"; apenas não dispunha de motivação suficiente. Ainda não sei como atirar e, na verdade, ainda não sei dançar, mas isso não me impede de me lançar na pista de dança com entusiasmo.

O salmo 149 implica que os israelitas eram capazes de dançar e de atirar; ele considera que a dança é uma parte natural da adoração e, igualmente, o uso de instrumentos como o tamborim e a harpa (as traduções, às vezes, apresentam "lira", mas a harpa é o equivalente moderno da lira). Sua implicação é que a adoração envolve toda a pessoa; como poderia expressar entusiasmo por seu Criador e Rei se permanecesse imóvel? Essa presunção deixa os cristãos ocidentais desconfortáveis; pelo menos, poucas igrejas se comportam como se a adoração envolvesse toda pessoa. A suave transição da dança para o brandir da espada também nos perturba. Na verdade, o Novo Testamento não faz referência à dança ou ao uso de instrumentos na adoração; por consequência, certas tradições cristãs os têm evitado. Em contraste, o Novo Testamento refere-se ao uso da espada (p. ex., Romanos 13:4), todavia algumas tradições cristãs também são reservadas quanto a esse assunto.

A liberdade do salmista com respeito à adoração é, portanto, reconfortante, do mesmo modo que o seu compromisso com a queda do mal. O salmista não espera que o povo de Deus cruze os braços quando o mal é feito, nem intervenha apenas quando o suprimento de petróleo é ameaçado. Aqui, o povo de Deus aceita a responsabilidade por derrubar o mal. Quando Israel está sob ataque, o livro de Salmos considera que o seu trabalho é confiar em Deus, não buscar a autodefesa. Todavia, o quadro muda quando o mal deve ser punido e há pessoas indefesas a serem resgatadas. A presunção de que um povo pequeno como Israel pode derrubar reis e impérios é loucura, embora não o seja se você crê em Deus e sabe que há uma decisão divina que precisa ser implementada.

A ideia adicional que, de fato, domina o salmo 148 também é estranha ao pensamento cristão ocidental. Pelo mesmo motivo que nos impede de considerar com naturalidade a dança como expressão de adoração, temos dificuldades de imaginar a adoração sendo oferecida pelo sol e pela lua, pelos monstros marinhos, pelas árvores frutíferas ou pelos rebanhos. Pensamos na adoração como algo que essencialmente envolve a mente e o coração. Os salmos, certamente, expressam que a mente e o coração fazem parte dela, mas eles permitem outras verdades sobre a adoração. A expressão "Louvem a *Yah*!" aparece em ambas as extremidades dos salmos 146–150; normalmente é transliterada como "Aleluia". Essa palavra hebraica particular para louvor, *halal*, sugere a emissão de um som ululante, como "Lalalá". Se as palavras são menos essenciais à adoração do que imaginamos, e o envolvimento do corpo é mais importante, deixa de ser estranho pensar em árvores adorando, quando seus galhos balançam, de animais louvando com seus uivos, rugidos e silvos. Se há uma "música das esferas", então o seu som é para o louvor de Deus.

Caso foquemos o louvor oferecido pelos seres conscientes, uma vez mais o salmo expande o nosso horizonte, ao nos lembrar de que o corpo convocado a louvar inclui todos os **ajudantes** e exércitos divinos. Ao lado da referência aos monstros (e a reis, líderes e **autoridades**), o salmo nos lembra que há inúmeras entidades nos céus e na terra mais interessadas em resistir a Deus do que louvá-lo, mas tem uma visão de todos eles sendo atraídos ao louvor. Considerem a própria majestade de Deus; sejam realistas, rapazes. No entanto, o salmo termina com um motivo complementar para o próprio louvor de Israel. Como o louvor sem palavras dos céus e da terra deveria inspirar o louvor sem palavras e verbal, racional e sincero de Israel!

SALMO 150
O LOUVOR DE DEUS, O ETERNO CRIADOR, ESTÁ TERMINADO E COMPLETO

1. Louvem a *Yah*!
   Louvem a Deus em seu santuário,
   louvem-no em seu forte firmamento.
2. Louvem-no pelos seus atos poderosos,
   louvem-no de acordo com a sua imensa grandeza.

SALMO 150 • O LOUVOR DE DEUS, O ETERNO CRIADOR, ESTÁ TERMINADO E COMPLETO

> ³ Louvem-no com o sopro do chifre,
> louvem-no com a lira e a harpa.
> ⁴ Louvem-no com tamborim e danças;
> louvem-no com cordas e flauta.
> ⁵ Louvem-no com címbalos sonoros,
> louvem-no com címbalos ruidosos:
> ⁶ toda respiração deve louvar a *Yah*.
> Louvem a *Yah*!

O título que dei a esse salmo final é a nota de rodapé dos rabinos ao texto hebraico do livro de Salmos. Percorremos um longo caminho, desde o salmo 1, onde começamos com uma exortação a prestar atenção ao ensino de *Yahweh* e, então, passamos a uma promessa ao rei, no salmo 2. Pode-se dizer que o segundo salmo a partir do fim (salmo 149) corresponde ao segundo salmo a partir do início em suas afirmações sobre as nações sendo repreendidas e reis sendo derrubados, mas o último salmo contrasta com o primeiro. Igualmente, contrasta com o desenvolvimento do livro de Salmos após aquela abertura: a primeira metade do livro foi dominada pela oração e pelo protesto, porém o louvor é mais proeminente na segunda metade, culminando com os salmos 146–150. O título hebraico do livro de Salmos, *Louvores*, não é apropriado ao livro como um todo, mas corresponde ao encerramento do livro, no qual a dor, o abandono e o desapontamento são esquecidos — e isso corresponde a onde tudo deve terminar.

Observamos que o louvor no Saltério, normalmente, envolve duas características: uma exortação ou compromisso pessoal com o louvor e os motivos para ou o conteúdo desse louvor. Algumas vezes, um salmo de louvor omite a primeira característica e salta direto para a segunda, o conteúdo do louvor. Apenas o salmo 150 abrange somente a primeira característica (embora o v. 2 aluda brevemente ao conteúdo do louvor que o salmo conclama), que, em outras passagens, representa algo mais como uma introdução. O salmo 150 não é uma introdução a nada; antes, é mais como uma conclusão. Com efeito, ele diz: "Muito dissemos a respeito de Deus em todos esses salmos; à luz do que dissemos, você conhece todos os motivos para louvar a Deus. Faça isso."

Há pessoas que precisam ser lembradas de que a Bíblia está interessada na manifestação de compaixão aos necessitados por parte delas, não apenas na oferta de uma adoração entusiasmada. Outras necessitam ser lembradas de que a Bíblia está interessada na oferta de uma adoração entusiástica, não apenas de compaixão aos necessitados.

⌐ GLOSSÁRIO ⌐

Ajudante. Um agente sobrenatural por meio do qual Deus pode aparecer e operar no mundo. As traduções, em geral, referem-se a eles como "anjos", mas essa designação tende a sugerir figuras etéreas dotadas de asas, ostentando vestes brancas e translúcidas. Os ajudantes são figuras semelhantes aos humanos; por essa razão, é possível agir com hospitalidade sem perceber quem são (Hebreus 13:2). Ainda, eles não possuem asas; por isso, necessitam de uma rampa ou escadaria entre o céu e a terra (Gênesis 28). Eles surgem com a intenção de agir ou falar em nome de Deus e, assim, representá-lo plenamente, falando como se *fossem* Deus (Gênesis 22). Estão envolvidos em ações dinâmicas e firmes no mundo (Salmos 34—35); os ajudantes, portanto, trazem a realidade da presença, da ação e da voz de Deus, sem trazer aquela presença real que aniquilaria os meros mortais ou danificaria a sua audição.

Aliança. A palavra hebraica *berit* abrange alianças, tratados e contratos, mas todas essas são formas pelas quais as pessoas estabelecem um compromisso formal sobre algo. Onde há um sistema legal ao qual as pessoas podem apelar, os contratos pressupõem um sistema para resolver disputas e ministrar justiça que pode ser utilizado caso uma das partes não cumpra com os seus compromissos. Em contraste, um relacionamento de aliança não pressupõe uma estrutura legal executável dessa espécie, mas a aliança envolve algum procedimento formal que confirme a seriedade do compromisso solene que as partes assumem uma com a outra. Desse modo, o Antigo Testamento frequentemente fala sobre "selar" uma aliança; textualmente, "cortá-la" (o pano de fundo reside no tipo de procedimento formal descrito em Gênesis 15 e Jeremias 34:18-20, embora esse tipo de procedimento dificilmente fosse exigido toda vez que alguém assumia um compromisso de aliança). Às vezes, as pessoas selam alianças *para* outras pessoas e, às vezes, *com* outras pessoas. A primeira implica algo mais unilateral; a outra envolve algo mais recíproco. Igualmente, as alianças envolvendo Deus podem ser mais unilaterais (denotando o compromisso que Deus faz ou o que ele espera), ou bilateral (denotando o compromisso mútuo entre Deus e Israel).

Altar. Trata-se de uma estrutura para oferta de sacrifício (o termo vem da palavra para sacrifício), feita de terra ou pedra. Um altar pode ser relativamente pequeno, como uma mesa, e o ofertante deve ficar diante dele. Ou pode ser mais alto e maior, como uma plataforma, e o ofertante tem de subir nele.

Asafe. Asafe era um dos líderes de música na adoração do templo, designados por Davi, segundo 1Crônicas 6:39. Com frequência, Crônicas cita os descendentes de Asafe nessa função, e a referência a ele, nas introduções dos salmos, pode aludir a esse coro asafita, do mesmo modo que "Davi" pode ser usado em relação aos reis davídicos em geral.

Assíria, assírios. A primeira grande superpotência do Oriente Médio, os assírios expandiram o seu império rumo ao Ocidente, até a Síria--Palestina, no século VIII a.C. Primeiro, a Assíria anexou **Efraim** ao seu império. Quando Efraim persistiu tentando retomar a sua independência, os exércitos assírios invadiram Efraim e destruíram a sua capital, Samaria, levando cativo grande parte de seu povo e substituindo-os por pessoas oriundas de outras partes do seu império. Invadiram também **Judá** e devastaram uma extensa área do país, mas não tomaram Jerusalém. Profetas como Amós e Isaías descrevem o modo pelo qual *Yahweh* estava, portanto, usando a Assíria como um meio de disciplinar Israel.

Autoridade, autoritativo. As traduções, normalmente, traduzem o termo hebraico *mishpat* por palavras como "julgamento" ou "justiça", mas a conotação subjacente a essa palavra é o exercício de autoridade e a tomada de decisões. Trata-se de uma palavra para "governo". A princípio, então, o termo possui implicações positivas, embora seja possível aos que detêm autoridade tomar decisões injustas. A função do rei é exercer autoridade de acordo com a **fidelidade** a Deus e ao povo, com o fim de trazer **libertação**. Exercer autoridade significa tomar **decisões** e agir com firmeza e determinação em favor de pessoas em necessidade e aquelas prejudicadas pelos poderosos. Portanto, falar de Deus na posição de juiz significa boas-novas (exceto se você for um grande malfeitor). As "decisões" de Deus também podem denotar as declarações autoritativas de Deus quanto ao comportamento humano e sobre o que ele intenciona fazer.

Babilônia, babilônios. Um poder menor no contexto da história primitiva de Israel, ao tempo de Jeremias, os babilônios assumiram a posição de superpotência da **Assíria**, mantendo-a por quase um século, até ser conquistada pela Pérsia. Profetas como Jeremias descrevem como *Yahweh* estava usando a Babilônia como um meio de disciplinar **Judá**. Suas histórias sobre a criação, códigos legais e textos mais filosóficos nos auxiliam a compreender aspectos de escritos equivalentes presentes no Antigo Testamento, embora sua religião astrológica também constitua o cenário para polêmicos aspectos nos profetas.

Baú da declaração. A *ACF*, bem como outras versões bíblicas, faz referência a uma "arca", mas a palavra significa uma caixa, embora seja apenas usada ocasionalmente para expressar baús usados para outros fins. Nas traduções bíblicas em geral, aparece como "a arca da aliança", mas a expressão não usa a palavra comum para "aliança", mas um termo que significa uma declaração solene. Portanto, a "arca da aliança" é o "baú da declaração". O objeto mede pouco mais de um metro de comprimento e cerca de setenta centímetros de altura e de largura. A conexão com aliança é pelo fato de o baú conter as expectativas que Deus "declarou" a Israel com respeito à aliança, isto é, as tábuas de pedra inscritas com os Dez Mandamentos, expectativas-chave que Deus estabeleceu em relação ao seu relacionamento de aliança com Israel.

Bem-estar, veja paz

Canaã, cananeus. Como designação bíblica da terra de Israel, como um todo, e referência a todos os povos autóctones daquele território, "cananeus" não constitui, portanto, o nome de um grupo étnico em particular, mas um termo genérico para todos os povos nativos da região.

Cânticos de peregrinação . Estes são os salmos 120—134, os quais não têm muito em comum, exceto esse título, de maneira que eles não parecem ter sido originariamente designados para serem usados em conjunto. O mais provável é que formam uma coletânea de salmos, separados na origem, que eram entoados pelos peregrinos que subiam a Jerusalém para os festivais. Igualmente, são conhecidos como salmos de romagem ou cânticos dos degraus.

Chorar, clamar. Ao descrever a reação dos israelitas quando eles estão sob a opressão dos inimigos, o Antigo Testamento, com frequência, utiliza a mesma palavra usada para descrever o sangue de Abel clamando a Deus, o clamor do povo de Sodoma debaixo da opressão dos perversos, o grito dos israelitas no **Egito**, bem como o clamoroso lamento das pessoas injustamente tratadas dentro de Israel nos últimos séculos. O termo denota um choro urgente que pressiona Deus por **libertação**, um brado que Deus ouve, mesmo quando as pessoas merecem a experiência pela qual estão passando.

Composição. Essa é a palavra hebraica normalmente traduzida por "salmo". Sua origem é derivada do termo hebraico para música, sugerindo referir-se a uma composição musical, mas não necessariamente uma composição relativa ao louvor ou à oração. (O termo grego *psalmos*, origem da palavra "salmos" em nosso idioma, denota um cântico entoado com o acompanhamento de um instrumento de cordas.)

Compromisso, comprometido. O termo corresponde à palavra hebraica *hesed*, que as traduções expressam de modos distintos: amor inabalável, benignidade, bondade ou fidelidade. É a palavra, presente no Antigo Testamento, equivalente à palavra especial para amor incondicional, *agapē*, presente no Novo Testamento. O Antigo Testamento utiliza a palavra "compromisso" em referência a um ato extraordinário por meio do qual uma pessoa se dedica a alguém, numa atitude de generosidade, lealdade ou graça, quando não há uma relação prévia entre as partes e, portanto, nenhuma obrigação para isso. Portanto, em Josué 2, Raabe fala, apropriadamente, de sua proteção aos espias israelitas como um ato de compromisso. Pode também referir-se a um ato extraordinário similar que ocorre quando há uma relação prévia, na qual uma das partes decepciona a outra e, assim, não tem o direito de esperar qualquer fidelidade da outra parte. Caso a parte ofendida continue sendo fiel, trata-se de uma demonstração desse compromisso. Em resposta a Raabe, os espias israelitas declaram que irão se relacionar com ela dessa maneira.

Coraítas. Um dos grupos corais do templo, de acordo com 2Crônicas 20:19. Os salmos coraítas (e.g., salmos 84, 85, 87 e 88) formavam, provavelmente, parte do repertório desse grupo.

Decisão, decisivo, veja autoridade

Efraim. Após o reinado de Salomão, a nação de **Israel** se dividiu em duas. A maioria dos clãs israelitas estabeleceu um Estado independente, separado de **Judá**, de Jerusalém e da linhagem de Davi. Por ser o maior dos dois Estados, o reino do Norte manteve o nome Israel como a sua designação política, o que é confuso porque Israel também é o nome do povo que pertence a Deus, como um todo. Nos profetas, às vezes, é difícil dizer se "Israel" refere-se ao povo de Deus ou apenas ao Estado do Norte. No entanto, em algumas passagens, esse Estado também é apresentado com o nome de Efraim, por ser um dos seus clãs

GLOSSÁRIO

dominantes. Assim, uso esse termo como referência ao reino do Norte, na tentativa de minimizar a confusão.

Egito, egípcios. Era o principal poder regional ao sul de **Canaã** e a terra na qual a família de Jacó encontrou refúgio, mas acabaram como servos e, então, precisaram fugir de lá. No tempo de Moisés, o Egito controlava Canaã; nos séculos subsequentes, o Egito oscilou entre ser uma ameaça a Israel ou um aliado em potencial.

Exílio. No final do século VII a.C., a **Babilônia** se tornou o maior poder no mundo de **Judá**, mas os judaítas estavam determinados a se rebelar contra a sua autoridade. Então, como parte de uma campanha vitoriosa para obter a submissão de Judá, em 597 a.C. e 587 a.C. os babilônios transportaram muitos israelitas de Jerusalém para a Babilônia, particularmente pessoas em posições de liderança, como membros da família real e da corte, sacerdotes e profetas (Ezequiel foi um deles). Essas pessoas foram, portanto, compelidas a viver na Babilônia durante os cinquenta anos seguintes ou mais. Pelo mesmo período, as pessoas deixadas em Judá também estavam sob a autoridade dos babilônios. Assim, não estavam fisicamente no exílio, mas também viveram em exílio por um período de tempo.

Fiel, fidelidade. Nas Bíblias do idioma inglês, essas palavras hebraicas (*saddiq, sedaqah*) são, normalmente, traduzidas por *"righteous/righteousness"* [justo/justiça ou retidão], mas isso denota uma tendência particular quanto ao que podemos exprimir com esses termos. No original, significam fazer a coisa certa à pessoa com quem alguém está se relacionando, aos membros de uma comunidade. Dessa maneira, as palavras *"faithful/faithfulness"* [fiel/fidelidade] estão mais próximas do sentido original do que *"righteous/righteousness"*.

Filístia, filisteus. Os filisteus eram um povo oriundo do outro lado do Mediterrâneo para se estabelecer em **Canaã**, na mesma época do estabelecimento dos israelitas na região, de maneira que os dois povos formaram um movimento acidental de pressão sobre os habitantes já presentes naquele território, bem como se tornaram rivais mútuos pelo controle da área.

Grécia. Em 336 a.C., forças gregas, sob o comando de Alexandre, o Grande, assumiram o controle do Império **Persa**, mas, após a morte de Alexandre em 333 a.C., o seu império foi dividido. A maior extensão, ao norte e a leste da Palestina, foi governada por Seleuco, um de seus generais, e seus sucessores. **Judá** ficou sob o controle grego por grande parte dos dois séculos seguintes, embora estivesse situado na fronteira sudoeste desse império e, às vezes, caísse sob o controle do Império Ptolomaico, no **Egito**, governado por sucessores de outro dos generais de Alexandre.

Infiel, infidelidade. Termos para o pecado que sugerem o oposto de **fiel/fidelidade**, eles sugerem uma atitude em relação a Deus e aos outros que expressa um desprezo pelo que os relacionamentos corretos merecem.

instrução. Esse termo introdutório pode ser uma indicação de que o salmo em questão seja designado como um modelo para oração ou louvor.

Israel. Originariamente, Israel era o novo nome dado por Deus a Jacó, neto de Abraão. Seus doze filhos foram, então, os patriarcas dos doze clãs que formam o povo de Israel. No tempo de Saul e Davi, esses doze clãs passaram a ser uma entidade política. Assim, Israel significava tanto o povo de Deus quanto uma nação ou Estado, como as demais nações e Estados. Após Salomão, esse Estado dividiu-se em dois, **Efraim** e **Judá**. Pelo fato de Efraim ser maior, manteve como referência o nome de Israel. Desse modo, se alguém estiver pensando em Israel como povo de Deus, Judá está incluído. Caso pense em Israel politicamente, Judá não faz parte. Uma vez que Efraim não existe mais, então, para todos os efeitos, Judá *é* Israel, do mesmo modo que *é* o povo de Deus.

Judá. Judá era o **nome** de um dos doze filhos de Jacó e, portanto, o clã que traça a sua ancestralidade até ele e que se tornou dominante no sul dos dois Estados, após o reinado de Salomão. Mais tarde, como província ou colônia da **Pérsia**, Judá ficou conhecido como Jeúde.

Libertar, libertador, libertação. Traduções modernas do Antigo Testamento, com frequência, utilizam as palavras "salvar", "salvador" e "salvação", mas elas transmitem uma impressão equivocada. No contexto cristão, elas normalmente se referem ao nosso relacionamento pessoal com Deus e ao deleite do céu. O Antigo Testamento, de fato, fala sobre a nossa relação com Deus, porém não utiliza esse grupo de palavras nessa conexão. Antes, elas fazem referência à intervenção prática de Deus para tirar Israel ou um indivíduo de alguma dificuldade, como, por exemplo, acusações falsas por membros da comunidade ou a invasão de inimigos.

Líder. Esse termo, presente nas introduções dos salmos, provavelmente se refere ao líder de adoração (veja o comentário sobre **Asafe**, no salmo 50, e compare com Hemã, no salmo 88).

Mar de Juncos. A palavra é a mesma que aparece em Êxodo 2:5, quanto ao local no qual Miriã deixou o cesto com Moisés, à margem do Nilo. Pode ser referente a um dos braços ao norte do que chamamos de mar Vermelho, nos dois lados do Sinai, ou pode ser uma região de lagos pantanosos no interior do Sinai.

Mestre, mestres. *Baal* é um termo hebraico comum para designar um mestre, senhor ou proprietário, mas também é utilizado para descrever um deus **cananeu**. É, portanto, similar ao termo para "Senhor", usado para descrever *Yahweh*. Na verdade, "Mestre" pode ser um nome adequado, como "Senhor". Para deixar essa distinção clara, em geral o Antigo Testamento usa "Mestre" para um deus estrangeiro e "Senhor" para o verdadeiro Deus, *Yahweh*. A exemplo de outros povos antigos, os cananeus cultuavam inúmeros deuses, e, nesse sentido, o Mestre era apenas um deles, embora fosse um dos mais proeminentes. Além disso, um título como "o Mestre de Peor" sugere que o Mestre era crido como manifesto e conhecido de variadas formas em lugares distintos. O Antigo Testamento também usa o plural, "Mestres", como referência aos deuses cananeus em geral.

Nome. O nome de alguém representa a pessoa. O Antigo Testamento fala do templo como um lugar no qual o nome de Deus habita. Trata-se de uma das maneiras de lidar com o paradoxo envolvido em falar do templo como um local da habitação de Deus. Isso reconhece a ausência de sentido: como pode um edifício conter o Deus que não pode ser contido pelos céus, não importa quão amplo ele seja? Não obstante, os israelitas sabem que Deus, em algum sentido, habita no templo e que podem falar com Deus ali; eles têm consciência de que podem falar com Deus em qualquer lugar, mas há uma garantia especial desse fato no templo. O povo de Israel sabe que pode apresentar ofertas lá e que Deus irá recebê-las (supondo que sejam ofertada em boa-fé). Uma forma de tentar explicar o inexplicável ao abordar a presença de Deus no templo é, portanto, falar do nome de Deus como presente ali, pois o nome representa a pessoa. Proferir o nome de alguém, como se sabe, evoca a realidade daquela pessoa; é quase como se ela estivesse ali. Ao dizer o nome de alguém, há um sentido no qual você o evoca. Quando as pessoas murmuram "Jesus, Jesus" em suas orações, isso traz a realidade da presença do Filho de Deus. Igualmente, quando Israel proclamava o nome de *Yahweh* em adoração, isso trazia a realidade da presença de Deus.

Pausa. O termo hebraico *selah*, com frequência, surge ao fim das linhas nos salmos e, às vezes, no meio. Significa algo como uma "pausa", mas não sabemos ao certo o sentido da palavra aqui. As pessoas devem se levantar, ou elevar o tom, ou o quê? A minha teoria favorita é a de que essa foi a palavra usada por Davi para suspender a execução do salmo, após a corda do seu instrumento se romper — o que reforça o fato de não conseguirmos enxergar um padrão na ocorrência da palavra.

Paz. A palavra hebraica *shalom* pode sugerir paz após um conflito, mas, com frequência, indica uma ideia mais rica, ou seja, da plenitude de vida. A *ACF*, às vezes, a traduz por "**bem-estar**", e as traduções mais modernas usam palavras como "segurança" ou "prosperidade". De qualquer modo, a palavra sugere que tudo está indo bem para você.

Pérsia, persas. A terceira superpotência do Oriente Médio. Sob a liderança de Ciro, o Grande, eles assumiram o controle do Império **Babilônico**, em 539 a.C. Isaías 40—55 vê a mão de *Yahweh* levantando Ciro como um instrumento para restaurar **Judá** após o **exílio**. Judá e os povos vizinhos, como Samaria, Amom e Asdode, eram províncias ou colônias persas. Os persas permaneceram por dois séculos no poder, até serem derrotados pela **Grécia**.

Querubins. Eram incríveis criaturas aladas que transportavam *Yahweh*. Havia estatuetas dessas criaturas no templo, mantendo guarda sobre o **baú da aliança**; portanto, eles indicam a presença de *Yahweh* ali, invisivelmente entronizado acima deles.

Restaurador, restaurar. Um restaurador é uma pessoa em posição de agir em nome de alguém dentro de sua família estendida, que está em necessidade, a fim de restaurar a situação à qual esse familiar deveria estar. A palavra é sobreposta com expressões como "parente" "próximo", "guardião" e "redentor". "Parente próximo" indica o contexto familiar que o "restaurador" pressupõe. "Guardião" indica que o restaurador está na posição de responsável pela proteção e defesa da pessoa. "Redentor" indica a posse de recursos que o restaurador está preparado a despender em prol da pessoa a ser redimida. O Antigo Testamento usa o termo como referência ao relacionamento de Deus com Israel, bem como à ação de um ser humano em relação a outro,

GLOSSÁRIO

para implicar que Israel pertence à família de Deus e que Deus age em seu benefício da mesma maneira que um restaurador faz.

Sheol. O nome hebraico mais frequente para o lugar ao qual vamos quando morremos. No Novo Testamento, é chamado de "Hades". Não se trata de um lugar de punição ou sofrimento, mas simplesmente de um local de descanso para todos, uma espécie de análogo não físico para a sepultura, como lugar de repouso para o nosso corpo.

Sião. Um nome alternativo para Jerusalém. Enquanto "Jerusalém" é um termo mais político ou geográfico, "Sião" possui conotações mais religiosas ou teológicas (ironicamente, considerando o sentido moderno de "sionista"). Sião representa o lugar de habitação de *Yahweh* no meio do seu povo e o local de encontro com eles.

Sucote. O termo hebraico *sukkot* significa "cabanas" ou "tendas"; é o nome do festival realizado em setembro/outubro que marca o fim da colheita e também lembra o período no qual os israelitas viveram em tendas improvisadas na jornada pelo deserto, do **Egito** até **Canaã**.

Torá. A palavra hebraica *torah* significa ensino e, nos Salmos e em outras passagens, pode ter esse sentido geral; todavia, também é o termo hebraico para os cinco primeiros livros da Bíblia. Eles, em geral, são referidos como a "Lei", mas esse termo propicia uma impressão equivocada. No próprio livro de Gênesis, não há nada como "lei", bem como Êxodo e Deuteronômio não são livros "jurídicos". A palavra "ensino" fornece uma impressão mais correta da natureza da Torá.

Yah. Trata-se tanto de uma versão anterior do nome de Deus, do qual *Yahweh*, então, é uma elaboração (cf. a história em Êxodo 3), ou uma abreviação do nome.

Yahweh. Na maioria das traduções bíblicas, a palavra "Senhor" aparece em letras maiúsculas ou em versalete, como ocorre, às vezes, com a palavra "Deus". Na realidade, ambas representam o nome de Deus, *Yahweh*. Nos tempos do Antigo Testamento, os israelitas deixaram de usar o nome *Yahweh* e começaram a usar "o Senhor". Há dois motivos possíveis. Os israelitas queriam que outros povos reconhecessem que *Yahweh* era o único e verdadeiro Deus, mas esse nome de pronúncia estranha poderia dar a impressão de que *Yahweh* fosse apenas o deus tribal de Israel. Um termo como "o Senhor" era mais facilmente reconhecível. Além disso, eles não queriam incorrer na quebra da advertência presente nos Dez Mandamentos sobre usar o nome de *Yahweh* em vão. Traduções em outros idiomas, então, seguiram o exemplo e substituíram o nome de *Yahweh* por "o Senhor". O lado negativo é que isso obscurece o fato de Deus querer ser conhecido por esse nome. Por esse motivo, o texto utiliza *Yahweh*, com frequência, não algum outro nome (assim chamado) deus ou senhor. Essa prática dá a impressão de Deus ser muito mais "senhoril" e patriarcal do que ele o é na realidade. (A forma "Jeova" não e uma palavra real, mas uma mescla das consoantes de *Yahweh* e das vogais da palavra *Adonai* [Senhor, em hebraico], com o intuito de lembrar as pessoas que na leitura da Escritura elas deveriam dizer "o Senhor", não o nome real.)

Yahweh dos Exércitos. Esse título para Deus, em geral, no texto bíblico é traduzido por "Senhor dos Exércitos", todavia é uma expressão mais intrigante do que ela implica. O termo para Senhor é, na realidade, o nome de Deus, **Yahweh**, e a palavra para "Exércitos" é a palavra hebraica regular para as forças militares; é a palavra que aparece na traseira de qualquer caminhão militar israelense. Assim, mais literalmente, a expressão significa "*Yahweh* [dos] Exércitos", que é tão estranho em hebraico quanto seria "Goldingay dos Exércitos". Todavia, em termos gerais, a implicação da expressão é decerto clara: ela sugere que *Yahweh* é a personificação do ou o controlador de todo o poderio de guerra, quer no céu quer na terra.

┌ SOBRE O AUTOR ┘

John Goldingay é pastor, erudito e tradutor do Antigo Testamento. Ele é professor emérito David Allan Hubbard de Antigo Testamento no prestigiado Seminário Teológico Fuller em Pasadena, Califórnia. É um dos acadêmicos de Antigo Testamento mais respeitados do mundo com diversos livros e comentários bíblicos publicados. O autor possui o livro *Teologia bíblica* publicado pela Thomas Nelson Brasil.

Livros da série de comentários

O ANTIGO TESTAMENTO PARA TODOS

JÁ DISPONÍVEIS pela **Thomas Nelson Brasil**

Pentateuco para todos: Gênesis 1—16 • Parte 1
Pentateuco para todos: Gênesis 17—50 • Parte 2
Pentateuco para todos: Êxodo e Levítico
Pentateuco para todos: Números e Deuteronômio
Históricos para todos: Josué, Juízes e Rute
Históricos para todos: 1 e 2Samuel
Históricos para todos: 1 e 2Reis
Históricos para todos: 1 e 2Crônicas
Históricos para todos: Esdras, Neemias e Ester
Poéticos para todos: Jó
Poéticos para todos: Salmos 1—72 • Parte 1
Poéticos para todos: Salmos 73—150 • Parte 2
Poéticos para todos: Provérbios, Eclesiastes e Cântico dos Cânticos

O NOVO TESTAMENTO PARA TODOS

Mateus para todos: Mateus 1—15 • Parte 1
Mateus para todos: Mateus 16—28 • Parte 2
Marcos para todos
Lucas para todos
João para todos: João 1—10 • Parte 1
João para todos: João 11—21 • Parte 2
Atos para todos: Atos 1—12 • Parte 1
Atos para todos: Atos 13—28 • Parte 2
Paulo para todos: Romanos 1—8 • Parte 1
Paulo para todos: Romanos 9—16 • Parte 2
Paulo para todos: 1Coríntios
Paulo para todos: 2Coríntios
Paulo para todos: Gálatas e Tessalonicenses
Paulo para todos: Cartas da prisão
Paulo para todos: Cartas pastorais
Hebreus para todos
Cartas para todos: Cartas cristãs primitivas
Apocalipse para todos